Joana d'Arc

JOVEM, LÍDER, BRUXA, SANTA

CB015390

HELEN CASTOR

Joana d'Arc

JOVEM, LÍDER, BRUXA, SANTA

A surpreendente história da heroína
que comandou o exército francês

2ª reimpressão

Tradução: Cristina Antunes

GUTENBERG

Título original: *Joan of Arc: a history*

EDITORA
Silvia Tocci Masini

EDITORAS ASSISTENTES
Carol Christo
Nilce Xavier

ASSISTENTE EDITORIAL
Andresa Vidal Vilchenski

PREPARAÇÃO
Nilce Xavier

REVISÃO
Lúcia Assumpção

REVISÃO FINAL
Denis Cesar

CAPA
Diogo Droschi

FOTOGRAFIA DA CAPA
Nyk Fury

DIAGRAMAÇÃO
Larissa Carvalho Mazzoni

Dados Internacionais de Catalogação na Publicação (CIP)
Câmara Brasileira do Livro, SP, Brasil

Castor, Helen

    Joana d'Arc : jovem, líder, bruxa, santa : a surpreendente história da heroína que comandou o exército francês / Helen Castor ; tradução Cristina Antunes. -- 1. ed.; 2. reimp. -- Belo Horizonte : Gutenberg, 2021.

    Título original: Joan of Arc : a history.

    ISBN 978-85-8235-509-1

    1. Joana, d'Arc, Santa, 1412-1431 2. Santas cristãs - França - Biografia I. Título.

18-12572   CDD-922.22

Índices para catálogo sistemático:
1. Joana, d'Arc : Biografia 922.22

A **GUTENBERG** É UMA EDITORA DO **GRUPO AUTÊNTICA**

São Paulo
Av. Paulista, 2.073 . Conjunto Nacional
Horsa I . Sala 309 . Cerqueira César
01311-940 . São Paulo . SP
Tel.: (55 11) 3034 4468

Belo Horizonte
Rua Carlos Turner, 420
Silveira . 31140-520
Belo Horizonte . MG
Tel.: (55 31) 3465 4500

www.editoragutenberg.com.br
SAC: atendimentoleitor@grupoautentica.com.br

Para Luca

Naquela época, às vezes os ingleses tomavam uma fortaleza dos armagnacs pela manhã e perdiam duas à noite. Assim, essa guerra, amaldiçoada por Deus, continuou.

— UM CIDADÃO ANÔNIMO DE PARIS, 1423

· · ◉ · ·

Vocês, homens da Inglaterra, que não têm direito algum neste reino da França, o rei dos céus os ordena e comanda, através de mim, Joana, a Donzela, que abandonem suas fortalezas e voltem para sua terra. Se não, eu darei um grito de guerra que será lembrado para sempre.

— JOANA D'ARC AOS INGLESES EM ORLÉANS, 5 DE MAIO DE 1429

Sumário

A Guerra Dentro da França
Elenco de personalidades

Família Real Francesa
Carlos VI, o Bem-Amado, rei da França
Seus tios:
Jean, duque de Berry
Filipe, o Destemido, duque de Borgonha
Sua esposa:
Isabel da Bavária, rainha da França
Entre seus filhos:
Luís de Guienne, delfim da França
Jean de Touraine, delfim da França
Catherine de Valois, rainha da Inglaterra
Carlos, delfim da França, depois rei Carlos VII

Lordes Armagnacs (Orleanistas)
Luís, duque de Orléans, irmão do rei Carlos VI
Entre seus filhos:
Carlos, duque de Orléans
Felipe, conde de Vertus
Jean, Bastardo de Orléans, depois conde de Dunois
Bernard, conde de Armagnac
Luís, duque de Anjou, rei titular da Sicília e de Jerusalém
Sua esposa:
Iolanda de Aragão, duquesa de Anjou, rainha titular da
Sicília e de Jerusalém
Entre seus filhos:
Luís, duque de Anjou
René, duque de Bar e Lorena, depois duque de Anjou
Maria de Anjou, rainha da França

Carlos de Anjou
Jean, duque de Alençon
Jean d'Harcourt, conde de Aumâle
Carlos, conde de Clermont, depois duque de Bourbon

Lordes Burgúndios
João Sem Medo, duque de Borgonha, filho de Filipe, o Destemido, e primo do rei Carlos VI
Seus filhos:
Antoine, duque de Brabant
Felipe, conde de Nevers
Sua esposa:
Margaret da Bavária, duquesa de Borgonha
Entre seus filhos:
Filipe, o Bom, duque de Borgonha
Anne de Borgonha, duquesa de Bedford
Margaret de Borgonha, condessa de Richemont
Agnes de Borgonha, condessa de Clermont
Jean de Luxemburgo, conde de Ligny
Sua irmã:
Jacquetta de Luxemburgo, duquesa de Bedford

Família Real Inglesa
Henrique V, rei da Inglaterra
Seus irmãos:
Thomas, duque de Clarence
John, duque de Bedford
Humphrey, duque de Gloucester
Seu tio:
Henrique Beaufort, bispo de Winchester, cardeal da Inglaterra
Sua esposa:
Catherine de Valois, rainha da Inglaterra
Seu filho:
Henrique VI, rei da Inglaterra

Lordes Ingleses e Capitães, Aliados dos Burgúndios
Thomas de Montagu, conde de Salisbury
William de la Pole, conde de Suffolk
Richard Beauchamp, conde de Warwick

Thomas, lorde Scales
John, lorde Talbot, depois conde de Shrewsbury
Sir John Fastolf, capitão

Lordes Escoceses e Capitães, Aliados dos Armagnacs
John Stewart, conde de Buchan
Archibald Douglas, conde de Douglas, depois duque de Touraine
   Seu filho:
      Archibald Douglas, conde de Wigtown
Sir John Stewart de Darnley, capitão

Conselheiros Armagnacs, Capitães e Clérigos
Tanguy du Châtel, conselheiro
Robert Le Maçon, conselheiro
Jean Louvet, conselheiro
Georges de La Trémoille, conselheiro
Étienne de Vignolles, conhecido como La Hire, capitão
Ambroise de Loré, capitão
Poton de Xaintrailles, capitão
Raoul de Goncourt, capitão
Gilles de Rais, capitão
Jean Gerson, teólogo
Jacques Gélu, arcebispo de Embrun
Regnault de Chartres, arcebispo de Reims

Conselheiros Burgúndios, Capitães e Clérigos
Jean de La Trémoille, conselheiro
Hugues de Lannoy, conselheiro
Perrinet Gressart, capitão
Pierre Cauchon, teólogo, depois bispo de Beauvais, e depois de Lisieux
Luís de Luxemburgo, bispo de Thérouanne, irmão de Jean de Luxemburgo

Lordes e Clérigos Independentes
William, conde de Hainaut, Holanda e Zelândia
   Sua filha:
      Jacqueline, condessa de Hainaut, Holanda e Zelândia
John, duque de Bretanha
   Seu irmão:
      Arthur, conde de Richemont
Cardeal Niccolò Albergati

Árvores genealógicas

Após a morte repentina de Luís X da França, em 1316, sua rainha teve um filho, Jean I, que viveu apenas cinco dias. O único herdeiro que restou do rei foi sua filha de 4 anos, fruto de seu casamento com a primeira esposa, que havia sido anulado porque havia a suspeita de que a rainha cometera adultério. Tanto a pouca idade de sua filha quanto as dúvidas acerca da paternidade fizeram dela uma herdeira inadequada para o trono, e a coroa, em vez disso, foi passada para o irmão de Luís, Felipe V. Quando ele também morreu sem deixar filhos, o precedente de seu próprio caso foi usado para garantir a sucessão de seu irmão, Carlos VI, em vez de uma de suas filhas. Quando Carlos também morreu deixando apenas filhas, a coroa passou para seu primo homem, Felipe VI, dando início à linhagem Valois na sucessão.

Mas Eduardo III da Inglaterra, o filho da irmã de Carlos IV, Isabella, levantou-se contra esse costume em desenvolvimento de que a coroa não podia ser herdada por ou através de uma mulher, e alegou que o trono francês era seu por direito. Esse foi o argumento que ele usou para começar o conflito que depois foi chamado de Guerra dos Cem Anos, obtendo grandes vitórias em Sluys em 1340, Crécy em 1346 e Poitiers em 1356. Foi também o argumento usado pelo bisneto de Eduardo, Henrique V, para tentar imitar o sucesso militar de seu antecessor na França e garantir a coroa francesa para si mesmo.

Nesse meio tempo, na França do início do século XV, uma combinação desses precedentes do século XIV e da necessidade urgente de invalidar a reivindicação inglesa ao trono francês produziu o duradouro mito de que a sucessão real feminina era proibida por uma antiga Lei Sálica.

Reivindicações Inglesas e Francesas ao Trono da França

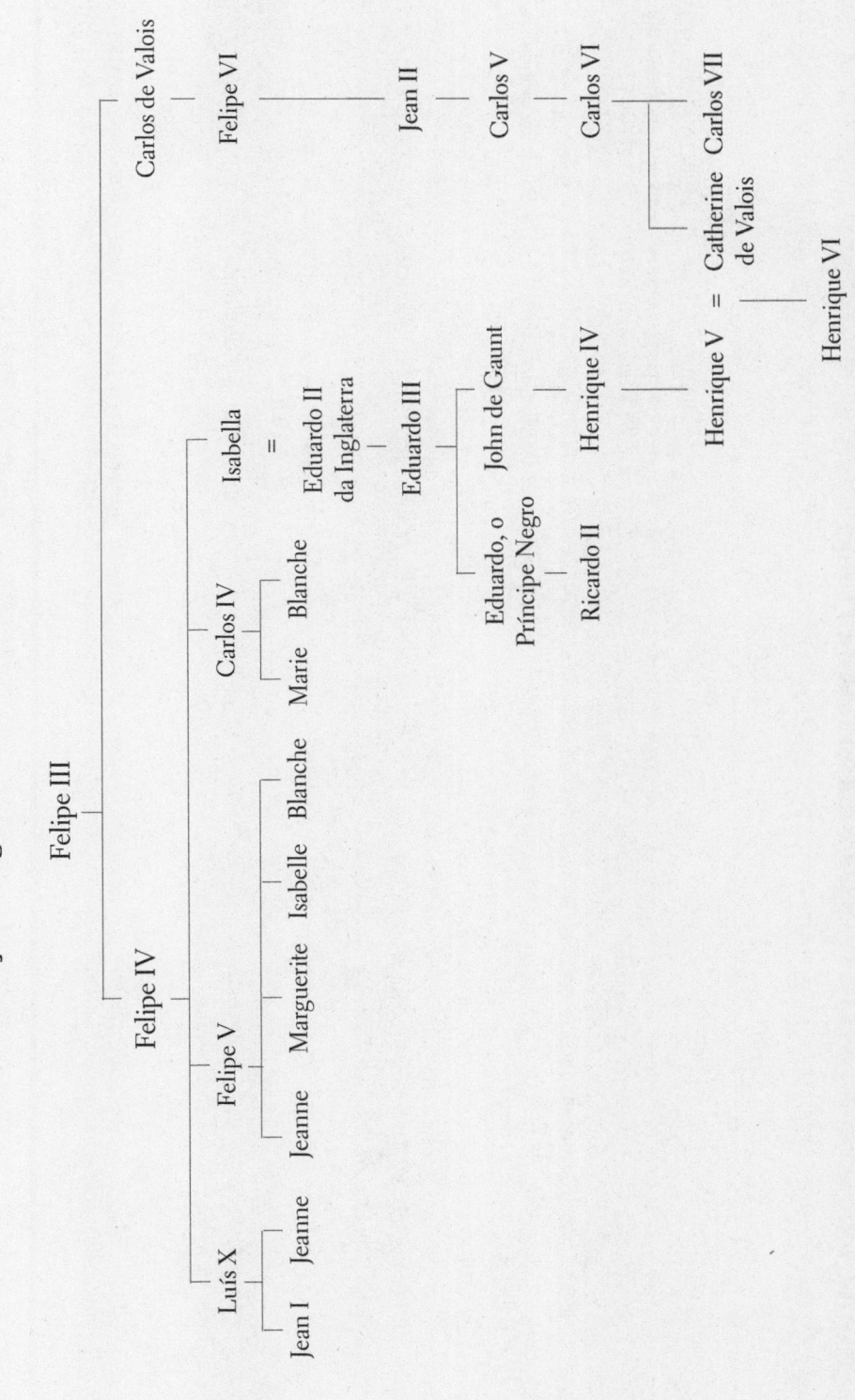

Os Reis Valois da França

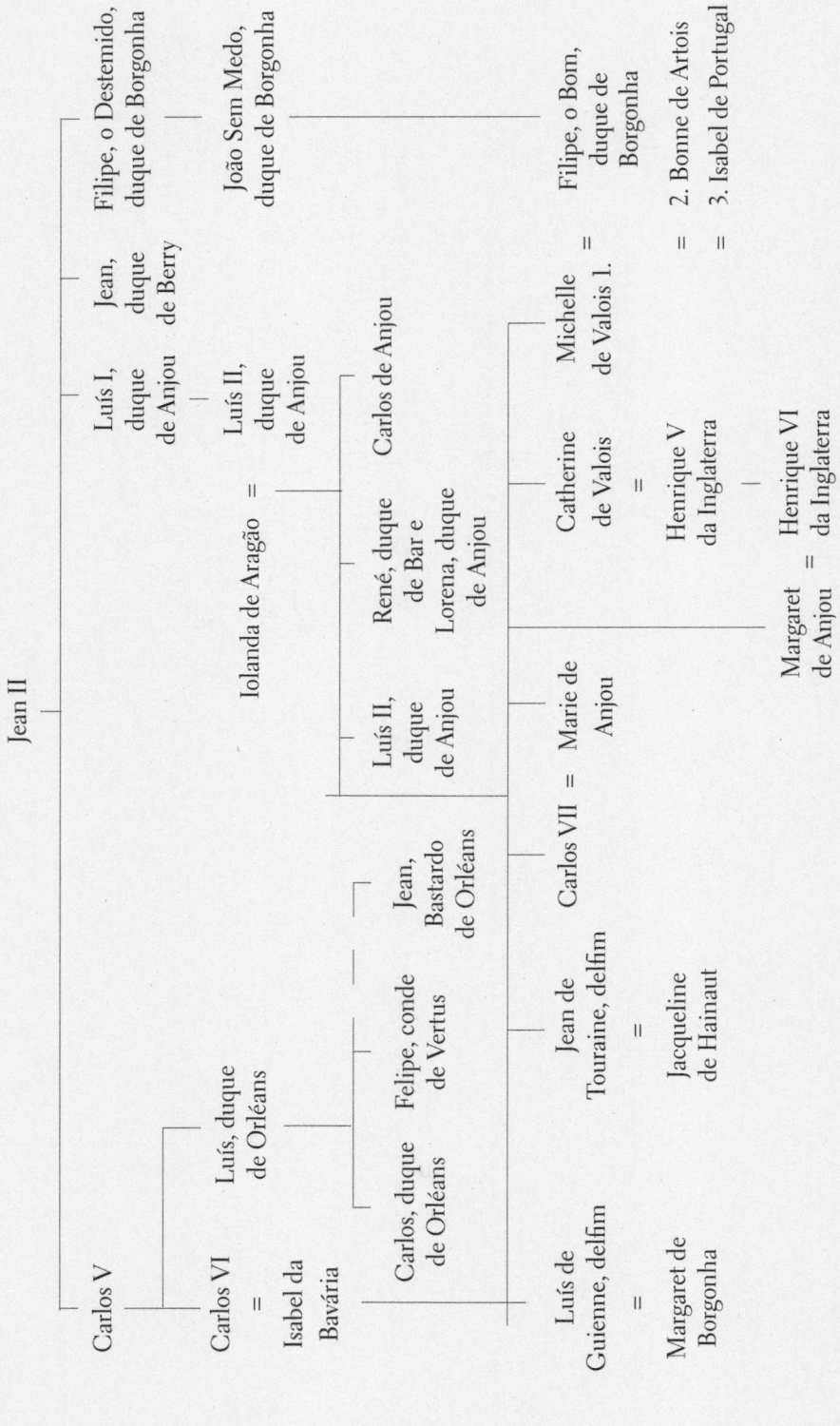

Os Duques de Borgonha

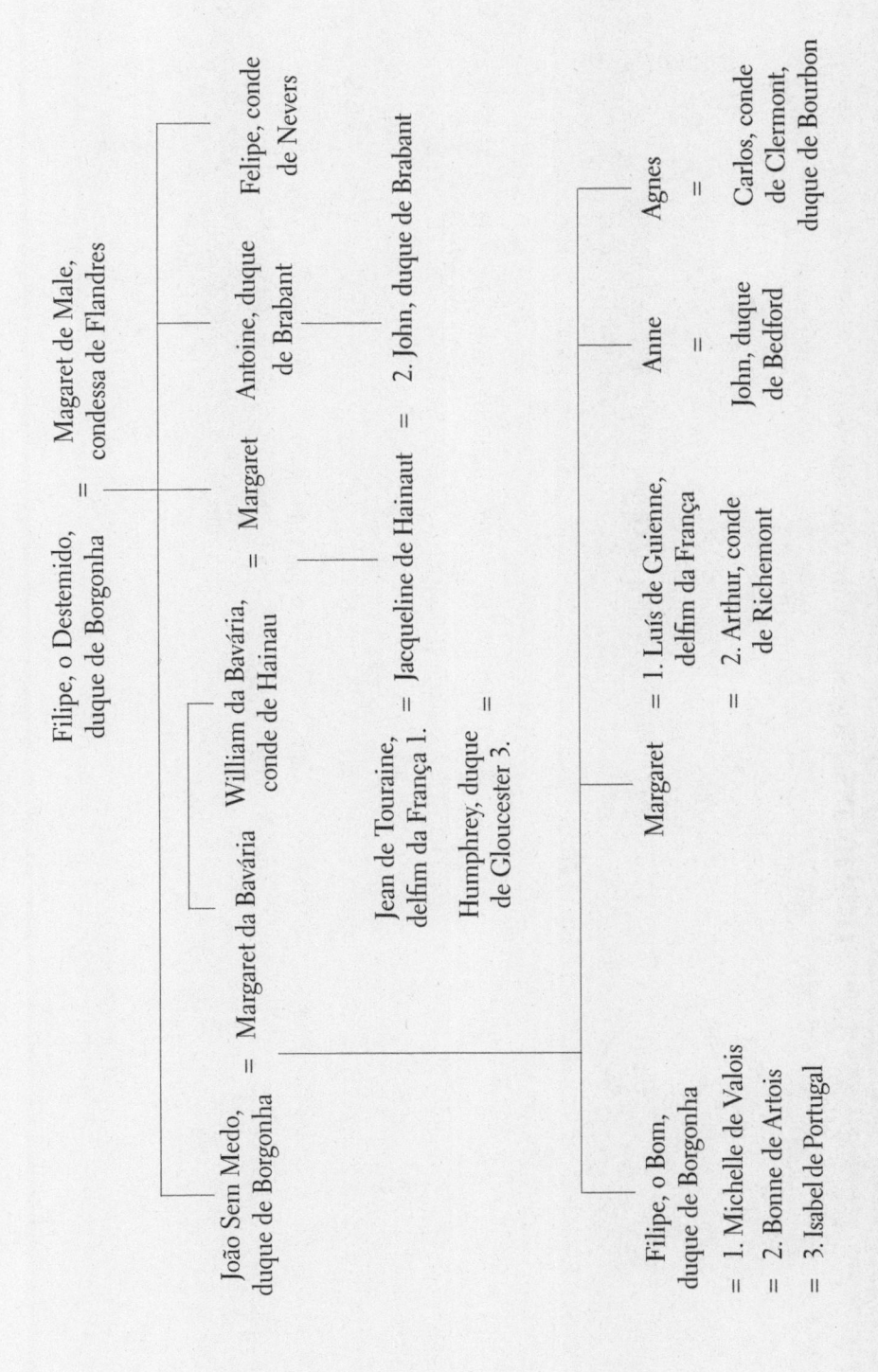

Filipe, o Destemido, duque de Borgonha = Magaret de Male, condessa de Flandres

João Sem Medo, duque de Borgonha = Margaret da Bavária

William da Bavária, conde de Hainau = Margaret = Antoine, duque de Brabant

Felipe, conde de Nevers

Jean de Touraine, delfim da França 1. = Jacqueline de Hainaut = 2. John, duque de Brabant

Humphrey, duque de Gloucester 3. =

Filipe, o Bom, duque de Borgonha
= 1. Michelle de Valois
= 2. Bonne de Artois
= 3. Isabel de Portugal

Margaret = 1. Luís de Guienne, delfim da França
= 2. Arthur, conde de Richemont

Anne = John, duque de Bedford

Agnes = Carlos, conde de Clermont, duque de Bourbon

17

Os Reis Plantagenetas da Inglaterra

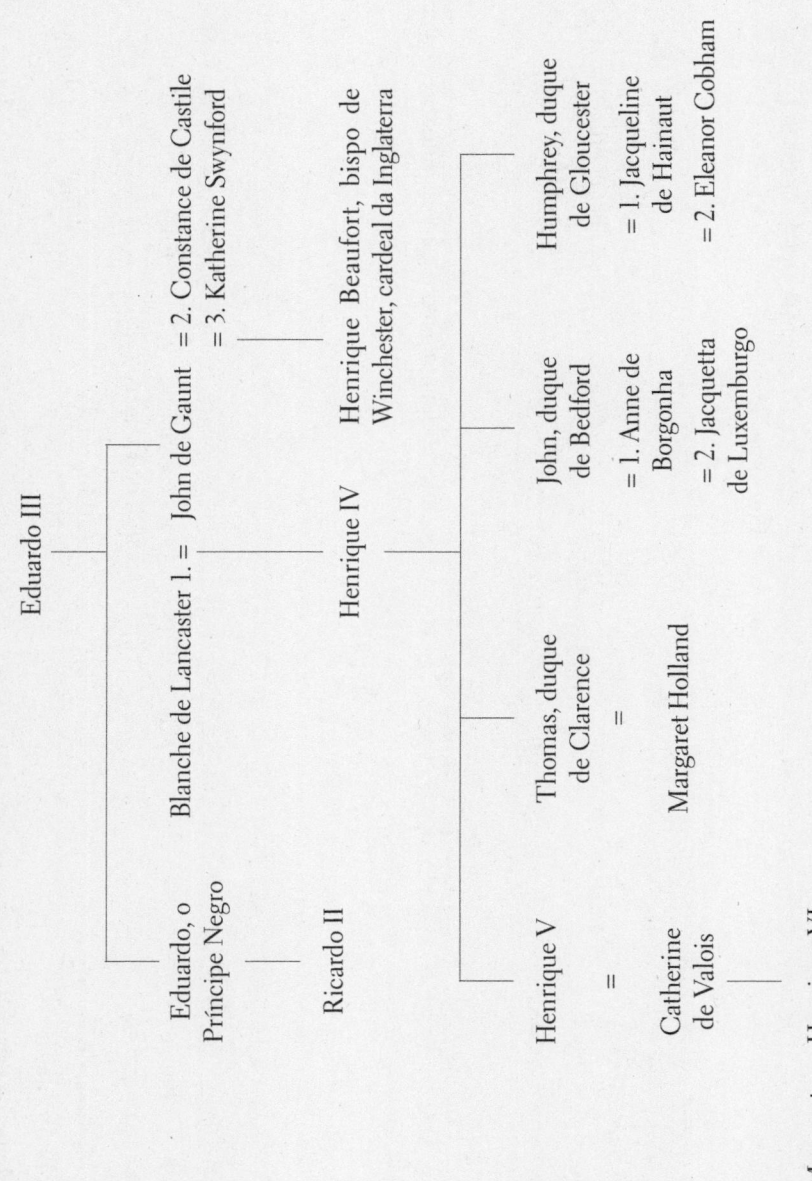

Eduardo III

Eduardo, o Príncipe Negro

Ricardo II

Blanche de Lancaster 1. = John de Gaunt = 2. Constance de Castile
= 3. Katherine Swynford

Henrique IV

Henrique Beaufort, bispo de Winchester, cardeal da Inglaterra

Henrique V
=
Catherine de Valois

Thomas, duque de Clarence
=
Margaret Holland

John, duque de Bedford
= 1. Anne de Borgonha
= 2. Jacquetta de Luxemburgo

Humphrey, duque de Gloucester
= 1. Jacqueline de Hainaut
= 2. Eleanor Cobham

Margaret = Henrique VI de Anjou

"Joana d'Arc"

No firmamento da história, Joana d'Arc é uma estrela imponente. Sua luz é mais brilhante do que a de qualquer outra figura de sua época e lugar. Sua história é única e, ao mesmo tempo, de alcance universal. Ela é, notadamente, um ícone versátil: uma heroína para nacionalistas, monarquistas, liberais, socialistas, católicos, protestantes, tradicionalistas, feministas, para os de direita e os de esquerda, Vichy e a Resistência. Ela é uma inspiração recorrente, um tema reproduzido na arte, na literatura, na música e no cinema. E o processo de recontar sua história e transformá-la em um mito teve início a partir do momento em que ela passou a ter visibilidade pública; Joana foi um objeto de fascínio e matéria de discussão apaixonada durante sua curta vida, e continua sendo desde então.

Em linhas gerais, sua história é profundamente familiar e infinitamente surpreendente. Sozinha nos campos de Domrémy, uma camponesa ouve vozes celestes que trazem uma mensagem de salvação para a França, que se encontrava subjugada nas mãos do invasor inglês. Contrariamente a todas as probabilidades, ela chega até o delfim Carlos, o herdeiro deserdado do trono francês, e o convence de que Deus lhe dera a missão de conduzir os ingleses para fora de seu reino. Vestida com uma armadura como se fosse um homem, os cabelos cortados curtos, ela conduziu um exército para resgatar a cidade de Orléans de um cerco inglês. A sorte e o moral dos franceses são completamente transformados, e em questão de semanas ela avança profundamente no território dominado pelos ingleses em direção a Reims, onde preside a coroação do príncipe herdeiro como rei Carlos VII da França. Mas logo é capturada por aliados dos ingleses, a quem é entregue para ser julgada como uma herege. Defende-se com uma coragem indomável, mas – claro – é condenada. É queimada até a morte na praça do mercado em Rouen, mas sua lenda se mostra muito mais difícil de destruir. Quase quinhentos anos depois, a Igreja Católica a reconhece não apenas como uma heroína, mas também como uma santa.

Uma das razões pelas quais conhecemos tão bem a história de Joana é que sua vida foi muito bem documentada, e numa época distante, em que isso só era possível para muito poucos. Em termos relativos, tanta tinta e pergaminho foram gastos por seus contemporâneos escrevendo sobre Joana d'Arc quanto a impressão e o papel nos séculos que se seguiram. Há crônicas, cartas, poemas, tratados, revistas e livros de contabilidade. Acima de tudo, há dois notáveis conjuntos de documentos: os registros de seu julgamento por heresia em 1431, incluindo os longos interrogatórios a que foi submetida, e os registros do "julgamento de anulação" realizado pelos franceses vinte e cinco anos mais tarde a fim de anular o processo anterior e reabilitar o nome de Joana. Nessas transcrições, ouvimos não só os homens e as mulheres que a conheciam, mas a própria Joana, falando sobre as vozes que ouvia, sua missão, sua infância na aldeia e suas extraordinárias experiências depois que deixou Domrémy. Testemunho de primeira mão da própria Joana, de sua família e seus amigos: um raro sobrevivente do mundo medieval. O que poderia ser mais confiável ou mais revelador?

No entanto, nem tudo é tão simples quanto parece. Não somente porque as transcrições oficiais de suas declarações foram escritas em latim clerical em vez de francês, língua que eles realmente falavam – uma tradução dos apontamentos dos notários chama atenção para o fato de que esses depoimentos em primeira mão não ocorreram tão sem intermediários como poderia parecer inicialmente –, mas também porque, como convém a tal estrela, Joana exerce uma enorme atração gravitacional. No julgamento de anulação de 1456, no momento em que aqueles que a conheciam testemunhavam sobre sua infância e sua missão, eles sabiam exatamente quem ela tinha se tornado e o que tinha realizado. Recordando os acontecimentos e as conversas de um quarto de século atrás, essas testemunhas estavam lutando com os caprichos de lembranças havia muito guardadas e contando histórias que estavam profundamente impregnadas de uma visão retrospectiva – o que, nessa fase, incluía o conhecimento não só da vida e da morte de Joana d'Arc, mas também da derrota final dos ingleses na França, entre 1449 e 1453, eventos que serviram para justificar o que Joana afirmava sobre o propósito de Deus além de qualquer outro feito alcançado em toda a sua vida ou nos anos que se seguiram desde então. De muitas maneiras, portanto, a história de Joana d'Arc tal como foi contada no julgamento de anulação é uma vida contada de trás para frente.

O mesmo pode ser dito com relação ao relato de Joana sobre si mesma no "julgamento da condenação" de 1431. A inabalável convicção em sua causa e o extraordinário autocontrole que a trouxeram à presença do delfim em Chinon, em fevereiro de 1429, apenas aumentaram à medida que o tempo passou. Nós a chamamos de "Joana d'Arc", por exemplo – tomando o sobrenome de seu pai, "d'Arc", e transferindo-o para ela –, mas esse é um nome que ela nunca usou. Poucas semanas depois de sua chegada à corte, Joana já se referia a si mesma como *"Jeanne, la Pucelle"*, "Joana, a Donzela" – um título repleto de significado, sugerindo não só sua juventude e pureza, mas sua condição como serva escolhida por Deus e sua proximidade com a Virgem, a quem ela reivindicava uma devoção especial. E a percepção de si mesma que expressou em seu julgamento não foi um relato "neutro" de suas experiências, mas uma defesa de suas crenças e ações em resposta aos prolongados questionamentos de procuradores hostis, com a intenção de expô-la como mentirosa e herege. Desse modo, é um texto rico, absorvente e complexo, mas tão difícil de ser interpretado quanto inestimável.

Como seria de se esperar, o efeito do campo gravitacional de Joana – a atração narrativa que autodefine sua missão – é igualmente notório nos relatos históricos de sua vida. A maioria não começa com a história da longa e amarga guerra que devastou a França desde antes de seu nascimento, mas com a própria Joana ouvindo vozes em seu vilarejo de Domrémy, no extremo leste do reino. Isso significa que chegamos ao tribunal do delfim em Chinon *com* Joana, em vez de experimentarmos o choque de sua chegada e, como resultado, não é fácil entender a vasta complexidade do contexto político em que ela se movimentava, ou a natureza das respostas que recebeu. Como todas as nossas informações sobre a vida de Joana em Domrémy vêm de suas próprias declarações e das de seus amigos e familiares nos dois julgamentos, as narrativas históricas que começam ali estão impregnadas, desde o início, da mesma visão retrospectiva que permeia seus testemunhos.

A distorção, então, é um risco; mas, além disso, o que se situa no centro desse campo gravitacional é imensamente difícil de ser lido. Uma investigação mais detalhada pode até dar a impressão, um tanto alarmante, de que a estrela de Joana está prestes a desmoronar para dentro de um buraco negro. Quando voltarmos às transcrições do julgamento, em quase todos os pontos da história há discrepâncias entre os relatos de diferentes testemunhas – e às vezes no depoimento de uma única testemunha, inclusive o da própria Joana – sobre os detalhes dos acontecimentos, seu espaço de tempo e sua interpretação. Em outras palavras, os relatos que temos não se integram diretamente em um todo coerente e compatível internamente. O que, no fim das contas, não surpreende: afinal, o testemunho ocular pode diferir mesmo sobre eventos recentes e em circunstâncias com relativamente menos pressão. Joana, devemos nos lembrar, foi interrogada durante muitos dias por promotores que ela sabia que estavam se empenhando para provar sua culpa; e o julgamento de anulação tentou limpar seu nome, pedindo aos que a conheciam que se lembrassem do que ela havia dito e feito mais de 25 anos antes.

Mesmo que não surpreendam, no entanto, essas inconsistências e contradições levantam a questão de como a evidência deve ser mais bem compreendida. Às vezes, os historiadores decidiram se debruçar à pesquisa de diferentes relatos, selecionando alguns detalhes para tecer uma história sem emendas e evitando falar sobre outros elementos que não se encaixavam, mas sem explicar por que um foi preferido ao outro. Às vezes, também, partes de um único testemunho foram aceitas, enquanto outras foram rejeitadas, aparentemente mais com base na plausibilidade percebida do que qualquer outra coisa. (Das informações que Joana ofereceu em seu julgamento, por exemplo, apenas sua identificação das vozes que ouvia como sendo a de São Miguel e as das santas Margarida e Catarina foi levada a sério; sua descrição de um anjo aparecendo na câmara do delfim em Chinon para presenteá-lo com uma coroa, em contrapartida, não obteve crédito.) E, em geral, as perguntas feitas às testemunhas receberam muito menos atenção do que as respostas que elas deram, apesar da extensão em que estas últimas foram moldadas e definidas pelas primeiras. No âmago de ambos os julgamentos reside a questão: onde fica situada a linha divisória entre a fé verdadeira e a heresia? As testemunhas, por conseguinte, não receberam um convite coletivo para descrever suas experiências sobre Joana (ou, no caso dela, sua própria experiência), mas foram solicitadas a responder a artigos precisos de investigação regulados por princípios teológicos específicos – quer os inquiridos os entendessem ou não.

Isso também representa uma dificuldade para nós atualmente: se nós, com a mentalidade de uma época muito diferente, podemos entender não apenas os pontos mais delicados da teologia do final da Idade Média, mas também a natureza da fé no mundo que Joana e seus contemporâneos habitavam, parece haver pouco propósito, por exemplo, em tentar diagnosticar nela um transtorno físico ou psicológico que possa nos explicar suas vozes se os termos de referência que usamos forem completamente estranhos ao contexto de crença em que ela vivia. Joana e as pessoas ao seu redor sabiam que era inteiramente possível que seres de outro mundo se comunicassem com homens e mulheres de mente sã; Joana não foi a primeira nem a última pessoa na França da primeira metade do século XV a ter visões ou a ouvir vozes. O problema não consistia em explicar sua experiência de ouvir algo que não era real; a questão era como explicar se as vozes vinham do céu ou do inferno – razão pela qual a perícia dos teólogos assumiu o centro do palco para apontar respostas às suas reivindicações.

De forma semelhante, pode nos parecer que parte do poder de Joana vinha do fato de colocar Deus em jogo no contexto da guerra; o que, ao introduzir a ideia de um mandato dos céus em um reino esgotado por anos de conflito, tornou possível uma nova revigoração do moral francês. Contudo, nas mentes medievais, a guerra sempre foi interpretada como uma expressão da vontade divina. E o trauma mais dolorido da França na década de 1420 era que sua posição social profundamente internalizada como o reino "mais cristão" tinha sido desafiada pela carnificina da guerra civil e a derrota esmagadora perante os ingleses. Como explicar o desastre de Azincourt (que os ingleses chamavam de "Agincourt") e os anos de sofrimento que se seguiram, senão pelo desgosto de Deus? Esse era o contexto no qual a mensagem de Joana sobre a salvação enviada pelos céus se tornava tão poderosa, e em que a necessidade de estabelecer se a origem de suas vozes era angelical ou demoníaca se mostrava tão urgente.

E essa é a razão pela qual escolhi começar a minha história de Joana d'Arc não em 1429, mas catorze anos antes, com a catástrofe de Azincourt. Meu objetivo não é ver somente o mundo de Joana, ou mesmo, essencialmente, vê-lo através dos olhos dela. Em vez disso, planejei contar a história da França durante esses anos tumultuosos e entender como uma garota adolescente veio a representar uma parte tão surpreendente dessa história. Iniciar a análise em 1415 possibilitou a exploração de perspectivas inconstantes dos vários protagonistas do drama, tanto ingleses quanto franceses – e enfatizar o fato de que o que significava ser "francês" era intensamente questionado durante esses anos. A guerra civil ameaçou a identidade da França geográfica, política e espiritualmente; e a percepção de Joana sobre quem eram os franceses, a quem Deus agora pretendia conceder a vitória através de sua missão, não era compartilhada por muitos de seus compatriotas.

O que vem a seguir é uma tentativa de contar a história da França de Joana, e da própria Joana, partindo do início e não em sentido contrário, como uma narrativa na qual os seres humanos esforçavam-se para entender o mundo ao seu redor – exatamente como nós – e não tinham nenhuma ideia do que viria a seguir. É claro que, no processo, também tive de me familiarizar, cuidadosamente, com as evidências, escolhendo o que tecer em uma história sem emendas; mas nas notas ao final do livro tentei dar uma ideia de como e por que fiz minhas escolhas e onde as armadilhas podem estar dentro das próprias fontes e do processo de desenvolvimento da tradução do latim e do francês em que a maioria delas estão escritas. Entre todos os desafios apresentados por essa grande quantidade de material, o mais difícil foi lidar com os registros dos julgamentos, que estavam definindo acontecimentos na vida de Joana e na vida futura, ao mesmo tempo em que forneciam evidências que possibilitavam sua interpretação. Meu objetivo foi, tanto quanto possível, encará-los como mais uma série de eventos na história de Joana – em outras palavras, permitir que o testemunho da própria Joana e o dos outros, as testemunhas posteriores, fossem abordados conforme foram dados e registrados, em vez de ler suas memórias e interpretações de trás para frente até chegar aos eventos anteriores que estavam descrevendo.

O resultado é uma história de Joana d'Arc que é um pouco diferente daquela que nós todos conhecemos: uma narrativa na qual a própria Joana não aparece durante os primeiros catorze anos, e na qual ficamos sabendo mais sobre sua família e sua infância no final da história, não no começo. Muitos historiadores assumiram e, sem dúvida, assumirão, uma perspectiva diferente a respeito da melhor maneira de usar essas excelentes fontes para contar a história de vida de uma mulher verdadeiramente extraordinária. Mas, para mim, essa era a única maneira de compreender Joana dentro de seu próprio mundo – a combinação de caráter e circunstância, de fé religiosa e maquinação política, que a tornaram uma exceção única às regras que governavam a vida de outras mulheres.

É uma história extraordinária; e, no final dela, a estrela de Joana continua a brilhar.

O campo de sangue

25 DE OUTUBRO DE 1415

E ra o dia da vitória.

A primeira luz raiou, fria e cheia de orvalho, sobre um acampamento de homens exaustos. Exaustos pelas semanas imprevisíveis de marcha forçada, fugindo das manobras do inimigo ao longo das margens do rio Somme, ou se movendo rapidamente para esse ponto de encontro. Exaustos após mais um dia cheio de medo com o inimigo à vista, esperando pela batalha que não aconteceu antes do pôr do sol. Exaustos, agora, por causa de uma noite úmida, aquartelados nos campos ou alojados nas proximidades com os aldeões aterrorizados de Tramecourt e Azincourt. Exaustos, mas esperançosos.

Era a festa de São Crispim e São Crispiano, irmãos que tinham espalhado o evangelho em Soissons havia mais de um milênio. Santos mártires que deram a vida para tornar essa terra a "filha mais velha da Igreja", governada pelo *roi très-chrétien*, o rei mais cristão. Mas esse abençoado sacrifício não era a única razão para se ter certeza do favor dos céus.

Enquanto os pés doloridos afundavam na terra instável, esses homens cansados sabiam que o inimigo estava sofrendo mais. Do outro lado dos campos, perto do pequeno vilarejo de Maisoncelle – ao alcance da voz, embora estivessem estranhamente silenciosos na escuridão das chuvas fustigantes –, estava um exército inglês mergulhado na lama, que tinha se infiltrado nas entranhas, assim como na bagagem, nos dois meses desde que os invasores tinham pisado na costa da Normandia; o fluxo sangrento – disenteria – fora o preço do sucesso que encontraram no porto de Harfleur. Haviam deixado uma bandeira inglesa tremulando ali e uma guarnição de ocupação – e centenas de soldados doentes e moribundos esperando pelos navios que os levariam de volta para casa. As tropas que ainda estavam de pé marchavam ali, sob o comando de seu rei austero e resoluto. Ele trazia cicatrizes da batalha – de uma ponta de lança incrustada profundamente em seu rosto quando tinha apenas 16 anos – e também cicatrizes de um tipo diferente, do pecado de seu pai ao tomar a coroa inglesa de seu primo Ricardo II. Agora, aqui na França, a vingança estava quase sobre ele.

Os homens esgotados que se preparavam para lutar contra esse presunçoso intruso não eram liderados por seu próprio monarca. Quase seis décadas antes, em meio ao caos de outro campo de batalha perto de Poitiers – e apesar da presença diversiva de dezenove sósias vestidos de modo idêntico ao rei e que serviam para desviar a atenção do inimigo – o régio avô do rei francês tinha sido capturado pelos ingleses. Quatro anos se passaram antes que sua liberdade pudesse ser assegurada, um infeliz interlúdio durante o qual seu reino tinha sido convulsionado por uma crise política. Não era de surpreender que seu filho e sucessor tivesse se recusado a liderar o exército francês pessoalmente, preferindo, em vez disso, supervisionar as operações militares a uma distância segura atrás da linha de frente.

Entretanto, mesmo esta não era uma opção viável para o rei atual, Carlos VI. Ele cavalgou com suas tropas no fatídico dia de agosto, em 1392, quando, sob um sol ardente, explodiu em violência psicótica, matando cinco dos seus criados antes de ser dominado, com os olhos revirando em sua cabeça e a espada quebrada em sua mão. Seu corpo logo se recuperou desse horripilante ataque, mas sua mente permaneceu frágil. De vez em quando, à medida que os anos passavam, ele ficava calmo, lúcido e racional; mas podia ter um lapso sem aviso prévio, com episódios de perturbação e paranoia nos quais acreditava que sua mulher e filhos eram estranhos, que não se chamava Carlos, que não era rei, e até mesmo que era feito de vidro e podia se quebrar em centenas de pedaços.

Desse modo, não podia liderar o seu povo na guerra; mas esse homem perturbado – com seu olhar arregalado, inquieto e cabelos claros penteados para disfarçar a calvície – ainda era *le bien-aimé*, o bem-amado rei da França. E, por sorte, havia muitos príncipes reais que podiam comandar o povo em seu lugar. Mas não seu filho mais velho, Luís, o delfim de 18 anos, um belo e obeso garoto com algum espírito político e muitos trajes deslumbrantes, mas de modo algum um guerreiro, e muito precioso para o futuro do reino para ser posto em risco. Nem seu tio, o duque de Berry, que, com quase 75 anos, era a *éminence grise*, eminência parda, do regime, mas muito velho para carregar armas. E também não seu primo, o duque de Borgonha, por razões que eram dolorosas até mesmo para serem enunciadas, que dirá para serem explicadas.

Aos 45 anos, João de Borgonha tinha em abundância a capacidade militar que claramente faltava ao rei. *"Jean Sans Peur"* era como o chamavam por sua participação no comando de uma batalha anterior: João Sem Medo. A dificuldade, portanto, não era pessoal, mas política. Seu pai, o antigo duque, havia dominado o governo da França até sua morte, em 1404. Com seu irmão de Berry, Filipe de Borgonha tinha se apoderado das responsabilidades – e das generosas recompensas – de governar durante a minoridade de seu sobrinho real durante os anos de 1380 e desde seu surto de loucura. Quando o duque Filipe morreu, João de Borgonha esperava herdar seu lugar à direita do rei, mas viu-se frustrado pelo irmão louco e ambicioso do rei: Luís, o duque de Orléans, que passara anos se desgastando sob o jugo de seu tio e agora estava determinado a tomar as rédeas do poder para si mesmo.

Durante três anos, o conflito entre os primos de Orléans e Borgonha foi ardendo em fogo lento. Luís de Orléans escolheu como seu símbolo o emblema ameaçador de uma clava de madeira; a resposta astuta de João de Borgonha foi adotar como símbolo uma plaina de carpinteiro, uma ferramenta com a qual um bastão de Orléans poderia ser gradualmente reduzido. Ele estava então arrebatado pela presunção de que logo suas plainas estariam em toda parte, bordadas em suas vestes, gravadas em sua armadura, em ouro e prata e incrustadas de diamantes, completas com aparas de madeira dourada, para serem distribuídas aos seus servos e apoiadores. Seu ataque contra o controle do governo por parte de Orléans foi igualmente eficaz. Ele estabeleceu-se como o paladino do povo contra os impostos dos habitantes de Orléans, e levou o reino à beira de uma guerra civil antes de uma paz desconfortável ser intermediada, não satisfazendo a ninguém e nada resolvendo.

E então, em 1407, João de Borgonha decidiu que chegara a hora de usar a lâmina de sua plaina não só metaforicamente. Na noite de 23 de novembro, Luís de Orléans estava em Paris, voltando de uma visita à rainha, com quem ele partilhava o descuido do incapacitado rei, e caminhava ao longo de uma rua no leste da cidade conhecida como Vieille-du-Temple. As tochas que os seus criados carregavam iluminavam as pedras do calçamento, mas as sombras ainda eram profundas, e os agressores se lançaram sobre eles antes que percebessem o que estava acontecendo. Os golpes choviam tão rápidos e tão fortes, que a mão esquerda do duque foi cortada enquanto ele procurava desesperadamente se proteger do ataque violento. Dentro de momentos, seu crânio estava totalmente aberto e seus miolos, derramados no chão. E quando a notícia desse terrível assassinato foi trazida ao Conselho Real, estava claro que, para o duque de Borgonha, ela não era surpresa alguma.

Se o duque acreditou que um único ato de agressão cruel poderia cortar os nós de uma ambição dinástica e uma rivalidade pessoal que o impedia de seguir o seu destino político, ele estava absolutamente enganado. Em vez disso, viu-se envolvido no tumulto de uma disputa sangrenta. A esposa e os jovens filhos de Luís de Orléans exigiram vingança por seu assassinato. João de Borgonha admitiu a responsabilidade pela matança, mas reivindicou – por seu porta-voz, Jean Petit, um teólogo da Universidade de Paris, que levou quatro obstinadas horas para ler a defesa formal de seu patrono na presença da corte real – que o assassinato era não somente justificado, mas meritório, porque Orléans fora um tirano e um traidor. Essa peça de casuística de tirar o fôlego – combinada com as tropas armadas ao lado da Borgonha e o apoio da população parisiense – foi suficiente para conceder ao duque um perdão dado pelas ruínas esfarrapadas e frágeis do regime. E, no final de 1409, ele teve êxito em impingir uma pantomima de reconciliação e estabelecer seu domínio sobre o rei, a rainha e o governo em Paris.

Em 1410, no entanto, a oposição ao seu governo mais uma vez assumiu uma forma ameaçadora. Em uma liga formada em Gien, no Loire, Carlos, de 15 anos, o novo duque de Orléans, obteve a promessa de apoio militar do velho duque de Berry e uma poderosa aliança de outros nobres, inclusive do novo sogro do jovem Orléans, o forte conde de Armagnac, que deu seu nome a essa confederação contrária à Borgonha. Nesse meio tempo, João de Borgonha, que uma vez foi chamado de o "Sem Medo", vivia com tanto medo de ter o mesmo fim sangrento que tinha planejado para seu rival, que construiu uma magnífica torre em sua residência em Paris – adornada, é claro, com o distintivo da plaina – no topo da qual ele dormia a cada noite sob a cuidadosa vigilância de seu guarda-costas pessoal.

Os lados foram escolhidos e, no verão de 1411, os exércitos estavam em campo. "Burgúndios" e "armagnacs" eram então termos carregados de medo e abominação; cada um chamava o outro de "traidor", trocando lúgubres acusações de injustiça, corrupção e brutalidade. A campanha seguiu a trégua, e a trégua seguiu a campanha até que, no verão de 1413, João de Borgonha foi finalmente deposto da capital, e os lordes armagnacs assumiram o controle do governo – sem, no entanto, trazer um fim para a guerra. Um desanimado parisiense, que mantinha um diário para registrar cada violenta virada da Roda da Fortuna, concluiu, enfadonhamente, que "todos os grandes se odiavam".

Ao que tudo indica, no verão de 1415 Henrique V da Inglaterra havia escolhido um excelente momento para invadir o fraturado reino que declarava seu. Mas isso era para subestimar o orgulhoso desafio dos príncipes da França. Tanto o duque de Borgonha quanto os lordes armagnacs estavam dispostos a solicitar a ajuda inglesa contra seus conterrâneos enquanto o rei da Inglaterra permanecesse seguro no lado direito do mar. Uma vez que ele se atrevesse a zarpar para a França, no entanto, o sangue real iria se unir em defesa do reino. Embora o porto de Harfleur não pudesse ser socorrido rápido o bastante para prevenir sua queda diante do cerco inglês, uma convocação às armas havia soado através do norte da França assim que o exército de Henrique aportou na Normandia.

Por volta de 12 de outubro, ambos, o delfim Luís e o próprio rei Carlos – com uma imagem comprometida, mas ainda icônica – haviam alcançado Rouen, a capital da Normandia. Lá eles permaneceram como chefes reais enquanto suas tropas se moviam para o teatro de guerra, algumas acompanhando o exército inglês enquanto este se movia ao longo do rio Somme, outras se reunindo para a batalha à sua frente. Os lordes que comandavam esses homens incluíam os duques de Bourbon, Bar e Alençon; condes, entre eles, Richemont, Vendôme, Vaudémont, Blâmont, Marle, Roucy e Conde d'Eu; e os principais oficiais militares do reino, o condestável, que era o primeiro oficial da coroa e tinha o comando do exército, e o marechal da França – os renomados soldados Charles d'Albret e Jean le Meingre, conhecido como Boucicaut. O duque de Borgonha tinha enviado tropas para se juntarem a esse encontro imponente, mas fora aconselhado a não comparecer pessoalmente – uma decisão sábia e tranquilizadora do Conselho Real, dado o seu papel no odioso conflito dos anos anteriores. Seus irmãos mais jovens, entretanto, estavam prontos para lutar: o conde de Nevers, que já estava em serviço, e o duque de Brabant, que estava a caminho. A mesma política de ausência tinha sido originalmente aplicada ao inimigo jurado da Borgonha, Carlos de Orléans, mas – uma vez que estava claro que nem o rei, nem seu filho estariam sequer perto da batalha – uma convocação tinha sido enviada tardiamente ao jovem duque, como seu parente masculino mais próximo e representante.

Então agora, na úmida luz do início da manhã, os homens exaustos se prepararam, confiantes no propósito de Deus. Eles sabiam que estavam em número muito maior do que os difamados ingleses, e sabiam que a honra e a glória para vencer pertenciam a eles. À medida que as linhas da batalha eram traçadas, alguns – lordes e outros – aproveitaram o momento para abraçar e trocar o beijo da paz, deixando de lado a divisão do passado diante de um inimigo presente e mais importante.

O duque de Borgonha não estava lá para se juntar a essa reconciliação, mas o pesar seria apenas dele. A nata da cavalaria francesa esperava impacientemente, homens e cavalos se acotovelando no meio da grande massa das fileiras da frente, um anfitrião blindado com aço pronto para humilhar os ingleses.

O tempo ficou mais lento quando o sol pálido se levantou. De repente, um grito inglês se elevou, e suas bandeiras começaram a se mover. Esta seria a hora: as linhas francesas se lançaram através da terra na qual tinham se reunido para defender. Então o ar mudou com um zumbido e, de repente, o céu estava escuro. As flechas com ponta de lâmina, atiradas em uma tempestade infinita e turbulenta, mergulharam nos peitorais e nas viseiras, perfurando músculos e ossos. A morte violenta estava caindo das nuvens; e, em resposta, esporas chutavam os cavalos gritando para investirem sobre os arqueiros cujos arcos provocavam esse massacre. Eles encontraram apenas um tipo diferente de morte, empalando-se sobre as estacas afiadas que – perceberam tarde demais – estavam espetadas no chão em que os arqueiros estavam, ou rodando em pânico e tropeçando sob os cascos palpitantes daqueles que pressionavam por trás.

Mortos e vivos caíam juntos, esmagados na terra sufocante, um em cima do outro, em pilhas amontoadas das quais ninguém se levantava. Por mais de duas horas, os soldados franceses trabalharam sem parar, os pés pesados lutando na lama que os sugava ou emaranhados nos membros contorcidos dos que tombaram, e o tempo todo as lâminas inglesas cortavam e apunhalavam e retalhavam. O som de reforços, fracos em meio à cacofonia homicida, trouxe uma esperança vacilante de resgate; mas o duque de Brabant, correndo para chegar à batalha, havia galopado para longe, rápido demais, ultrapassando suas tropas e seu equipamento. Foi derrubado poucos minutos após se lançar na luta, seus ferimentos mancharam a bandeira que tinha arrebatado de seu trompetista para vestir, improvisando um furo irregular para passar a cabeça, como um brasão provisório.

Quando o combate, finalmente, deu lugar ao trabalho terrível de escavar os montes dos mortos, o cadáver desfigurado de Brabant foi encontrado ao lado do de seu irmão, o conde de Nevers, e o dos duques de Alençon e Bar, o do condestável d'Albret, e dos condes de Vaudémont, Blâmont, Marle e Roucy. Era uma lista de chamada nobilíssima, que rivalizava apenas com os nomes daqueles que haviam perdido sua liberdade em vez de suas vidas: o duque de Bourbon; os condes de Richemont, de Vendôme e o Conde d'Eu; o veterano marechal Boucicaut e o jovem Carlos, duque de Orléans. À medida que esses eminentes prisioneiros, pálidos e entorpecidos pelo choque, começaram a longa viagem ao norte até Calais e depois para Londres, os mensageiros dirigiram seus cavalos para o sul, até Rouen, para trazer notícias indesejáveis para o ansioso rei.

Era o infeliz dia da vitória, e a França estava arruinada em um campo de sangue.

Parte Um

Antes

I

Essa guerra, amaldiçoada por Deus

Deus quis assim. Isso, pelo menos, foi o que os ingleses disseram. Naquelas circunstâncias, era difícil para os franceses argumentarem. Ou, mais exatamente, teria sido, se eles não estivessem tão ocupados discutindo entre si.

Para os ingleses, era simples. A reivindicação de seu rei ao trono da França – e, aliás, o direito inconteste de sua dinastia de usar a coroa da Inglaterra – tinha sido completa e gloriosamente justificada por sua vitória surpreendente na batalha que chamavam de "Agincourt". Somente a vontade de Deus explicaria como tão poucos ingleses tinham vencido tantos gloriosos cavaleiros da França, e como tão pouco sangue inglês tinha sido derramado quando tanta morte castigara os adversários. Era uma ordem dos céus em ação: o triunfo de um outro Davi sobre o poder de um arrogante Golias, como um dos capelães reais que tinha preparado o corpo espiritual do exército inglês anotava agora, solenemente, em seu relato da campanha. Esses recrutas clericais haviam ficado atrás das linhas inglesas enquanto a luta ardia, orando furiosamente pela intervenção divina, e sua manifestação inegável "naquele montículo de piedade e sangue" em que os franceses haviam caído poderia levar a apenas uma conclusão: "Está longe de o nosso povo atribuir o triunfo à sua própria glória ou força", escreveu o sacerdote anônimo com fervor palpável; "antes deixe que isso seja atribuído somente a Deus, de Quem é toda vitória, para que o Senhor não se envergonhe de nossa ingratidão e em outro momento se desvie de nós, que o Céu nos livre, Sua mão vitoriosa".

É claro que o rei inglês estava travando uma guerra justa. Ele tinha dado a seus súditos franceses todas as chances de reconhecer sua reivindicação legítima de ser seu governante por causa da descendência francesa da mãe de seu antepassado real Eduardo III. Fora dos muros de Harfleur, seguindo a receita para a conduta da guerra justa estabelecida no livro de *Deuteronômio* do Antigo Testamento, ele havia explicado pacientemente que viera em paz, mas somente se os franceses abrissem as portas e se submetessem à sua autoridade como exigia o seu dever. A recusa obstinada de Harfleur significava que ele não teria alternativa, a não ser levantar a espada da justiça para punir sua rebelião. Ao fazer isso, explicou o capelão, ele era o "verdadeiro eleito de Deus" – "nosso gracioso rei, Seu próprio soldado" – no comando de um exército que, graças às severas instruções reais, comportou-se sóbria e piamente, sem lançar mão da pilhagem nem se entregar a uma violência vingativa ou injustificável.

A exposição dessa análise pelo anônimo capelão real em seu *Gesta Henrici Quinti*, "Os feitos de Henrique V", intencionava, em parte, persuadir a audiência internacional dos méritos da causa real: especificamente, o Grande Conselho da Igreja que então estava reunido na cidade alemã de Constança. Havia também um eleitorado doméstico que precisava se lembrar da necessidade de dar apoio prático ao projeto divinamente encorajado de Henrique – os representantes de distritos e condados ingleses no Parlamento e os representantes da Igreja inglesa em convocação, cuja responsabilidade era concordar com os impostos que pagariam as futuras campanhas do rei na França.

Mas o julgamento do céu tinha sido feito de maneira tão simples, que parecia uma fonte de provocação, pelo menos em algumas regiões, de modo que tais campanhas não teriam de ser combatidas de maneira alguma. O bispo de Winchester, chanceler da Inglaterra, em seu discurso de abertura no Parlamento que se reuniu em março de 1416, observou com irritação que, de fato, Deus já havia falado três vezes: uma vez na grande vitória naval da Inglaterra sobre a frota francesa em Sluys, em 1340; depois, em 1356, quando o rei da França foi capturado em Poitiers; e agora, no campo de matança de Agincourt. "Oh Deus", observou o capelão real ao relatar o teor do discurso do chanceler, "por que essa nação miserável e teimosa não obedece a essas sentenças divinas, tantas e tão terríveis, as quais, por meio de uma vingança, mais do que nunca demonstram claramente que deles é exigida obediência?"

A própria nação miserável e teimosa, no entanto – embora aceitasse que Deus tinha realmente se manifestado – tinha muito menos certeza do que Ele tinha realmente dito. Evidentemente, a causa inglesa não era justa. Afinal, o rei inglês não tinha direito legal ao trono da França, uma vez que as reivindicações por meio da linhagem feminina não tinham validade no mais cristão dos reinos, e os franceses não desejavam ser seus súditos, o que fazia de sua tentativa de conquista um ato de agressão injustificada e de sua regra sugerida, uma tirania. O conflito entre os dois reinos dificilmente teria durado tanto, nem teria abarcado êxitos tanto franceses quanto ingleses, se o juízo de Deus tivesse sido tão predominantemente óbvio quanto o rei inglês se deleitava em sugerir. A suposição acerca do dia amaldiçoado de Azincourt, portanto, não era de que Deus apoiava as injustas alegações da Inglaterra. Pelo contrário, Deus havia decidido usar as injustas reivindicações da Inglaterra como instrumento para punir a França por seus pecados.

O pecado era o cerne da questão, isso estava muito claro; mas exatamente qual pecado, e cometido por quem, eram perguntas mais difíceis de responder. Talvez, como sugeriu o cronista Thomas Basin meio século mais tarde, os abençoados São Crispim e São Crispiniano tivessem abandonado os franceses à carnificina desencadeada em Azincourt bem no dia da festa que os celebrava, porque sua cidade de Soissons tinha sido saqueada e seus santuários, pilhados apenas um ano antes, no decorrer da guerra civil entre os burgúndios e os armagnacs. "Todos", disse ele com pesarosa resignação, "podem pensar o que quiserem". Basin dizia que preferia se ater aos fatos, "deixando a discussão da tarefa misteriosa da vontade divina para aqueles que presumem assim fazer".

E havia muitos deles. O monge que fez a crônica dos eventos de 1415, que pertencia à abadia de Saint-Denis, fora dos muros de Paris, tentou uma abordagem da mesma espécie da humildade histórica – "Deixo isso àqueles que dedicaram cuidadosa consideração ao assunto", declarou, "para decidirem se devemos atribuir a ruína do reino à nobreza francesa" – mas conseguiu se conter apenas momentaneamente quanto ao seu próprio estrondoso veredito. Dificilmente poderia se negar que os grandes não mais eram bons. Os lordes da França haviam mergulhado em uma voluptuosa vida repleta de luxo, vaidade e vício, e seu abuso ímpio da Santa Madre Igreja foi igualado apenas pelo ódio mortal uns dos outros. "Todos esses crimes", declarou o cronista de Saint-Denis, "e outros ainda piores, por assim dizer, têm justamente despertado a ira de Deus contra os grandes homens do reino, de modo que Ele lhes tirou o poder de derrotar seus inimigos, ou mesmo de resistir ao seu ataque".

Contudo, mesmo que se pudesse concordar que a retribuição divina estava em evidente atividade, as perguntas ainda não se calavam. Seriam todos os nobres pecaminosos da França igualmente culpados aos olhos de Deus, ou alguns entre eles eram mais repreensíveis do que os outros – e, portanto, mais responsáveis pelos desesperados apuros em que o reino se encontrava agora? Os partidários da causa armagnac sabiam que um crime, acima de todos, tinha lançado uma sombra suficientemente escura para apagar a luz da graça dos céus: o assassinato sanguinário de Luís de Orléans por seu primo, o duque de Borgonha. Esse ato não natural precipitou uma guerra civil que não só transformou o reino em si, mas abriu a porta para a agressão inglesa. Os armagnacs estavam bem cientes de que João de Borgonha estabelecera relações com o rei da Inglaterra antes e depois de Henrique ter herdado o trono de seu pai. Agora, o fato de que o duque não tivesse tomado o campo em Azincourt forneceu a prova explícita de que a Borgonha tinha entrado em negociações secretas com os ingleses, e – com horripilante traição – concordou em não resistir à sua invasão. Sobre o terrível resultado da batalha e da matança dos conterrâneos do duque, o cronista de Armagnac, Jean Juvénal des Ursins, relatou: "Era comum dizer que ele não parecia nem sequer irritado".

Pierre de Fenin, por outro lado – um escritor cuja família nobre era da região de Artois, dominada pela Borgonha –, não estava menos confiante de que o duque João ficou "muito enfurecido pela derrota francesa quando foi informado disso". Aqueles que apoiavam o duque em seus esforços para assegurar o interesse no governo do reino, que era legitimamente seu, sabiam que ele não queria nada mais do que lutar em Azincourt, até que lhe fosse recusada a permissão em nome do próprio rei. As mortes dos dois irmãos do duque, Antoine de Brabant e Felipe de Nevers, foram um golpe que atingiu o coração de sua família e de sua dinastia. E, aos olhos de Borgonha, era notável que muitos daqueles que haviam escapado com vida, senão com honra, desse campo de sangue fossem membros da confederação armagnac; principalmente entre os prisioneiros ingleses, afinal de contas, o jovem Carlos era o duque de Orléans.

Então, o que João de Borgonha deveria fazer, uma vez que sobreviveu à devastação que os crimes dos seus inimigos armagnacs haviam acarretado sobre o reino? Pela segurança do seu ducado de Borgonha, ponderou suas opções e calculou suas chances. Para seus seguidores franceses, o duque era uma figura distintamente imponente, com um cérebro astuto trabalhando atrás de olhos parcialmente ocultos e lânguidos, o longo nariz delineando um perfil inimitável debaixo das ricas pregas negras – que eram presas na frente e então cravadas com um rubi de extraordinário valor – de seu característico capuz *chaperon*; em suma, João era tão diferente de seu amado mas patético rei quanto era possível imaginar. Mas as fronteiras da França, como os armagnacs bem sabiam ao acusá-lo de traição, não eram os limites da arena na qual o duque João agora pretendia tecer suas manobras.

Embora fosse o grande príncipe da França, os territórios da Borgonha estendiam seu alcance político para além dos limites do reino. Como duque de Borgonha, João era um vassalo do rei francês, a quem jurou servir e obedecer; mas como *conde* de Borgonha – proprietário das terras imediatamente a leste de seu ducado, um feudo que estava fora dos domínios do rei francês – devia lealdade e respeito ao Sacro Imperador Romano. Também não eram as "Duas Borgonhas", como eram conhecidas, o seu único interesse na complexa e mutável geografia do poder da Europa Ocidental. De sua mãe, a herdeira Margaret de Male, também recebera como herança os ricos condados de Flandres e Artois, territórios que o tornaram uma força considerável nos Países Baixos.

A figura colossal do duque de Borgonha, elevando-se acima da paisagem política francesa, tinha, portanto, um pé plantado dentro do reino e outro fora dele – uma separação de poderes que, às vezes, exigia que ele realizasse atos de contorcionismo político. De volta a 1406, por exemplo, foi nomeado capitão-general do rei francês para comandar um ataque sobre o porto de Calais, ocupado pelos ingleses. Passou em revista suas tropas, pronto para começar a campanha – e, no mesmo momento, ainda que estivesse usando a armadura e cavalgando para revistar suas tropas, seus embaixadores negociavam arduamente um tratado com os ingleses, no qual seu líder garantia que suas fortalezas flamengas não ofereceriam qualquer tipo de apoio militar ao ataque francês que ele próprio estava prestes a liderar.

No entanto, apesar das vis suspeitas dos armagnacs, isso não era traição, nem mesmo fraude, em qualquer sentido inequívoco. Como conde de Flandres, o duque tinha o dever e o imperativo político de apoiar os interesses econômicos das ricas cidades flamengas de Gante, Bruges e Ypres – e isso o obrigava a manter um relacionamento com a Inglaterra amistoso o bastante para salvaguardar o fornecimento da lã inglesa para aqueles que produziam os finos tecidos flamengos, e para proteger o transporte comercial nas águas entre a Inglaterra e Flandres. Mas não significava que, como duque de Borgonha, ele fosse menos príncipe da França. Em 1406, sua indignação tinha sido inequívoca quando a ordem de atacar os ingleses em Calais foi revogada de última hora em Paris por falta de recursos: "Meu senhor ficou e está tão entristecido e irritado por isso quanto é possível estar em todo o mundo, e nada pode aplacá-lo", disse o tesoureiro do duque a seus colegas na Borgonha. E, em 1415, – quaisquer que fossem as insinuações feitas sobre o massacre em Azincourt – ele não tinha feito nenhum acordo com os invasores ingleses.

Em vez disso, nas semanas e nos meses após a batalha, os olhos do duque João estavam tão fixos, como sempre estiveram, no prêmio que ainda lhe escapava: o controle do governo da França. Durante o mês de novembro de 1415, ele avançou sobre Paris, "muito angustiado pelas mortes de seus irmãos e de seus homens" (explicou o anônimo e agora pró-burgúndio parisiense, que manteve um diário ao longo de todos esses anos), mas foi impedido pelos armagnacs "traidores da França" de alcançar o rei impotente. Para os armagnacs que controlavam a capital, a aflição do duque, por enquanto, era menos evidente do que as tropas fortemente armadas às suas costas. Os portões da cidade foram fechados diante dele; e suas expectativas foram frustradas em dezembro pela morte do delfim Luís – um homem jovem com uma reputação de indolência e autoindulgência que tinha, apesar disso, se empenhado na busca de um acordo estável com o duque, com cuja filha era casado. Um ano antes, Luís tentou proibir "a utilização em ambos os lados de termos injuriosos ou caluniosos como 'burgúndio' ou 'armagnac'". Mas agora que o delfim estava morto, o próprio conde de Armagnac foi nomeado condestável da França: um homem de sabedoria e perspicácia, definiu o monge de Saint-Denis; tão cruel quanto Nero, exclamou o autor do diário parisiense. E, por volta de fevereiro de 1416, este último relata, horrorizado, que ele "era o único responsável por todo o reino da França, apesar de todas as objeções, pois o rei ainda não estava bem".

À medida que o domínio armagnac sobre o governo se fortalecia, o duque de Borgonha tinha pouca escolha, a não ser retroceder suas tropas para o norte, rumo a suas fortalezas em Flanders e Artois. Seu castelo em Hesdin, cerca de 45 quilômetros a oeste de Arras, situava-se somente a onze quilômetros do campo de Azincourt, onde os ingleses mataram seus irmãos e onde os armagnacs – ele acreditava – fracassaram em defender a França. Hesdin era não apenas uma fortaleza e uma residência ducal, mas uma curiosidade que abrigava um conjunto de salas cheias de engenhosos dispositivos, máquinas automáticas finamente trabalhadas, que se moviam desajeitadamente e pregando peças. Os visitantes da galeria do castelo poderiam se distrair com um reflexo deformado em um espelho de distorção, apenas para em seguida se encontrarem encharcados por jatos de água provocados por um passo em falso ou esguichados de uma estátua inocentemente impassível. Aqueles que evitavam as pancadas de um arranjo mecânico que dava inesperados golpes na cabeça e nos ombros à saída da galeria encontravam um quarto cheio de chuva e neve, trovões e relâmpagos, "como se saídos do próprio céu", e além disso havia a figura de madeira de um eremita, uma presença misteriosa que se tornava verdadeiramente enervante quando começava a falar.

Esse gabinete de curiosidades fez parte da estrutura do castelo de Hesdin por mais de uma centena de anos. Na primavera de 1416, no entanto, João de Borgonha poderia ter sido perdoado por pensar que a vida estava começando a imitar a arte. A reunião internacional no Concílio da Igreja em Constança estava rapidamente se tornando um salão de espelhos: toda disputa teológica e política na Europa se refletia ali – muitas vezes em desproporção ridícula, pelo menos em relação à ostensiva tarefa do Conselho de buscar um fim para o longo cisma do papado. Os emissários enviados pelo governo armagnac em Paris se empenharam ferozmente na tentativa de negar qualquer tipo de interrogatório aos seus adversários ingleses, mas o ataque deles a seu inimigo francês, o duque de Borgonha, foi igualmente sarcástico. O formidável chanceler da Universidade de Paris, um eminente teólogo chamado Jean Gerson, manifestou-se contra a justificação do assassinato do duque de Orléans proposta em 1407 por Jean Petit, exigindo que agora ele fosse formalmente condenado com todo o peso da autoridade da Igreja. Mas o duque de Borgonha havia mandado sua própria delegação ao Conselho, e seus homens – liderados pelo bispo de Arras, com o apoio de Pierre Cauchon, outro teólogo treinado em Paris, e um burgúndio tão apaixonado quanto Gerson era um armagnac – retrucaram, enfrentando cada ataque com uma furiosa combinação de argumentos, subornos e ameaças mal disfarçadas.

Enquanto os eclesiásticos discutiam, o duque João testou sua posição em terreno incerto, entrando em uma dança diplomática com o eleito de Deus, Henrique da Inglaterra. Em julho de 1416, o duque e o rei concordaram com um tratado pelo qual prometiam não fazer guerra um contra o outro nos territórios do duque situados ao norte da Picardia, isto é, Flandres e Artois, e foi planejado um encontro face a face em Calais no outono seguinte. A situação era tão delicada e a falta de confiança era tão grave, que arranjos muito bem elaborados foram postos em prática para garantir a segurança do duque. Em 5 de outubro, ele deixou sua cidade de Saint-Omer e foi para Gravelines, perto de Calais, viajando durante a maré baixa, quando o rio Aa corria para o mar raso como um córrego. Com homens de sua casa e uma escolta armada, tomou posição em uma margem do rio; na outra margem, igualmente acompanhado, estava o duque de Gloucester, o irmão mais novo do rei inglês. Após um momento, ambos os homens avançaram rio adentro, até que seus cavalos pararam lado a lado no meio da água. Os dois duques apertaram as mãos e trocaram o beijo da paz, antes de Humphrey de Gloucester, um refém recepcionado com toda pompa e circunstância, sair cavalgando para Saint-Omer, enquanto João de Borgonha seguia seu caminho para Calais a fim de encontrar o rei.

Em 13 de outubro, quando a troca foi efetuada no sentido inverso, o duque já tinha negociado com sucesso tanto esse arranjo fluvial quanto uma semana da hospitalidade inglesa sem maiores contratempos. Mas se o rei Henrique havia esperado que suas discussões particulares fossem persuadir o duque de Borgonha a apoiar sua pretensão divinamente consagrada ao trono da França, ele iria ficar tristemente desapontado. "Que tipo de conclusão essas enigmáticas conversas e trocas tinham produzido não foi além da oposição do rei ou da reticência com que ele manteve seu Conselho", relatou o capelão de Henrique com alguma frustração; "[...] o ponto de vista geral era que a Borgonha tinha, durante todo esse tempo, detido o nosso rei com ambiguidades e prevaricações e que assim o deixara, e que, no final, como todos os franceses, ele seria considerado um dissimulado, uma pessoa em público e outra em particular".

De fato, a questão era mesmo a identidade do duque francês, embora não exatamente da maneira como o capelão real sugeriu. Apesar de a aquisição de um aliado tão poderoso contra os seus inimigos franceses ser tentadora e necessária, pois protegeria o comércio anglo-flamengo, um pacto militar com a Inglaterra justificaria as acusações dos armagnacs quanto à traição dos burgúndios e acabaria, de uma vez por todas, com a afirmação do duque de ser o legítimo defensor de seu rei e de seu país. Em vez disso, ele se voltou para um aliado francês que serviria para sustentar essa afirmação: o novo delfim, de 18 anos de idade, Jean de Touraine, que – como já havia acontecido – estava casado com sua sobrinha Jacqueline, herdeira dos ricos e estrategicamente vitais condados de Hainaut, Holanda e Zelândia nos Países Baixos, onde o jovem casal vivia na corte de seu pai. Em novembro de 1416, o duque continuou sua inconclusiva conferência inglesa em Calais com outra em Valenciennes, no condado de Hainaut, e desta vez o resultado foi um acordo definitivo: Borgonha e Hainaut trabalhariam juntos para estabelecer o delfim Jean – naturalmente, com o tio de sua esposa, de Borgonha, ao seu lado – à frente do governo em Paris.

Era um bom plano, mas podia não sobreviver às repentinas mortes, em abril e maio de 1417, do jovem delfim e de seu sogro, o conde de Hainaut. Novamente, havia um novo herdeiro para o trono, dessa vez o filho mais novo do rei, Carlos, de 14 anos; mas ele já estava em Paris, no âmago do regime armagnac, e, ao contrário de seus irmãos mortos, não tinha ligações oriundas de casamento com a dinastia burgúndia. Muito pelo contrário: estava prometido à filha de Luís, duque de Anjou e rei titular da Sicília, que, até a sua morte em abril de 1417, era um dos confederados mais próximos do conde de Armagnac e um inimigo pessoal do duque de Borgonha. E quanto a Carlos, que havia passado grande parte dos últimos quatro anos na corte de Angevin sob a proteção do duque Luís e de sua formidável duquesa Iolanda de Aragão, era pouco provável que agora rejeitasse o acolhimento político de sua família substituta.

Ainda assim, João de Borgonha já tinha se reestruturado antes, e poderia fazê-lo novamente. Do seu castelo em Hesdin, enviou uma carta aberta ao povo da França, assinando de próprio punho cada uma das muitas cópias. Os armagnacs, declarou, eram "traidores, destruidores, saqueadores e envenenadores"; haviam assassinado os filhos do rei, Luís e Jean, e seus planos traiçoeiros estavam por trás do triunfo inglês em Azincourt. Simplificando, dedicavam-se à destruição do reino da França. Ele, por outro lado, estava determinado a proteger e preservar o rei francês e seu povo, uma "tarefa santa, leal e necessária", na qual "iria perseverar até a morte" e – caso o apelo de seu manifesto ainda não fosse suficientemente evidente – ele também iria abolir todos os impostos. Não se tratava da busca de uma solução; isso, estava claro, era guerra.

À medida que a primavera se transformou em verão e o verão em outono, as tropas burgúndias se moveram por povoados e cidades em torno de Paris: Troyes a sudeste, Reims a leste, Amiens ao norte, Chartres a sudoeste. Alguns cidadãos abriram seus portões; outros tentaram, e falharam em resistir. Em outubro, o cerco estava se fechando. O duque e seu exército estavam a apenas 15 quilômetros da capital e, à medida que os alimentos se tornavam insuficientes e os preços subiam, "Paris sofria demais agora", observou o desesperado escritor do diário dentro das muralhas da cidade.

Para reforçar o seu domínio ferrenho sobre o governo, o conde de Armagnac procurou reunir os seus apoiadores por trás de uma figura real, nomeando o jovem delfim Carlos como tenente-general do reino de seu pai. Mas ele não estava jogando sozinho. A mãe de Carlos, a rainha Isabel, estivera certa vez tão intimamente associada ao duque de Orléans na tentativa de governar em nome de seu marido distraído e instável, que – como acontecia com frequência quando as mãos femininas tocavam as rédeas do poder – rumores repletos de insinuações começaram a surgir a respeito de sua reputação. Desde então, no entanto, suas tentativas de preservar um terreno neutro no qual seu marido e seus filhos pudessem viver, provocaram uma crescente hostilidade no regime controvertido do Armagnac, e, em abril de 1417, o conde de Armagnac a enviou para o exílio político em Tours, a mais de 150 quilômetros da capital. Manobra que, afinal, se revelou um erro. Quando João de Borgonha chegou a seus portões na primeira semana de novembro, ela não teve outra opção senão dar-lhe as boas-vindas – embora ele fosse o assassino do duque de Orléans – como um libertador e um protetor. Agora o duque de Borgonha recorria à autoridade da rainha para falar por seu marido, o rei, enquanto o conde de Armagnac recorria à autoridade do delfim como herdeiro do trono de seu pai. A França, na verdade, tinha dois governos, cada um comprometido com a destruição do outro.

E enquanto lutavam, Henrique da Inglaterra escapou pela porta aberta atrás deles. Em janeiro de 1418, enquanto as tropas burgúndias abriam caminho em direção a oeste para dentro de Rouen, a capital da Normandia, o resto do ducado estava sendo sorrateiramente desmembrado pelo retorno dos invasores ingleses. Henrique havia se deslocado da costa para o interior com uma determinação claramente implacável, tomando o grande castelo e a cidade de Caen e, com ela, Bayeux, depois Alençon, Argentan e Falaise. E o maior choque desse ataque violento – pouco mais de dois anos após o miserável dia de Azincourt – foi que ele já não parecia o pior dos horrores que a França tinha que enfrentar.

"Algumas pessoas que tinham vindo da Normandia para Paris, tendo escapado dos ingleses pagando resgate ou por outras maneiras", relatou o parisiense em seu jornal, "foram depois capturadas pelos burgúndios e, então, mais ou menos um quilômetro adiante, capturadas novamente pelos franceses" – ou seja, os armagnacs – "e foram brutal e cruelmente tratadas por eles como se fossem sarracenos. Esses homens, todos mercadores honestos, homens respeitáveis, que estiveram nas mãos de todos os três e compraram sua liberdade, afirmavam solenemente e sob juramento, que os ingleses haviam sido mais gentis com eles do que os burgúndios, e estes últimos, cem vezes mais gentis do que as tropas de Paris, no que diz respeito a alimentação, resgate, sofrimento físico e cativeiro, o que os tinha surpreendido, como deveriam todos os bons cristãos [...]".

O maior de todos os bons cristãos, o Papa Martinho V – recém-instalado pelo Concílio de Constança – mandou enviados especiais em maio para negociar a paz, mas João de Borgonha não estava interessado na paz quando a vitória estava a seu alcance. Declarou-se a favor da missão do cardeal, mas sua atenção estava em outro lugar: o cerco de Paris estava prestes a dar frutos sangrentos. Na escuridão chuvosa das primeiras horas do dia 29 de maio, os simpatizantes burgúndios dentro da capital bloqueada abriram o portão de Saint-Germain-des-Prés para um destacamento armado de homens burgúndios. Eles tinham a seu lado o elemento-surpresa, bem como a intenção mortal, e foram brutalmente eficazes. Alguns sitiados controlavam o Hôtel Saint-Pol, a residência real no leste da cidade, e com ele a pessoa perplexa do rei. Outros perseguiram o conde de Armagnac e seus capitães, para colocá-los em cadeias. No início da tarde, não havia dúvida de que Paris era deles. Durante anos, havia sido politicamente correto usar uma faixa branca nas ruas da cidade, o símbolo da confederação armagnac. Agora, milhares de parisienses manchavam ou rabiscavam suas roupas com o *saltire* burgúndio– a cruz diagonal de Santo André, um dos distintivos do duque – para demonstrar o apoio ao seu novo governante ou para afastar acusações perigosas de colaboração com os armagnacs.

"Deus salve o rei, o delfim e a paz!", gritavam as tropas burgúndias. Deus lhes havia dado o rei, mas a paz não era, ao que parece, parte de

Seu plano. "Paris estava em alvoroço", relatou o autor do diário; "As pessoas pegavam suas armas mais depressa que os soldados". Essa era a oportunidade, finalmente, para aqueles que odiavam os armagnacs – aqueles que apoiaram o duque de Borgonha ou se ressentiam da opressão do governo armagnac, ou detestavam o conde e seus capitães como "estrangeiros" do sul – de obter sua vingança. A cidade se voltou contra si mesma, e nas ruas os cadáveres dilacerados se amontoavam, despidos, quase nus ("como fatias de bacon – uma coisa terrível"), seu sangue coagulado escorrendo pelas sarjetas por causa da chuva torrencial. O pior estava por vir. Duas semanas mais tarde, alarmes falsos nas portas da cidade despertaram a multidão para uma nova onda de medo e fúria. Eles arrombaram as prisões, mutilando e matando todos aqueles que lá estavam, ou iluminando a noite ao incendiar qualquer edifício cuja entrada encontrassem bloqueada. Entre aqueles que foram mortos – seu corpo foi identificado mais tarde não por sua face desfigurada, mas pela cela que ocupava – estava o cativo conde de Armagnac. Uma faixa de carne tinha sido cortada de seu torso, do ombro ao quadril, em selvagem escárnio à faixa que seus partidários usaram com tanto orgulho.

Passou-se mais de um mês antes de a cidade ficar calma o bastante para o duque de Borgonha encenar sua própria chegada triunfal, com a rainha Isabel ao seu lado. Sua cavalgada foi recebida pela multidão que chorava e encorajava aos brados de *"Noël!"*, o clamor tradicional de celebração e boas-vindas. Finalmente, o rei e a capital estavam nas mãos do duque João, juntamente com o poder que representavam. Mas o esplendor desse novo amanhecer burgúndio, reluzindo com o aço afiado das lanças empunhadas pelos soldados do duque, estava sombreado por duas nuvens ameaçadoras. Os ingleses estavam em marcha: por volta do fim de julho, tinham avançado sinistramente até os muros da cidade de Rouen, dominada pelos burgúndios, a segunda mais importante da França e rota-chave para a alta Normandia. A presença do exército inglês em solo francês anteriormente exercia uma útil pressão de diversificação sobre o governo armagnac, mas agora que o próprio duque governava em nome do rei, ele não podia se dar ao luxo de ser complacente em face dessa ameaça crescente. E a desconfortável verdade era que um componente vital da autoridade real que ele alegava representar ainda escapava ao seu controle. Quando as tropas burgúndias entraram na cidade adormecida no dia 29 de maio, os legalistas de Armagnac, chefiados pelo prefeito de Paris – um ex-servo de Luís de Orléans chamado Tanguy du Châtel –, raptaram o delfim Carlos, de 15 anos, ainda vestido em roupas de dormir.

O duque João podia ficar tranquilo, é claro, já que Carlos era jovem e inexperiente, e, contando apenas com os resquícios do regime de Armagnac deixados à sua disposição, não poderia competir com a grandiosidade dos recursos de Borgonha. O delfim ainda estava rodeado por um séquito de partidários leais: não só Tanguy du Châtel, mas homens como Robert le Maçon, seu chanceler, e Jean Louvet ("um dos piores cristãos do mundo", relatou o escritor parisiense), ex-criados de sua futura sogra Iolanda de Aragão e de sua mãe, a rainha Isabel, respectivamente. Esses conselheiros eram perspicazes, ambiciosos e determinados, mas entre eles não havia príncipes consanguíneos, prontos para reunir seus *recursos* em prol de sua causa. Com o conde de Armagnac tão violentamente despachado para se juntar aos mortos de Azincourt, e os duques de Bourbon e Orléans ainda prisioneiros na Inglaterra, Carlos podia procurar um pouco mais longe entre as fileiras de vanguarda da nobreza do que para o irmão mais novo deste último, o conde de Vertus, e seu meio-irmão ilegítimo Jean, conhecido, com o respeitoso reconhecimento de sua linhagem, como o Bastardo de Orléans. E, limitada em liderança como, sem dúvida, era a causa do delfim, também era limitada em dinheiro vivo. Graças à promessa de João de Borgonha de roubar a cena para abolir a tributação, o delfim dificilmente poderia tentar arrecadar as somas necessárias para criar um grande exército sem perder um apoio que não podia se permitir desperdiçar.

Mas a causa não estava perdida. Podia sempre se voltar para os bolsos profundos e para o formidável cérebro político da mulher que se tornara sua mentora, assim como sua segunda mãe: Iolanda de Aragão, duquesa viúva de Anjou, cuja filha Marie seria sua esposa, e cujos filhos jovens, o novo duque Luís e também René, de 9 anos, eram seus companheiros e amigos. Com seu apoio, o delfim se estabeleceu a pouco mais de 150 quilômetros ao sul de Paris, na cidade de Bourges, capital do ducado de Berry, que herdara após a morte de seu tio-avô em 1416 – e agora, por necessidade e não por escolha, a nova capital da França armagnac.

Era uma aproximação heterogênea de uma corte real, com um *parlement* apressadamente organizado em Poitiers e o erário em Bourges para refletir aqueles que estavam na Paris burgúndia, e como seu dirigente, o menino de 15 anos que chama a si mesmo de "o regente da França". Mas não havia dúvida de quanto isso importava. No entanto, por mais alto que o duque de Borgonha alegasse ser o conselheiro leal do rei e, por mais firmemente que a rainha apoiasse o regime burgúndio, o delfim se recusou a aceitar que um governo liderado pelo duque João fosse outra coisa que não uma usurpação traiçoeira. O fato infeliz era que, enquanto a realidade diária do conflito entre armagnacs e burgúndios fervia em cidades de todo o país, a soberania indissolúvel do rei mais cristão da França tinha sido desigualmente dividida em três: o duque de Borgonha dominava o norte e o leste; o delfim controlava o centro e o sul; e, durante todo o tempo, Henrique da Inglaterra – que, como seus antecessores reais, já mantinha a Gasconha no sudoeste – continuou seu avanço incansável através da Normandia, bem no coração do reino.

Em janeiro de 1419, depois de cinco meses de cerco, os ingleses finalmente submeteram Rouen pela fome, e duas semanas depois as tropas de Henrique estavam em Mantes, a apenas 48 quilômetros de Paris. "Ninguém fez nada a respeito", observou o jornalista, pragmático em sua miséria, "porque todos os lordes franceses estavam furiosos uns com os outros, porque o delfim estava em desacordo com seu pai por causa do duque de Borgonha, que estava com o rei, e todos os outros príncipes de sangue real haviam sido levados como prisioneiros pelo rei inglês na batalha de Azincourt [...]". Esse parisiense permaneceu corajosamente hostil aos armagnacs, mas sua fé no duque de Borgonha não sobreviveu a sua recente experiência com o governo burgúndio. "Então o reino da França foi de mal a pior [...] e isso era inteiramente, ou quase inteiramente, culpa do duque de Borgonha, que era o homem mais lento do mundo em tudo o que fazia [...]". De fato, quando chegaram notícias da queda de Rouen, o duque João já havia deixado suas tropas para manter a capital sitiada enquanto removia o rei e a rainha para a cidade de Provins, a oitenta quilômetros de Paris, que era muito mais segura, pois ficava na direção oposta da aproximação do exército inglês.

Parecia possível, agora, que a França não estivesse apenas destruída, mas perdida. O reino era antigo – mas talvez não fosse eterno e, certamente, não era imutável. Ele havia, apesar de tudo, mudado de forma anteriormente, quando suas fronteiras decaíram e fluíram sob a força das correntes cruzadas da diplomacia internacional e das marés devassas da guerra. Os reis da Inglaterra já tinham servido de instrumentos nesse processo, e poderiam servir novamente; e agora o duque de Borgonha, cujos poderes não estavam delimitados pelas fronteiras francesas, exercia uma nova influência gravitacional. No verão de 1419, as tropas rivais, ao desarticularem e romperem o corpo político, tinham atingido um impasse nervoso e precário. Como lutadores na disputa de uma conquista vitoriosa, os enviados abraçaram as cúpulas convocadas em todas as combinações possíveis: o rei da Inglaterra e o duque de Borgonha; o duque de Borgonha e o delfim; o delfim e o rei da Inglaterra. Henrique esperava que tivesse conseguido João como um aliado para sua causa, até perceber que Carlos havia acordado uma trégua provisória com o homem que a propaganda armagnac tinha apelidado anteriormente de o "querido tenente bemamado" de "Lúcifer, rei do inferno".

O velho duque de 48 anos e o delfim de 16 se encontraram cara a cara três vezes na primeira metade de julho, mas suas promessas declaradas em público – de que se uniriam para resistir aos ingleses e doravante governariam a França como amigos – revelaram-se tão sem substância quanto seus sorrisos; enquanto isso, as tempestades torrenciais que castigavam o país com chuva e grandes pedras de granizo foram vistas por muitos (segundo o monge de Saint-Denis) como um sinal de que essas mal-sucedidas negociações não levariam a nada. Somente no fim do mês – quando as tropas do rei Henrique atacaram Pontoise, a menos de 30 quilômetros de Paris e perto o bastante para abalar a sensação de segurança –, é que os ânimos foram concentrados e outra conferência pessoal foi organizada, dessa vez para setembro, em Montereau-Fault-Yonne, a sudeste da capital.

A preocupação premente com a segurança em meio à crescente ameaça do avanço inglês significava que o duque de Borgonha enfrentaria outra reunião diplomática no meio de um rio. Em Montereau, uma ponte de muitos arcos atravessava as águas onde o rio Yonne dava para o Sena. Numa das margens, ficava a cidade mantida pelo delfim; no outro lado, o castelo que Carlos transferiu para o duque de Borgonha como um gesto de boa vontade, a fim de facilitar um encontro que definiria se o futuro da França iria resistir ou ruir. Prestando um juramento de não prejudicarem uns aos outros e então avançando de lados opostos para a ponte, levando consigo apenas dez homens por companhia, tanto o duque quanto o delfim foram assegurados de que seus conselhos não seriam ouvidos secretamente e de que não seriam emboscados por algum exército oculto. O delfim e seus conselheiros – anfitriões cautelosos e minuciosos, que precisaram trabalhar arduamente para persuadir o duque João a aceitar o convite para ir a Montereau – avaliaram meticulosamente os aspectos práticos do encontro. Já havia uma torre de pedra no meio do caminho da ponte, entre o castelo e a cidade, mas agora um novo recinto de madeira foi construído no lado voltado para a cidade da torre, dentro do qual as duas delegações poderiam conversar com segurança sem medo de ataques externos.

Na tarde de domingo de 10 de setembro os preparativos estavam completos. Sob o esplêndido céu de outono, o duque de Borgonha – reluzente em sua magnificência, com os indecifráveis olhos encobertos – tomou o caminho sinuoso do castelo para a ponte, passou pela torre em direção à paliçada recém-construída, o portão se fechando quando o último de seus homens foi conduzido para dentro e uma chave girou na fechadura atrás deles. À sua frente estava a figura pequena e magricela do delfim, um adolescente desajeitado que não havia herdado a boa aparência de nenhum de seus pais reais e, com ele, dez de seus assistentes mais antigos, incluindo Jean Louvet e Tanguy du Châtel, este último um rosto familiar das frequentes embaixadas das últimas semanas. Enquanto o duque se ajoelhava, tirando o chapéu de veludo preto em reverência ao príncipe, podia ouvir a água se movendo suavemente ao redor, mas só podia ver a habilidade dos carpinteiros que haviam fechado a ponte com paredes de madeira. Será que ele se lembrou de seu gabinete de curiosidades em Hesdin? O momento foi fugaz. Então o golpe o atingiu: a lâmina de aço de um machado de guerra penetrou profundamente em seu crânio.

Havia sangue, uma poça em torno do corpo caído de João de Borgonha, pingando em grandes gotas do machado nas mãos de Tanguy du Châtel. Convulsionados pelo choque e pelo pânico, os conselheiros do duque começaram a avançar, até serem cercados pelos soldados que entravam pela porta aberta na extremidade da paliçada, bradando gritos estridentes de ódio: "Mate! Mate!" – e como eles estavam encurralados, viram, em um borrão quase incompreensível, um homem ajoelhado sobre a figura de seu senhor, e a lâmina brilhante de uma espada mergulhando para baixo. Então, de repente, surgiu um rugido de explosões, enquanto tropas de Armagnac escondidas dentro da torre de pedra na ponte voltaram suas armas para os desconcertados burgúndios no castelo de Montereau, que esperavam em vão o retorno do duque.

Foi um assassinato mais friamente planejado e mais brutalmente executado do que a morte do duque de Orléans nas ruas de Paris doze anos atrás. E, à medida que o cadáver mutilado era levado da ponte – despojado de sua elegância e manchado de sangue, com uma das mãos pendurada, quase decepada, numa confusão de tendões destroçados –, estava claro que as consequências da morte desse duque seriam ainda mais terríveis. Para o veterano Tanguy du Châtel, fora um olho por olho, finalmente um ajuste de contas pela perda de seu antigo mestre. Para o delfim adolescente, que tinha apenas 4 anos de idade quando Luís de Orléans morreu, fora a deposição do diabólico tenente, do homem que tinha causado a guerra no reino durante tanto tempo quanto o jovem príncipe podia se lembrar. Mas esse assassinato, num momento sangrento, havia alterado irremediavelmente a essência do conflito. Agora – no entanto, por mais sutil que fosse a diplomacia entre os senhores da França e, por mais implacável que fosse o ataque dos ingleses – não havia mais a menor esperança de reconciliação entre os armagnacs e os burgúndios.

Em público, o delfim declarou que não houve qualquer conspiração contra o duque. Em vez disso, explicou, a primeira espada desembainhada na ponte era a do próprio João de Borgonha, ou talvez – recordou mais tarde – a do ajudante do duque, Archambaud de Foix, senhor de Navailles. (O dedo principesco foi apontado para Foix apenas depois que ele morreu de ferimentos na cabeça durante a luta, de modo que, portanto, ele estava convenientemente incapaz de contestar a acusação). Foi essa agressão burgúndia sem provocação que causou a súbita explosão de violência, para a completa consternação do delfim, e foi somente graças ao pensamento rápido de seus servos leais que – Deus seja louvado – ele não foi tomado como refém. Mas protestos veementes – nem a sugestão de que seu "querido e bem-amado irmão" Filipe, o filho do duque e seu herdeiro, devia ficar calmo diante desses infelizes acontecimentos – não disfarçavam o fato de que João de Borgonha tinha morrido sob o salvo-conduto do delfim, nas mãos dos homens do delfim.

E isso, para os burgúndios, mudou tudo. A 320 quilômetros de distância, na cidade flamenga de Gante, Filipe, de 23 anos, o novo duque, foi dominado por "extrema dor e angústia" pela morte de seu pai, conforme relataram seus conselheiros. Para a viúva do duque João, Margaret da Baviera, seu marido era uma figura semelhante a Cristo, que entrou na paliçada da ponte para ser traído pelo Judas Tanguy du Châtel. Talvez nem todos estivessem preparados para endossar essa imagem em particular; mas, aos olhos burgúndios, não havia dúvidas de que o delfim – o herdeiro do trono do reino mais cristão – era culpado de perjúrio e assassinato. Como resultado, Filipe de Borgonha foi confrontado com a decisão mais fatídica e mais extrema do que qualquer uma que seu pai já havia enfrentado. O infeliz rei, com a rainha Isabel ao seu lado, permanecia sob proteção burgúndia em Troyes, a 145 quilômetros a sudeste de Paris, "onde estão com os seus pobres seguidores como fugitivos", disse o desolado autor do diário. Mas Carlos, o Louco e Bem-Amado, já tinha passado do seu quinquagésimo aniversário – e depois dele, o quê, então? Havia dois pretendentes à sua coroa: um delfim armagnac e um rei inglês. E para Filipe de Borgonha, depois do que aconteceu em Montereau, isso não representava escolha alguma.

Ainda foi necessário algum tempo para assimilar a ideia de que o próximo monarca da França poderia ser um invasor inglês. À medida que o outono se desvaneceu no começo de um inverno rigoroso, o duque Filipe permaneceu no norte, em Flanders e Artois, deliberando com seus conselheiros e organizando um serviço magnífico para a alma do seu pai na abadia da igreja de Saint-Vaast em Arras. De Dijon, sua infatigável mãe organizou os recursos das duas Borgonhas para reunir todas as provas possíveis do crime perpetrado contra seu marido e para pressionar as grandes potências da Europa a apoiarem sua busca por justiça. Entretanto, à medida que o saqueador inglês arrasava os campos ao norte de Paris, o delfim fazia o que podia para exercer sua pressão sobre a capital mantida pela Borgonha, declarando seu compromisso com a paz, mesmo quando suas tropas pilhavam e queimavam as terras ao sul.

Isso não foi o bastante. Na primavera de 1420, ambos, o escritor do diário parisiense e o monge da abadia de Saint-Denis, a seis quilômetros ao norte dos muros da cidade, estavam convencidos de que os ingleses eram o menor dos dois males que ameaçavam o reino. O duque Filipe de Borgonha concordava. As negociações – realizadas em uma série de debates tensos e delicados entre o duque de Arras, a rainha em Troyes, o *parlement* de Paris e os ingleses em Rouen – se arrastaram por meses, mas finalmente, em 21 de maio, os poderes soberanos da Inglaterra e da França se reuniram na catedral de Troyes, coberta por nuvens de incenso, para que fosse selado um tratado.

Esse espaço sagrado foi testemunha da terrível força da vontade divina: meio século antes, o pináculo que se erguia em direção ao céu desde o cruzamento da nave tinha sido reduzido a entulhos por um tornado e, duas décadas depois disso, um raio havia transformado em inferno o telhado de madeira. Mesmo assim a catedral resistiu, um testamento arquitetônico para a possibilidade de que, com a bênção do todo-poderoso, a restauração poderia superar a destruição. Mas não, talvez, para o próprio rei Carlos da França, cuja mente enferma tinha se esquivado de todas as tentativas para recuperá-la, mas ao menos parecia que seu reino devastado pela guerra poderia encontrar um novo futuro. No altar-mor, no meio da multidão de lordes e prelados, atendentes e servos, estava o inimigo da França transformado em salvador: Henrique da Inglaterra, marcado com cicatrizes, calmo, ao lado de seu irmão mais velho Tomás, duque de Clarence. Antes dele estava a majestade da coroa francesa, encarnada pela rainha, Isabel, e o jovem duque de Borgonha, um conselheiro leal pronto para falar por seu hesitante rei. Ambos os lados conheciam os termos da paz que os reuniu, mas esse era o momento solene no qual aquelas disposições se tornariam inevitavelmente compulsórias.

Carlos, pela graça de Deus rei da França, reconheceu Henrique da Inglaterra como herdeiro legal de seu trono. Por causa de sua própria desafortunada indisposição – dignamente reconhecida no texto falado do tratado – Henrique iria assumir o controle do governo do reino com efeito imediato: ele agora era regente da França, bem como seu herdeiro. Iria se casar com a filha do rei, Catherine, sua união seria a encarnação física dessa paz perpétua e seus descendentes usariam uma dupla coroa como monarcas dos reinos gêmeos da Inglaterra e da França, que assim se uniriam para sempre em concórdia e tranquilidade.

E, assim, nem cinco anos após o horror de Azincourt, o rei inglês foi cingido no abraço político do lorde soberano dos franceses como *nôtre très cher fils*, "nosso filho mais querido". O adolescente que, até esse momento, tinha reivindicado aquele título, quase não foi mencionado: os "horríveis e enormes crimes" do "suposto delfim" eram tais, declarava o tratado, que o rei Carlos e seus queridos filhos Henrique da Inglaterra e Filipe de Borgonha (este último já sendo o marido de outra das filhas reais da França) agora juravam não ter mais relações com ele. Em vez disso, Henrique – agindo em nome do rei mais cristão como herdeiro e regente da França – faria tudo o que estivesse a seu alcance para restaurar à sua legítima lealdade aquelas partes rebeldes do reino que ainda acreditavam no partido "comumente chamado como o do delfim, ou armagnac". Os selos reais foram pressionados em cera macia; e, enquanto começavam os preparativos para o casamento que estava por vir, os arautos procuraram informar ao povo francês a identidade de seu próximo monarca e exigir juramentos de sua lealdade.

Parecia mesmo que Deus quis assim.

II

Como outro Messias

Nada aconteceu como deveria. Carlos de Valois, o *delfim de Viena* de 17 anos, sabia que era o herdeiro da França. Entre os filhos de seu pai, ele tinha sido o último a nascer, mas, por vontade de Deus, agora era o próximo sucessor de uma linha ininterrupta de ilustres reis que remontavam às glórias de Carlos Magno e, antes dele, ao virtuoso Clóvis, o primeiro dos monarcas cristãos da França.

Foi para Clóvis, quase mil anos antes, que Deus tinha enviado a Santa Ampola, um frasco milagroso que continha o óleo sagrado usado para ungir cada *roi très chrétien* durante a sua coroação – um rito sacramental de longa tradição realizado em Reims, onde a própria Ampola foi guardada com a máxima reverência. Também foi Clóvis, o delfim sabia – ou foi Carlos Magno? –, que entrou pela primeira vez em batalha carregando o *oriflamme*, um estandarte de seda vermelho-fogo pendurado em uma lança dourada que convocava o povo da França para lutar até a morte sempre que o reino estivesse em extremo perigo.

E os poderes protetores do *oriflamme* eram mais do que simplesmente militares, uma vez que essa bandeira sagrada havia sido um presente de São Denis, o homem santo que converteu a Gália pagã ao cristianismo. Exatamente quem havia sido Denis, e exatamente quando ele trouxe o evangelho para a França, eram questões de certa complexidade e muito debate bem instruído, mas as respostas importavam menos do que o fato evidente de seu apoio ao reino e sua relação especial com o rei.

O próprio *oriflamme* foi mantido na abadia que pertencia ao santo, ao norte de Paris, a postos para quando o rei necessitasse dele, juntamente das inestimáveis joias que eram transportados para Reims sempre que uma coroação acontecia: a coroa imperial de Carlos Magno e sua notável espada, chamada Joyeuse, bem como a coroa do hexavô do delfim Luís IX, o rei que partiu para as Cruzadas e que foi reconhecido como santo no espaço de três décadas após a sua morte. Seu diadema – feito sob medida para esse monarca abençoado – continha um fragmento da coroa de espinhos de Cristo e um cacho do cabelo do Salvador.

O próprio São Luís, assim como todos os reis da França dos últimos duzentos anos, foi enterrado na abadia que pertenceu a São Denis. De lá, esses dois santos patronos da coroa francesa zelavam pelos descendentes reais de Luís na vizinha Paris, a capital fundada havia muito tempo por nobres troianos que fugiam do saque de sua própria cidade, e que desde então se tornou – em sabedoria, poder e santidade – uma nova Atenas, Roma e Jerusalém. E de Paris, por sua vez, o rei francês zelava pelo povo escolhido de uma terra santa, um reino cheio de clérigos, eruditos, relíquias e santos.

Tudo isso era de direito do delfim por nascimento. E, no entanto, agora parecia que sua herança estava sendo arrancada de seus dedos. O brasão vermelho-fogo do *oriflamme* tinha sido pisoteado na lama em Azincourt, onde o sacrifício das vidas francesas trouxera apenas derrota e humilhação, e não a vitória dada por Deus. Paris, o pilar da fé e a sede da coroa francesa, havia caído nas ávidas mãos dos traidores burgúndios. Os sagrados arredores da abadia de Saint-Denis haviam dado as boas-vindas a Henrique da Inglaterra – um arrogante e cruel predador, cujo brasão, um rabo de raposa elegantemente bordado, não podia disfarçar o fato de que seus dentes e garras estavam pegajosos com o sangue francês – em sua viagem a Troyes; e na catedral de lá foi recebido pelos pais reais do delfim como seu filho recém-adotado.

Nesse meio tempo, o próprio delfim era acusado do mais asqueroso assassinato. Henrique da Inglaterra e Filipe de Borgonha haviam concordado, em um tratado bilateral feito cinco meses antes de Troyes, que trabalhariam juntos para garantir que Carlos e seus cúmplices fossem devidamente punidos por seus crimes evidentes. Até mesmo seu pai – ou até mesmo os que falavam em nome do rei distraído – havia emitido cartas patentes proclamando a culpa do príncipe e declarando que, como consequência, ele não tinha mais o direito de usar o título de delfim. Em vez disso, ele era simplesmente "Carlos, o imprudente, que se referia a si mesmo como 'da França' ".

O próprio delfim, é claro, não admitia que tivesse qualquer responsabilidade pela morte de João de Borgonha. Mas, mesmo se tivesse, não teria aceitado que aquela deserdação fosse uma consequência necessária. *Monseigneur le dauphin*, declarou um panfleto armagnac escrito em 1420 em resposta ao Tratado de Troyes, era o único verdadeiro herdeiro do rei e do reino. O tratado não representava, portanto, uma paz, mas sim uma fonte de discórdia, guerra, assassinato, saque, derramamento de sangue e horrível sedição – um ato de usurpação tirânica que era "muito maldito, muito injusto e abominável, e contrário à honra de Deus, à fé e à religião [...]".

Ainda assim, a fim de colocar um ponto final nessa usurpação, talvez fosse necessária certa improvisação. Se a luz de orientação do *oriflamme* estivesse apagada, o exército do delfim então lutaria sob um estandarte representando as flores-de-lis douradas da França sobre um fundo de azul celestial, uma venerável bandeira carregada de significado – o lírio que representa a pureza da Virgem, suas três pétalas designando a Trindade, e o todo correspondendo à grandeza da coroa francesa –, a qual, por sua vez, também tinha sido habilmente apresentada a Clóvis por um emissário celeste. Algumas pessoas disseram que foi São Denis que trouxera as flores-de-lis para o rei santo, mas agora que Denis vacilou em seu papel de guardião do reino, parecia mais provável que o dom tivesse vindo das mãos do arcanjo Miguel, o próprio porta-estandarte de Deus, cuja abadia em Mont-Saint-Michel, na Normandia, estava agora mesmo resistindo aos invasores ingleses. E assim o delfim ordenou que dois novos estandartes fossem preparados para o seu exército, cada um mostrando o cavaleiro celestial São Miguel com a espada desembainhada para matar o diabo que se retorcia diante dele na forma de uma serpente.

A lâmina nua de uma espada, apertada em uma mão armada, era também o brasão pessoal do delfim, pintado delicadamente no estandarte de seda branca, dourada e azul que pendia de sua lança. Na prática, contudo, apesar do dinheiro que ele gastava com armaduras douradas, o próprio príncipe não podia liderar seus soldados. Não só porque ele não era "um homem guerreiro", como o cronista burgúndio Georges Chastellain comentou mais tarde, notando sua fraca estrutura e seu modo de andar instável, mas também porque ele era insubstituível. Embora o recém-casado Henrique da Inglaterra, por enquanto, não tivesse um filho para sucedê-lo, ele poderia reunir suas tropas no campo de batalha com o conhecimento de que tinha três irmãos reais – os duques de Clarence, Bedford e Gloucester – lutando ao seu lado, prontos para tomar seu lugar se ele caísse. Mas os irmãos do delfim Carlos foram todos mortos; a desprezível cria de Valois era agora a última esperança da causa armagnac. Como resultado, quando aconteceu o confronto seguinte, o exército armagnac teria que procurar por seu capitão em outro lugar.

Enquanto os ingleses e os burgúndios estavam ocupados com a elaboração de seu pacto diabólico para privá-lo de sua herança, o delfim e suas tropas se deslocaram juntos pelo sul do reino para garantir a obediência dessas terras dos armagnacs com uma demonstração de força. Mas as cerimônias de Troyes – a assinatura do tratado anglo-burgúndio e o casamento de Henrique da Inglaterra com Catherine da França pouco menos de duas semanas depois – não mantiveram o rei inglês afastado do campo por muito tempo. No dia seguinte ao triunfo de seu casamento, os cavaleiros da Inglaterra e da Borgonha propuseram um torneio em comemoração, mas o rei ordenou que eles deveriam partir imediatamente para Sens, a 65 quilômetros a oeste de Troyes, onde, disse ele, "podemos todos combater e lutar, e provar a nossa ousadia e coragem"– não nas arenas, mas sitiando os armagnacs.

Uma semana depois, Sens havia caído. Duas semanas depois disso, o exército de Henrique invadiu Montereau-Fault-Yonne. Ali, o corpo mutilado de João Sem Medo foi exumado de sua cova rasa na igreja da paróquia e respeitosamente colocado em um caixão de chumbo com sal e especiarias para sua viagem de volta a Dijon, a capital do duque morto. Então, as tropas inglesas e burgúndias marcharam para o noroeste, rumo às muralhas de Melun, uma parada-chave na campanha para varrer os armagnacs para fora da região imediatamente ao sul da Paris burgúndia. Mas os soldados das guarnições armagnacs resistiram e, em meados de julho, estava claro que Melun não seria tão facilmente tomada. Agora, mais do que nunca, a causa armagnac precisava de um líder militar inspirado para vir em socorro da cidade e pôr um fim ao inexorável avanço do rei inglês – e o delfim de 17 anos sabia exatamente o que fazer. Encomendou duas novas armaduras douradas para si mesmo, reuniu um exército de quinze mil homens e colocou o seu primo, o conde de Vertus, no comando.

Aos 24 anos, Felipe de Vertus carregava o peso de seu mundo nos seus ombros jovens. Seu irmão mais velho, o duque de Orléans, ainda estava preso na Inglaterra, portanto a responsabilidade pelo futuro da família recaiu sobre Felipe. E agora seu príncipe, o delfim, exigia que ele liderasse o exército que libertaria a França dos invasores ingleses, bem como dos traidores burgúndios. O conde havia estabelecido sua base em Jargeau, 26 quilômetros a leste de Orléans, e ali o delfim se juntou a ele no início de agosto, e dez mil flâmulas costuradas recentemente se agitavam na brisa acima das cabeças de suas tropas. Entretanto, no fim do mês, nenhum movimento de avanço ainda tinha sido feito. O conde, descobriu-se, não estava bem. Em 1º de setembro, ele sucumbiu à doença – e toda a perspectiva de deter a maré anglo-burgúndia morreu com ele. O delfim, apavorado, imediatamente bateu em retirada, recuando em direção ao sul, para seu luxuoso palácio de Mehun-sur-Yèvre, perto de Bourges, e seis semanas mais tarde a cidade de Melun – agora sem esperança de salvação – acabou se rendendo pela fome.

O palco estava armado para o triunfante rei inglês tomar posse da nova capital francesa. Em 1º de dezembro de 1420, Henrique da Inglaterra, Filipe de Borgonha e a patética figura de Carlos da França – "nossos soberanos franceses", como o jornalista os chamou, com aprovação – cavalgaram para Paris. Era um inverno rigoroso, e a comida estava tão escassa, que as crianças indigentes morriam nas ruas, mas ainda assim os habitantes famintos da cidade apareceram aos milhares para receber a procissão real, muitos vestidos de vermelho, a cor da cruz de São Jorge, patrono celestial de Henrique. No dia seguinte, as rainhas fizeram sua magnífica entrada, a esposa de Henrique, Catherine, cavalgando pela Porte Saint-Antoine entre sua mãe, a rainha Isabel, e sua recém-adquirida cunhada, a duquesa de Clarence, enquanto os parisienses brindavam a vinda da paz com o vinho que fluía dia e noite dos condutos da cidade.

Catherine, de 19 anos, esteve ao lado de seu marido no cerco de Melun, quando – na única concessão romântica que esse recém-casado endurecido pela batalha se permitiu fazer – ele havia ordenado aos músicos que tocassem para ela todas as noites enquanto o sol se punha. Esteve com ele em Paris quando, dois dias antes do Natal, Henrique e o pai dela se sentaram à mesma tribuna judicial para ouvir uma demanda burgúndia clamando por justiça contra o irmão dela, "o chamado delfim", e seus cúmplices no assassinato de João Sem Medo. O delfim foi convocado para responder às acusações antes de 6 de janeiro; sem causar surpresa a ninguém, ele não apareceu e foi condenado em sua ausência ao exílio do reino e a ser deserdado da coroa. Àquela altura, Catherine e Henrique estavam a caminho da Inglaterra para que a nova rainha fosse apresentada a seu povo, e para levantar mais dinheiro e homens para a derrota final dos rebeldes armagnacs.

O delfim, no entanto, tinha outros planos. Havia perdido seu primo de Vertus, mas seu protetor São Miguel – para cujo santuário em Mont-Saint-Michel, que ainda resistia ao cerco inglês, ele tinha acabado de enviar uma oferenda de peregrino – o abasteceria com novas vitórias. Os traidores burgúndios até poderiam ter a ajuda dos ingleses, antigos inimigos da França, na tentativa de desmembrar o reino, mas o delfim poderia chamar os antigos aliados da França, os escoceses, que haviam reconhecido nele a verdadeira linha da soberania francesa. Por mais de um século, a Escócia tinha agarrado todas as oportunidades de apoiar a França em seus conflitos contra a Inglaterra: sempre que os exércitos ingleses se moviam para o sul através do Canal para devastar terras francesas, os soldados escoceses já tinham invadido a fronteira norte da Inglaterra, na esperança de infligir golpes debilitantes pelas costas dos ingleses. Agora, com a França convulsionada sobre si mesma, os escoceses viram a oportunidade de lutar contra os ingleses a uma distância mais segura, fora de sua própria fronteira e lado a lado com os franceses armagnacs.

As primeiras poucas centenas de soldados escoceses – arqueiros, no estilo inglês, bem como soldados – chegaram à França na primavera de 1419. Mas, por volta do fim daquele ano, uma tropa maior, de seis ou sete mil homens, estava se aproximando da terra em La Rochelle sob o comando de John Stewart, conde de Buchan, e seu cunhado Archibald Douglas, conde de Wigtown, junto de outros capitães, incluindo um parente distante do conde de Buchan e seu homônimo, Sir John Stewart de Darnley. Esse exército escocês não havia sido enviado pelo rei da Escócia, James I, que fora capturado pelos ingleses quando ainda era um menino de 11 anos, catorze anos atrás; e o governante do reino durante os longos anos da ausência do rei – o pai de Buchan, o duque de Albany – não tinha nenhum entusiasmo particular diante da perspectiva de restringir seu próprio poder garantindo a libertação do rei. A resposta inglesa à chegada das tropas escocesas ao solo francês foi convocar o cativo rei James para se juntar ao exército inglês. As tropas do delfim perceberam que estavam confrontando não um, mas três reis – Henrique da Inglaterra, um adoecido Carlos da França e o prisioneiro James da Escócia –, a fim de que os armagnacs e os escoceses pudessem ser acusados de traição por levantarem armas contra seus próprios soberanos. Esse comportamento ostensivo do mais alto grau no terreno moral, sempre o terreno favorecido por Henrique, tinha implicações perigosas para as tropas que não podiam esperar nenhuma misericórdia na derrota se fossem consideradas violadoras de sua lealdade. Mesmo assim, os escoceses permaneceram impassíveis e, em fevereiro de 1421, outros quatro mil homens haviam saído da Escócia para se juntar ao contingente sob o comando de Buchan.

Não era Henrique quem marchava contra eles, pois agora ele estava de volta à Inglaterra pela primeira vez em mais de três anos, mas sim o tenente-general que ele deixara para trás, seu irmão Thomas, o duque de Clarence. Clarence estava ansioso para aproveitar essa oportunidade de emergir da sombra de seu irmão mais velho como um herói de guerra e – aparentemente à procura de uma luta na qual ele poderia se cobrir de glória contra o rival de Henrique – liderou um destacamento das tropas anglo-burgúndias ao sul da Normandia para dentro de Anjou. Ali, porém, em 22 de março, exatamente nos limites da cidade de Baugé, encontrou as tropas recém-chegadas da Escócia, comandadas por Buchan e Wigtown. Sem ouvir os conselhos de seus capitães nem esperar que seus arqueiros se aproximassem, Clarence se lançou ao ataque – e se viu subjugado numa sangrenta derrota. Morreu no campo com centenas de seus homens; e os condes escoceses escreveram exultantes para convidar o delfim a avançar imediatamente para a Normandia, "porque, com a ajuda de Deus, tudo é seu".

Finalmente, a generosidade divina havia sido restaurada para com o herdeiro legítimo do mais cristão dos reinos. O delfim, exultante de euforia, correu para agradecer na grande catedral em Poitiers, e se preparou no mesmo dia para receber os vitoriosos escoceses em Tours. Até então, esses intrometidos de um minúsculo reino do norte muito distante haviam sido recebidos com desdém por algumas pessoas da corte do delfim: "bêbados, idiotas que comem carne de carneiro" era a frase sussurrada, à boca miúda, por trás de elegantes mãos francesas. "O que vocês pensam agora?", perguntou o delfim depois que chegaram as notícias do triunfo em Baugé, relatou orgulhosamente um cronista escocês; e "como se golpeados em sua testa com um martelo, eles não tinham resposta". Em vez disso, o conde de Buchan "parecia ter surgido como outro Messias entre eles e com eles". Dentro de poucos dias, este salvador da França havia sido nomeado condestável do reino – o mais alto posto militar concedido pela coroa, transformando Buchan no segundo em autoridade, atrás apenas do próprio delfim. E o delfim ordenou mais armaduras – desta vez à moda escocesa – e outro estandarte de São Miguel, e se preparou para um ataque que certamente impeliria os ingleses e seus aliados burgúndios para fora da França permanentemente.

Com a imagem do arcanjo guerreiro sendo transportada diante deles, os armagnacs e os escoceses exerceram pressão rumo ao norte, na Normandia, e depois seguiram para o leste, na direção de Paris; no começo de julho, o exército do delfim estava acampado fora das muralhas de Chartres, a apenas oitenta quilômetros a sudoeste da disputada capital. Finalmente, estavam preparados para um confronto culminante com os traidores e invasores que haviam usurpado tão deploravelmente o direito garantido por nascimento do herdeiro da França. Mas em meio à euforia de seu triunfo em Baugé, haviam esquecido, por um instante alegre e fugaz, que derrotar o duque de Clarence era uma coisa; enfrentar seu irmão, o vencedor de Azincourt, era outra bem diferente. Depois de quase seis meses de ausência, Henrique voltou para a França em junho, acompanhado de novos soldados. Chegou a Paris no dia 4 de julho e, no dia seguinte, – alegando doença entre suas tropas e dificuldade de alimentar um exército no campo depois de um inverno excepcionalmente longo e rigoroso – o delfim bateu em retirada para o sul, rumo à segurança de seus castelos no vale do Loire e da sua corte em Bourges.

A fome e a doença eram reais, mas também, sem dúvida, a falta de coragem. As operações militares continuariam sob o comando de Buchan, mas o momento tinha sido perdido – e quando as manobras recomeçassem, o delfim já não estaria lá para testemunhá-las. Enquanto isso, o sereno e implacável eleito de Deus, Henrique da Inglaterra, movia-se para sitiar Meaux, uma cidade armagnac fortemente protegida e estrategicamente vital, quarenta quilômetros a leste de Paris, cuja guarnição militar tinha sido um incômodo durante muito tempo para a capital.

Dessa vez, não haveria nenhum interlúdio musical à medida que a noite caía sobre o cerco. Henrique tinha voltado sem a esposa, Catherine. Em vez disso, trazia notícias para acender o medo no coração do irmão de sua esposa: ela estava carregando um bebê com o sangue Plantageneta e Valois misturado em suas veias. O Tratado de Troyes logo seria consolidado em um herdeiro aos tronos gêmeos da Inglaterra e da França burgúndia; e apesar de, por hora, o delfim estar seguro em seu refúgio atrás das águas protetoras do Loire, a promessa gloriosa da vitória em Baugé estava se desvanecendo como a luz do sol quando o verão abriu caminho para um outono encharcado.

Com a chuva caindo dos céus de chumbo, os sitiadores em Meaux precisavam de toda a determinação implacável de seu rei para sustentá-los quando a doença se apoderou do acampamento, e a comida se tornou severamente escassa. Mas Henrique sabia que o propósito de Deus estava se desvelando em ambos os lados do Canal. Enviou um mensageiro a cavalo para a abadia de Coulombs, 97 quilômetros a oeste, perto de Chartres, para tomar posse do prepúcio de Cristo, uma relíquia sagrada que oferecia proteção especial às mulheres durante a gravidez, para que fosse despachado para a Inglaterra para o parto de sua jovem rainha, que se aproximava. Pouco antes do Natal, foi confirmado que este objeto sagrado tinha cumprido seu papel. Em 6 de dezembro, Catherine deu à luz um menino saudável, chamado Henrique, como seu pai real.

Enquanto os sinos tocavam e as fogueiras eram acesas nas ruas de Paris, o autor do diário da cidade contemplava o futuro do reino dividido, que esse bebê havia nascido para governar. Seu ódio aos armagnacs, cuja traição havia causado "esses problemas amargos, essa vida intolerável, essa guerra maldita", queimava com a ferocidade de sempre, mas ele não via motivo para comemorar. A causa do duque de Borgonha e do rei inglês poderia ser justa, mas a paz não havia chegado, e em todos os lados eram os pobres, traídos por seus governantes, que sofriam. "Não se trata de um ano ou dois", escreveu ele em desespero, "são catorze ou quinze desde que esta dança funesta começou [...]".

Isso era tudo o que o delfim sabia: aqueles catorze ou quinze anos eram tudo de que podia se lembrar. Mas a salvação de seu povo – tinha certeza, mesmo que eles não tivessem – residia na justificativa da causa armagnac. Seus capitães escoceses não conseguiram salvar Meaux de seu destino; ela caiu depois de sete meses de cerco, durante o mais terrível dos invernos, no início de maio de 1422. O que ele poderia fazer em seu próprio auxílio – mesmo no refúgio do vale do Loire – era oferecer uma resposta à ameaça dinástica do nascimento de seu sobrinho. Ele tinha 18 anos, idade o bastante para ser marido e pai, e a identidade de sua noiva já havia sido determinada anos antes, quando ambos ainda eram crianças: Marie, a filha de 17 anos de Iolanda, a opulenta duquesa viúva de Anjou, que tanto havia feito para estabelecer o poder armagnac no sul, região a que alguns agora se referiam desdenhosamente como o "reino de Bourges". O delfim tinha sido encorajado no ano anterior por uma visita de um santo eremita, Jean de Gand, que lhe falou de uma visão, enviada dos céus, de que ele usaria a coroa da França e seria pai de um herdeiro ao trono. Agora, os preparativos foram postos em prática, e, em uma magnífica cerimônia no mês de abril de 1422, o "reino de Bourges" adquiriu sua delfina. No outono, Marie estava grávida. Mas, até lá, tudo tinha mudado.

Após o outono de Meaux, Henrique passou algum tempo em Paris com sua mulher. Eles viviam com grande pompa no palácio do Louvre, dando jantares onde usavam as coroas de joias, enquanto, do outro lado da cidade, o pai e a mãe de Catherine – que ainda eram, embora fosse difícil lembrar, o rei e a rainha da França – passeavam entre jardins e pátios com galerias do Hôtel Saint-Pol. Mas, sob a pompa da corte de Henrique, uma nova vulnerabilidade tornou-se, de súbito, chocantemente visível. Em junho, o rei partiu para o sul debaixo de um calor abrasador para ajudar a combater as tropas armagnacs que cercavam a cidade borgonhesa de Cosne. Ele nunca chegou. Havia se deslocado apenas quarenta quilômetros ao sul de Paris quando ficou claro que esse inflexível soldado estava fraco demais para permanecer em sua sela.

Com uma expressão vazia, Henrique foi carregado em uma liteira até o castelo de Vincennes, a sudeste da capital. Lá, no frescor da torre de *donjon* que se erguia contra o céu azul de verão, seus médicos aterrorizados descobriram que não podiam fazer nada para aliviar sua febre. O eleito de Deus, invencível apesar de estar diante do inimigo, não estava imune, ao que parece, ao fluxo excruciante de cólicas que haviam assolado seu exército na lama do lado de fora de Meaux. No testamento que havia escrito quando saiu da Inglaterra pela última vez, catorze meses antes, recomendou sua alma a Deus, a Cristo, à Virgem e aos santos, seu patrono São Jorge entre eles. Agora, aos 26 de agosto – como sempre, enfrentando o que estava à frente com lúcido controle – determinou que fosse lavrado um registro dos utensílios de prata e ouro que ele queria legar à esposa, Catherine, e ao filho bebê que nunca tinha visto. Deixou paramentos de altar para a abadia de Saint-Denis, fora de sua capital francesa, e para a abadia de Westminster, do seu lado inglês. Em 31 de agosto de 1422, na escuridão das primeiras horas do dia, Henrique morreu.

Parecia impossível que a feroz potência que havia curvado dois reinos diante de sua vontade pudesse ser extinta tão abruptamente, mas os observadores chocados que assistiram ao imponente cortejo que levava o corpo para o norte de Vincennes não tinham outra opção a não ser acreditar. Sobre o grande caixão de chumbo, envolto em pano carmesim bordado a ouro, estava uma efígie do próprio rei, feita de couro fervido, delicadamente pintada e vestida com trajes reais, com uma coroa de ouro na cabeça e orbe e cetro nas mãos – uma encarnação da majestade de Henrique como um soberano ungido, que se prolongou mesmo nesta viagem à sepultura. A procissão majestosa percorreu, inicialmente, o caminho para Saint-Denis, a necrópole dos monarcas da França, e depois, por água, seguiu para Rouen. Ali, trezentos pranteadores, homens da Inglaterra e da Normandia, todos vestidos de preto, com tochas flamejantes em suas mãos, acompanharam o corpo enquanto o som dos sinos da igreja tangia pesadamente no ar da cidade e, em toda parte, vozes se levantavam para cantar os salmos e as missas do Ofício dos Mortos, até que o rei alcançou Calais, e o mar, e enfim a Inglaterra.

Era o dia 5 de novembro quando Henrique entrou em Londres pela última vez. O caixão foi carregado pelas ruas para descansar por uma noite na grande catedral de St. Paul, antes de sua viagem final para além das muralhas da cidade até Westminster. Ali, no dia 7 de novembro, foi rezada uma missa de réquiem. Um cavaleiro vestido com a requintada armadura de Henrique cavalgou através da porta oeste da abadia e passou rapidamente com seu cavalo de guerra em direção ao coro, onde – em um momento espantoso de teatro espiritual – homem e cavalo foram despidos de suas armas, que foram oferecidas no altar-mor como símbolos do poder terreno do rei. Então, finalmente, os restos mortais de Henrique foram depositados para descansar na tumba que ele havia escolhido, acomodados perto do santuário de Eduardo, o Confessor, o santo real da Inglaterra.

Henrique da Inglaterra jazia em seu túmulo em Westminster e quatro dias depois outro rito funeral foi realizado em Saint-Denis, para outro soberano. No dia 21 de outubro, exatamente sete semanas após a morte de Henrique em Vincennes, Carlos da França deu seu último suspiro no Hôtel Saint-Pol. Durante dois ou três dias, seu corpo permaneceu no lugar onde morreu, "o salão das luzes", relatou o autor do diário, de modo que todos os que quisessem poderiam vê-lo e oferecer suas orações. Então, no dia 11 de novembro, ele também foi carregado pelas ruas lotadas, com uma efígie coroada vestida com túnicas de arminho estendida em seu caixão, para ser enterrado ao lado de seus antepassados nos abrigos sagrados da abadia real da França.

Henrique tinha sido temido, e o pobre e perturbado Carlos tinha sido amado. Ambos foram sucedidos por um herdeiro que não despertava nenhum dos dois sentimentos: "Henrique de Lancaster, rei da França e da Inglaterra", como anunciou o arauto em Saint-Denis – o bebê de nove meses, filho de Henrique e neto de Carlos, agora aos cuidados de suas governantas no castelo de Windsor. Nele se cumpriam as disposições do tratado tão cuidadosamente decretado em Troyes, mas com uma prematuridade perigosa. Apesar dos óbvios perigos da guerra, ninguém esperava realmente que o rei inglês, o próprio soldado de Deus, fosse atingido tão jovem e tão abruptamente, antes mesmo de seu frágil sogro. Agora que ambos se foram no espaço de dois meses, os senhores de cada lado do Canal, que haviam assumido um compromisso com a união das duas coroas, ficaram abalados por se descobrirem, de repente, responsáveis por assegurar o governo dessa dupla monarquia.

Na Inglaterra, o mais novo dos dois irmãos sobreviventes do rei morto, Humphrey, duque de Gloucester, estabeleceu-se à frente de um Conselho de nobres como protetor do reino e do infante Henrique VI. Mas, na França, seu irmão mais velho, John, duque de Bedford – uma figura mais firme e mais meticulosa do que Gloucester ou que Thomas de Clarence, que havia morrido em Baugé –, é que foi nomeado regente em nome de seu sobrinho. A Joyeuse, de Carlos Magno, a grande espada real dos soberanos franceses, foi carregada em posição vertical, em frente a Bedford, quando ele viajou em procissão de Saint-Denis até Paris, após o funeral do velho rei, em sinal de sua nova autoridade – "sobre a qual o povo reclamava muito", relatou o observador parisiense, "mas teve que suportar por algum tempo".

A inquietação deles foi estimulada pela ausência do duque Filipe de Borgonha, o príncipe de sangue real cujo apoio tinha viabilizado um herdeiro francês gerado pelo monarca inglês. Mas Filipe – que tinha sido uma presença solene trajando o veludo negro do luto por seu pai assassinado, no casamento de Henrique e Catherine, e na entrada triunfal do casal na capital dois anos antes – não compareceu em nenhum dos funerais reais no outono de 1422. Seus interesses e suas ambições, muito mais claramente do que os de seu pai, agora situavam-se principalmente nos Países Baixos, onde a guerra civil tinha eclodido em razão da disputada sucessão de sua prima Jacqueline para os condados de Hainaut, Holanda e Zelândia, que faziam fronteira com seus próprios territórios ricos de Flandres e Artois. Enquanto estava ocupado lá no norte, e sua temível mãe, em sua corte em Dijon, mantinha um olhar atento sobre os destinos das duas Borgonhas no leste, suas preocupações acerca do reino da França, devastado pela guerra, centravam-se na proteção de suas próprias terras, e não na busca pelo controle do governo que consumira a vida de seu pai. A onerosa tarefa de liderar a campanha para defender o delfim era, então, algo que ele estava feliz por deixar para Bedford. De sua posição secundária "a serviço do rei da França", como seus diretores financeiros haviam apontado em 1421, podia exigir que seus custos militares fossem pagos pelo regime em Paris; também retinha espaço suficiente para renegociar os termos de seu compromisso com o inimigo armagnac conforme exigiam a passagem do tempo e as circunstâncias políticas.

Por enquanto, entretanto, o duque de Bedford era seu aliado – especialmente porque Jacqueline de Hainaut havia escapado de seu casamento infeliz com um marido burgúndio, John de Brabant, primo de Felipe, para cair nos braços do duque Humphrey de Gloucester na Inglaterra. A fim de manter Gloucester fora dos Países Baixos e sua inesgotável ambição em xeque, Filipe de Borgonha precisava da ajuda do irmão mais velho do duque, John de Bedford; então, na primavera de 1423, foi selado um tratado em Amiens pelo qual Bedford se casaria com Anne, a irmã favorita de Filipe. Bedford tinha 33 anos, era um homem imponente e poderoso tanto física quanto politicamente, enquanto Anne de Borgonha tinha apenas 18 anos, uma das quatro meninas que eram todas, relatou um observador deselegante, "tão comuns quanto corujas". Todavia tinha charme, graça e uma mente impressionantemente viva, e logo, comentava-se, Bedford não ia a lugar algum sem ela. Pelo mesmo tratado, sua irmã Margaret se casou com Arthur, conde de Richemont, o irmão do duque da Bretanha, e, por meio desses dois casamentos, Bedford e Richemont seguiram adiante na brecha deixada na linha de frente anglo-burgúndia pela perda repentina do rei-guerreiro da Inglaterra.

Nesse meio tempo, os partidários do reino de Bourges estavam preocupados não apenas com as consequências práticas da morte de

Henrique, mas com o seu significado. Os cronistas armagnacs não podiam negar que existia muito a admirar em um homem que havia sido um bravo soldado, um formidável líder e um príncipe cuja justiça era distribuída com rigor inflexível; mas o fato de que sua vida tinha sido interrompida no meio de seus triunfos, quando tinha apenas 35 anos, sugeria algo diferente do mandato divino que Henrique sempre reivindicara. Talvez, pensaram eles, tivesse sido punido por perturbar o santuário de Meaux, que guardava as relíquias de São Fiacre, cujo dia de festa, dizia-se, tinha sido o último dia completo de sua vida.

O delfim – cuja rotina diária incluía duas ou, às vezes, três missas, dada sua devoção tão irrestrita – sabia que a vontade divina também podia ser revelada ao mundo através do movimento de seus paraísos celestiais. Entre os presentes que concedeu ao conde de Buchan depois da vitória em Baugé, estavam os serviços de um astrólogo chamado Germain de Thibouville, que (conforme relatado mais tarde) havia imediatamente profetizado as iminentes mortes dos reis da Inglaterra e da França. Mesmo para aqueles que eram menos confiantes na ciência das estrelas do que seu mestre real, dificilmente importava se esse era um prognóstico habilidoso ou um pensamento ilusório, agora que já tinha acontecido. Qualquer que fosse os sofrimentos do delfim provocados pelo pai que o repudiara, o futuro da França dependia de uma verdade primordial: que, no momento em que a alma de Carlos VI deixou seu corpo, seu filho se havia tornado Carlos VII, o novo rei *très-chrétien*.

Seu título foi proclamado nas suntuosas redondezas da capela real em Mehun-sur-Yèvre, em 30 de outubro, mas sua dificuldade era que a coroa em si permanecia fisicamente fora de alcance. Os anéis de Carlos Magno e de São Luís permaneciam, como sempre estiveram, na abadia de Saint-Denis, sob o poder usurpador do duque de Bedford. Embora a coroação do mais cristão dos reis pudesse talvez ser executada na ausência deles, o rito sagrado só podia acontecer na catedral de Reims, com o óleo sagrado de Clóvis que ficava guardado ali. E Reims – a 128 quilômetros a nordeste de Paris, no condado de Champanhe, onde apenas algumas robustas guarnições armagnacs se estendiam em isolamento sitiado – fica além das atuais fronteiras do reino de Bourges.

Nessas circunstâncias, a unção da Santa Ampola teria que esperar. Mas havia, pelo menos, outros sinais da bênção de Deus. Na última semana de setembro, enquanto seu pai padecia de sua doença final no Hôtel Saint-Pol, o delfim partiu para o oeste de Bourges a fim de reunir as defesas ameaçadas de La Rochelle, o único porto marítimo na costa atlântica que permaneceu em mãos armagnacs. Lá, no dia 11 de outubro, apareceu em público para receber seus partidários no grande salão do palácio do bispo. De repente, com um tremor de parar o coração, o chão se abriu embaixo de seus pés, desabando no vazio da câmara abaixo do salão. Em meio à poeira sufocante e aos detritos estilhaçados, muitos morreram e outros tantos ficaram gravemente feridos – mas, fora alguns arranhões, o delfim saiu milagrosamente ileso. Duas semanas depois, quando chegaram notícias da morte de seu pai, o propósito divino de sua salvação tornou-se claro. O novo rei sabia ao que devia agradecer: fez uma generosa doação à abadia de Mont-Saint-Michel para providenciar que todos os anos, no aniversário do acidente, se rezasse uma missa em honra de São Miguel, "o arcanjo a quem veneramos e em quem depositamos toda confiança". São Jorge podia até lutar pelos ingleses, mas São Miguel, o porta-estandarte do paraíso, protegeria o verdadeiro rei da França. De agora em diante, Carlos e sua corte deixariam de lado a faixa branca dos armagnacs em troca da cruz branca – não apenas o antigo brasão da coroa francesa, mas o brasão do próprio São Miguel.

Mesmo com a ajuda do arcanjo, no entanto, era evidente que a tarefa de guiar os ingleses para dentro do mar levaria algum tempo. O renovado sentido de propósito na corte em Bourges comparava-se à determinação do duque de Bedford para defender o legado de seu irmão, e as operações militares continuaram revigoradas, mas em direção a um efeito inconclusivo. No verão de 1423, um exército armagnac comandado por John Stewart de Darnley sitiou a cidade de Cravant, que fica 113 quilômetros a nordeste de Bourges, dentro do próprio ducado de Borgonha. As tropas de Bedford estavam ocupadas em outro lugar, ao norte e a oeste; mas, de Dijon, a mãe de Filipe de Borgonha enviou ajuda aos aliados de seu filho e, em 31 de julho, quatro mil homens, ingleses e burgúndios, apareceram em Cravant como relâmpagos no céu claro. Seu efeito foi mortal: os soldados de Darnley foram abatidos, e o próprio Darnley perdeu um olho em combates selvagens antes de ser feito prisioneiro. Se os escoceses eram os salvadores da França, sua intervenção, é claro, não seria sempre tão miraculosa como o foi em Baugé. Carlos rapidamente escreveu para tranquilizar seus fiéis súditos em Lyon informando que poucos nobres franceses tinham feito parte da derrota – apenas escoceses e espanhóis e outros soldados estrangeiros, disse – "assim, o mal não é tão grande".

Palavras ligeiramente desdenhosas podiam até ser necessárias em público para manter a confiança em sua causa, mas isso não significava que os escoceses eram menos vitais para seus planos. Darnley esteve no comando em Cravant somente porque os condes de Buchan e Wigtown tinham viajado para a Escócia naquele verão para recrutar mais tropas e, em outubro, havia boas notícias a relatar: Buchan estava prestes a voltar com oito mil homens, Carlos anunciou alegremente ao povo de Tournai. A retomada da Normandia estava ao alcance e, uma vez que este novo exército escocês estivesse em solo francês, Carlos pretendia derrotar os traidores e rebeldes, recuperar o seu reino e seguir caminho para Reims, para a sua coroação. Por enquanto, Deus estava satisfeito por providenciar um herdeiro para a França. Em 3 de julho, em Bourges, sua jovem rainha deu à luz um belo filho, chamado Luís, em homenagem ao santo real da França.

Apesar de Cravant, portanto, os presságios eram bons quando Buchan avistou a terra em La Rochelle na primavera de 1424, trazendo com ele não só novos soldados, mas o pai de Wigtown, Archibald, conde de Douglas, um veterano de 55 anos de idade das guerras entre a Escócia e a Inglaterra, que já perdera um olho e um testículo em batalhas anteriores. O velho grandioso decidiu tomar o lugar de seu filho na linha de frente na França, em parte porque as recompensas oferecidas também eram grandiosas. Quando chegou a Bourges em abril para se ajoelhar diante do rei de 21 anos, Douglas recebeu imediatamente o ducado real de Touraine e foi nomeado por Carlos "tenente-general, enquanto durasse a sua guerra em todo o reino da França".

Essa era uma honra sem precedentes e um poder extraordinário para se conceder a um estrangeiro, mas se resultasse na expulsão dos ingleses e na derrota dos burgúndios, seria um preço que valia a pena pagar. Embora intimamente espantados com a perspectiva da chegada de um grosseiro duque escocês, cidadãos de Tours acolheram Douglas com uma obstinada cerimônia pública, e observaram, sombrios, enquanto ele se empenhava em saquear o tesouro da cidade tão completamente quanto suas tropas saqueavam a zona rural situada ao redor dela. Eles sabiam que, mais cedo ou mais tarde, o duque teria que fazer por merecer seu sustento exorbitante; e em 4 de agosto – tendo extraído outra pequena fortuna da cidade para pagar seus soldados – conduziu seu exército para o norte em direção à Normandia e à guerra que vieram lutar.

As tropas francesas marchavam junto com os escoceses sob o comando de dois lordes cujas próprias terras normandas haviam sido invadidas pelos ingleses: Jean, duque de Alençon, de 17 anos, cujo pai havia morrido em Azincourt, e Jean d'Harcourt, conde de Aumâle, capitão experiente de Mont-Saint-Michel, que havia alcançado a Normandia no outono anterior e implorado ao seu rei para lançar essa campanha. Cavalgando para se juntar a essa tropa franco-escocesa, havia outro contingente de fora do reino: a cavalaria pesada, composta de dois mil homens fortes, recrutados no ducado de Milão. Esses cavaleiros lombardos e seus cavalos – homens e animais todos revestidos de aço, graças à habilidade superlativa dos armadores milaneses – estavam equipados para resistir às flechas inglesas, e os arqueiros dentro do exército escocês estavam prontos para devolver o fogo inglês. Carlos e seus comandantes poderiam ter certeza de que isso não seria um Azincourt.

Esse pensamento quase fora suficiente para levar o rei ao campo de batalha. Nas semanas que antecederam a movimentação de suas tropas para o norte, Carlos tinha ordenado uma vez mais novos brasões de armas e ornamentos para seu cavalo de guerra. Agora que a França tinha um herdeiro – seu filho bebê, vivo em seu berço –, deveria ele cavalgar com seus homens para recuperar seu reino? Mas a proteção de São Miguel já havia sido testada uma vez em La Rochelle, e, perto de agosto, todos haviam concordado que a prudência era a melhor parte do heroísmo real. O exército da França seria liderado por Alençon e Aumâle, Buchan e Douglas. O alvo era Ivry, um castelo na fronteira normanda, retomado um ano antes por uma guarnição armagnac, mas agora prestes a sucumbir ao cerco inglês. Sabendo que tinham pouquíssimas cartas para jogar, os defensores de Ivry negociaram uma trégua, de acordo com as leis cavalheirescas da guerra: os combates cessariam enquanto pediam ajuda a seu rei, mas se os reforços não chegassem até 15 de agosto, descansariam suas armas e entregariam o castelo para as mãos inglesas.

Ao mesmo tempo em que o exército de Carlos marchava para salvar Ivry, o duque de Bedford passava em revista suas tropas para barrá-lo. Em 14 de agosto, o duque chegou do lado de fora das muralhas do castelo e escolheu seu terreno para a batalha. Mas, no dia seguinte, o sol do verão nasceu e se pôs e os armagnacs não vieram. Em vez disso, havia cavaleiros sem fôlego e aterrorizados, vindos da cidade de Verneuil, quarenta quilômetros mais a oeste, com notícias chocantes. Alençon, Aumâle, Buchan e Douglas tinham percebido que os cavaleiros lombardos, que ainda estavam atrás deles na estrada, não conseguiriam chegar a Ivry a tempo, e havia muito em jogo para assumirem o risco de ir ao encontro dos ingleses sem eles. Significaria uma grave desonra se o exército da França fracassasse em aparecer em Ivry no dia marcado, mas honra não havia salvado os príncipes do sangue real em Azincourt. Assim, enquanto Bedford esperava, eles decidiram virar a oeste, em direção a Verneuil, e convocaram voluntários dentre as fileiras escocesas – homens que falavam inglês – e os amarraram de costas em seus cavalos, salpicados de sangue, como se fossem prisioneiros. Diante das muralhas de Verneuil, esses falsos cativos desfilaram, gritando aos habitantes da cidade que os ingleses de Ivry haviam sido abatidos e que não havia esperança de ajuda. Confuso e com medo, o povo de Verneuil abriu suas portas e desistiu da cidade sem lutar. Quando Bedford soube desse truque insolente, partiu em perseguição furiosa.

Em 17 de agosto, o exército inglês chegou à ampla planície que ficava a nordeste, exatamente fora de Verneuil, para se deparar com o poderio da França – ou pelo menos a parte dele que o reino de Bourges podia comandar – pronto para a batalha. Juntos, os franceses e os escoceses ultrapassavam em número os ingleses, quase em dois para um, e na frente de suas linhas estava a cavalaria lombarda recém-chegada, um muro de músculos e ossos envoltos em aço. Dessa vez, os arqueiros ingleses plebeus não presidiriam um campo de sangue; dessa vez um nobre ataque francês – na ameaçadora forma de mercenários milaneses – iria quebrá-los onde quer que estivessem. A um sinal, o bloco da cavalaria começou a se mover, cada vez mais rápido, com os cascos batendo nos gravetos da terra seca. Quando aconteceu o impacto estremecedor, as fileiras inglesas se curvaram e cambalearam. As estacas afiadas, fincadas demasiado rapidamente, não foram capazes de derrubar cavalos em armadura, e os cavaleiros lombardos deixaram um rastro de devastação, de corpos pisoteados e quebrados, atravessando o coração do exército inglês. A cavalaria havia feito o seu trabalho. Mas, como os lombardos caíram sobre os despojos das caravanas inglesas dos acampamentos, não viram as fileiras maltratadas do inimigo se formando novamente atrás deles.

Foram os franceses e os escoceses, em estado de choque, que viram os soldados ingleses avançarem para fora da tempestade de poeira levantada pelos cascos dos cavalos. Apesar de terem ficado cercados, o ataque foi brutal. Nessa densa e caótica luta, tão feroz que deixou a terra escura e escorregadia de sangue, ninguém podia dizer quem estava ganhando – até que, com um grande rugido, os arqueiros ingleses que tinham se lançado para fora do caminho do ataque lombardo, reagruparam-se para se juntar à disputa, com punhais e machados na mão. A pressão inglesa começou a acirrar e, finalmente, a linha francesa quebrou. O pânico se espalhou e os homens fugiram para salvar suas vidas, mas foram aprisionados e massacrados nas valas profundas fora das muralhas da cidade. O conde de Aumâle morreu exatamente onde caiu; o jovem duque de Alençon foi capturado no campo. Dos poucos que escaparam, quase nenhum era escocês. Como a planície de Verneuil se tornou um terreno homicida, Douglas, Buchan e o exército que lideraram foram cortados em pedaços.

Dois dias antes, fora de Ivry, Bedford cavalgara diante de suas tropas usando um manto de veludo azul adornado com a cruz de São Jorge no interior de uma cruz de São Miguel. Dois santos, dois reinos, Inglaterra e França; a invocação não poderia ter sido mais clara. Agora ela se justificava no triunfo sangrento de Verneuil. O próprio Bedford – que "fez naquele dia admiráveis proezas de armas", disse um admirador e cronista burgúndio que lutou com o exército inglês – voltou a Paris para ser recebido com cortejos, músicas e cerimônias por multidões exultantes, em que todos vestiam o vermelho de São Jorge. O alívio da derrota dos vis armagnacs foi tão profundo, observou o escritor do diário, que o duque foi recebido na grande catedral de Notre-Dame "como se fosse Deus".

Enquanto as comemorações continuavam na França anglo-burgúndia – regadas, fortuitamente, pela melhor e mais abundante vindima de que alguém pudesse se lembrar –, o reino de Bourges se ocupou de tarefas mais funestas. A cidade de Tours recebeu os corpos sem vida de seu duque, Archibald Douglas, e seu genro, John Stewart de Buchan, e os enterrou silenciosamente no coro da catedral. "Muito amados e encantadores enquanto viveram", disse o cronista escocês Walter Bower, "e na morte não foram separados". O povo de Tours não fez nenhum comentário, a não ser bloquear a guarnição de soldados escoceses que Douglas havia deixado no castelo até que eles concordassem em partir.

Ficou claro para o *roi très-chrétien*, contemplando o estado de seu reino, que a França precisaria de outro salvador.

III
Desolada e dividida

Era estranho, para a população de Paris, que agora seu país parecesse ter duas capitais e nenhuma delas era a sua incomparável cidade.

Bourges, situada a mais de 150 quilômetros ao sul, era o lar da corte do deserdado delfim, Carlos, o imprudente. Os parisienses leais sabiam que ele estava cercado por traidores e assassinos – não apenas os assassinos do bom duque João de Borgonha, mas todos aqueles malfeitores que infligiram anos de sofrimento bárbaro ao povo da França. Porém, era ainda mais desconcertante que os justos lordes, a quem a maior cidade da França tinha sido tão visivelmente fiel, também não residissem em Paris. O duque de Bedford, regente do reino em nome do rei infante Henrique, havia se mudado para o Hôtel de Bourbon, exatamente ao lado do palácio do Louvre, no extremo oeste da cidade, e ali realizou uma grande festa antes do Natal de 1424; mas então, como era seu hábito, retornou a Rouen, a capital da Normandia inglesa e o centro do governo inglês na França desde antes do Tratado de Troyes.

Nesse ínterim, o duque Filipe de Borgonha tinha permanecido, no início do outono, em sua casa parisiense, o Hôtel d'Artois, para o luxuoso casamento do chefe de sua casa, Jean de La Trémoille, com uma das damas da rainha Isabel; então, registrou o autor do diário, ele "voltou para o seu próprio país". "Seu próprio país"– seu *pays* – significava seus próprios territórios, não seu próprio reino; mas mesmo permanecendo o mais fiel seguidor burgúndio, como esse observador havia sido uma vez, não pôde deixar de notar que o "burgúndio" já não significava diretamente "francês". O duque – uma figura magra, de nariz comprido, cujo hábito de se vestir inteiramente de preto enfatizava as infelizes circunstâncias em que herdara seu título – substituíra o brasão de seu pai morto, uma plaina de carpinteiro, por seu próprio distintivo pessoal, uma pederneira e aço produzindo faíscas e chamas. Mas depois da grave conturbação que a determinação de seu pai em governar havia fomentado no reino mais cristão, os fogos da ambição de Filipe queimaram em outro lugar, no novo estado burgúndio que estava cultivando à força nos Países Baixos. Como resultado, suas visitas a Paris –"uma cidade que o amara tanto e que tanto sofreu e ainda sofria por ele e por seu pai", lamentou o autor do diário, desiludido, já em 1422 – diminuíram para quase nada.

Por volta de 1424, então, parecia que existiam duas Franças. Uma, ao norte, governada de Rouen pelo regente Bedford, que decretou que nenhum dos súditos leais do rei Henrique deveria se referir ao chamado delfim como "rei", ou aos traidores armagnacs como "franceses", sob pena de multas pesadas. Enquanto isso, a outra França, ao sul, mostrava-se preocupada com o governo do rei Carlos VII em Bourges, de onde ele havia prometido varrer os ingleses usurpadores para o mar e reduzir os súditos que se rebelaram contra ele à obediência que lhe deviam.

Essas eram, obviamente, reivindicações incompatíveis. Na teoria, cada um dos reinos da França dedicava-se à aniquilação do outro. Na prática, eles estavam presos em um abraço mortal, um impasse sustentado pela devastação e pelo derramamento de sangue. "Naquela época", escreveu o parisiense, desanimado, em seu diário em 1423, "os ingleses, às vezes, tomavam uma fortaleza dos armagnacs de manhã e perdiam duas à noite. Então, essa guerra, amaldiçoada por Deus, continuava". Apesar do reino do norte ter sido fortalecido pela vitória em Verneuil e da pressão exercida pelas forças inglesas em direção ao sul, a partir da Normandia para o interior de Maine e Anjou, nenhum dos lados havia ainda se mostrado capaz de fazer um movimento decisivo através da grande fronteira natural do rio Loire, que agora, de fato, dividia o reino armagnac do sul da França inglesa ao norte, e seu aliado, o ducado de Borgonha, a leste.

Parecia até mesmo possível que uma parte decisiva dessa luta sangrenta poderia agora ser tomada por uma guerra diferente, travada por razões diferentes em diferentes solos. No verão de 1424, enquanto Bedford martelava os escoceses na poeira de Verneuil, seu irmão Humphrey, duque de Gloucester, estava reunindo tropas na Inglaterra para uma invasão continental feita por ele mesmo. Ao lado de Gloucester, estava sua nova mulher, Jacqueline de Hainaut, cujo infeliz casamento anterior com o duque de Brabant ainda não havia sido anulado, para a satisfação da Igreja – e do próprio duque de Brabant, que não estava disposto a abandonar a noiva mal-amada nem os condados de Hainaut, Holanda e Zelândia que a ela pertenciam. Gloucester, no entanto, não estava disposto a permitir que aspectos técnicos matrimoniais se interpusessem em seu caminho. Ele e Jacqueline se casaram no início de 1423 e tiveram sua união abençoada, visto que Roma se recusou a sancioná-la, pelo último antipapa que estava vivendo na obscuridade espanhola desde que o resto da Europa tinha acabado com o cisma papal sem a sua participação. E, em outubro de 1424, o duque e sua nova duquesa desembarcaram em Calais com um exército, prontos para recuperar a herança dela.

Essa irritante intervenção não era o que a aliança de Filipe de Borgonha com a Inglaterra tinha projetado alcançar. Antes mesmo de a expedição de Gloucester ter alcançado os Países Baixos, sua potencial repercussão dentro da França anglo-burgúndia estava começando a ser sentida. À medida que as notícias das preparações militares de Gloucester se espalharam naquele verão, as tentativas de abordagens diplomáticas – a primeira em anos – aconteceram entre a Dijon burgúndia e a Bourges armagnac. Os rumores desconexos de que o duque Filipe já tinha feito as pazes com o homem que havia matado seu pai chegaram a Bedford na véspera da batalha em Verneuil e, como resultado, ele decidiu, na décima primeira hora, mandar embora as tropas burgúndias sob seu comando, preferindo lutar com um menor número de soldados em cuja lealdade ele podia confiar absolutamente, em vez de correr o risco de uma traição originada de dentro. Não havia, é claro, nenhuma probabilidade de que o sangue de João Sem Medo pudesse ser lavado tão facilmente das mãos do jovem rei de Bourges, mas estava claro que o reordenamento das prioridades burgúndias poderia finalmente significar que essa mancha estava começando a desaparecer. Naquele mês de setembro, o duque Filipe colocou seu selo em uma trégua com os armagnacs para proteger as fronteiras de suas terras no leste da França – libertando-se assim para enfrentar a agressão de Gloucester no norte – a qual reconheceu pela primeira vez a reivindicação do "chamado delfim" para nomear-se rei. Em vez de empregar esse depreciativo subterfúgio verbal burgúndio, o texto do tratado o chamava simplesmente de *"le roi"*.

Levou apenas alguns meses, no entanto, para o assalto de Gloucester nos Países Baixos se revelar um engano. O duque inglês descobriu que enfrentava não apenas um exército burgúndio, como também um desafio público para lutar em um só combate. Jovens cavaleiros como eles, declarou o duque Filipe, deveriam arriscar suas próprias vidas para resolver tal disputa, em vez de derramarem o sangue de seus seguidores. Essa era uma oferta que Gloucester não podia recusar com dignidade. Por sua sugestão, a data foi fixada para o dia de São Jorge, 23 de abril de 1425. Para se preparar, Filipe se retirou para seu castelo em Hesdin, onde teve aulas para refinar sua perícia no manejo da espada e gastou a soma de aproximadamente 14.000 libras em novas armaduras, tendas, brasões, faixas e arreios de cavalo em sedas bordadas e veludos. Humphrey de Gloucester, entretanto, pediu um salvo-conduto para retornar à Inglaterra a fim de fazer seus próprios arranjos preparatórios, deixando a esposa, Jacqueline, em Hainaut. Ele levou consigo uma das mais belas damas de companhia de sua duquesa, uma inglesa chamada Eleanor Cobham; e, gradualmente, ficou claro que não voltaria.

Por mais frustrado que Filipe de Borgonha pudesse estar em seu desejo de conquistar a glória cavalheiresca – ou, pelo menos, de alardear o blefe de Gloucester –, o duque sabia que os Países Baixos estavam ao seu alcance. No verão de 1425, ele tinha obtido a custódia de Jacqueline, a duquesa abandonada e, com ela, a chance de consolidar seu domínio sobre Hainaut, Holanda e Zelândia. Mas, em uma manhã daquele mês de setembro, antes do raiar da aurora, Jacqueline escapou de sua prisão domiciliar em Gante disfarçada de homem para seguir sua viagem à Holanda e à liberdade. Enquanto ela buscava apoio para resistir ao domínio da Borgonha, Filipe reuniu seus exércitos para a luta que teria pela frente. E para o duque de Bedford, o alívio da retirada de seu temerário irmão Gloucester desse campo de batalha foi abrandado pelo conhecimento de que o interesse de seu maior aliado na França estava agora incluído nas exigências prioritárias da guerra em outros lugares.

De Rouen, Bedford fazia tudo que podia para manter viva sua parceria com o ausente duque de Borgonha, e contava com sua amada esposa Anne, irmã de Filipe, para ajudá-lo nessa tarefa. Mas o Tratado de Amiens, que tinha mantido Bedford e sua duquesa juntos, tinha sido uma dupla aliança matrimonial e agora o duque descobria que a outra união feita ali – aquela da irmã de Anne, Margaret, com Arthur, o conde de Richemont, irmão do duque da Bretanha – já não compartilharia o fardo de sustentar o vínculo político entre a Inglaterra e a Borgonha.

O relacionamento de Richemont com a Inglaterra era complexo. Seu título era inglês na origem, mas esse conde de Richmond, como ele era conhecido no lado norte do Canal, não detinha terras nesse local. Em vez disso, era um nome associado desde o século XI com o independente ducado de Bretanha, cujos duques agora o usavam como de direito dentro de sua própria família, qualquer que fosse o estado atual de suas relações com a coroa inglesa. Após enviuvar, sua mãe havia se casado com o rei Henrique IV da Inglaterra em 1403, mas Richemont tinha crescido na França e foi pela França que ele lutou em Azincourt. Ferido no campo, foi encontrado coberto de sangue depois da batalha, debaixo de uma pilha de corpos. Durante cinco anos permaneceu como prisioneiro de Henrique V, até que, aos 27 anos, ganhou sua liberdade sob *parole* – o que significa que dava a sua palavra de que não faria nada contra os interesses do rei da Inglaterra ou do duque de Borgonha.

Essa estipulação era uma marca da mudança do mundo em que Richemont emergiu de seu cativeiro. Ele tinha laços estreitos com as casas de Borgonha e Orléans desde os seus primeiros anos em Paris, mas quando a guerra civil irrompeu pela primeira vez, tinha lutado pelos armagnacs orleanistas. Por volta de 1420, no entanto, o delfim armagnac tinha sido o assassino de João Sem Medo, e o amigo de infância de Richemont, Filipe de Borgonha, era o aliado do rei inglês.

Richemont se comprometeu com a causa anglo-burgúndia e ajudou a persuadir seu irmão mais velho da Bretanha, que já tinha mudado de lado anteriormente, a fazer o mesmo. Sua decisão foi refletida e apoiada em 1423 por seu casamento com a irmã do burgúndio, e ele acabou sendo recompensado pelo regente Bedford com uma concessão do ducado real de Touraine, a província que – situada acima da grande falha geológica do Loire – deveria também ser concedida, do outro lado da divisão, pelo rei Carlos VII, ao conde de Douglas.

Entretanto, apesar desses anos de serviço à França inglesa no norte, em outubro de 1424 Richemont cavalgou para Angers para se ajoelhar diante do jovem rei no sul. Ali, Carlos propôs que o conde deveria assumir o lugar do falecido conde de Buchan como condestável de seu reino, o líder militar da França armagnac. Em março de 1425, em Chinon, Richemont prestou um juramento em homenagem ao novo rei e recebeu a espada de condestável diretamente de suas mãos. Para Carlos e os armagnacs, as razões para se regozijarem com essa deserção eram tão numerosas quanto as causas da inquietação inglesa: Richemont não era somente um soldado experiente e hábil, mas seu serviço foi oferecido como parte de um amplo realinhamento das lealdades bretãs, que, no outono de 1425, incluíam um tratado entre o reino de Bourges e o irmão de Richemont, o duque bretão. O mais preocupante de tudo é que Richemont havia insistido que não podia aceitar seu novo comando sem consultar seu cunhado, Filipe de Borgonha. O fato de o duque Filipe não o ter impedido de pegar as armas para o rei armagnac não representava um simples reordenamento da diplomacia burgúndia, sobretudo porque até agora não havia nada de simples na posição burgúndia; mas essa conclusão por si só oferecia pouco conforto aos ingleses.

Ainda mais significativo que a presença de Richemont ao lado de Carlos, por enquanto, era o meio pelo qual ele tinha sido atraído de volta para a comunidade armagnac. O primeiro encontro entre o rei e seu novo condestável aconteceu em Angers, a grande capital do ducado de Anjou, porque ele tinha sido negociado pela duquesa viúva de Anjou, a sogra de Carlos, Iolanda de Aragão. O reino de Bourges devia sua verdadeira existência ao apoio de Iolanda: nos dias negros de 1418, depois de Carlos escapar da Paris burgúndia, ela havia estabelecido sua corte no sul e cercado Carlos de apoiadores leais. Nos anos que se seguiram desde então, no entanto, essa formidável figura política que era Iolanda se ocupou de outras batalhas.

Os duques de Anjou mantinham uma impressionante variedade de títulos espalhados por centenas de quilômetros de território. Seu ducado de Anjou e o condado de Maine, ao sul da Normandia, ficavam na linha de frente incansavelmente combatida pela guerra com os ingleses, mas seu condado de Provença, 640 quilômetros mais a sudeste, era iluminado pelo sol mais forte do Mediterrâneo, e suas receitas comerciais oriundas do porto de Marselha ajudaram a encher os cofres de Angevin com ouro. Mais impressionante ainda, embora infinitamente menos substancial, era sua reivindicação da herança das coroas da Sicília e de Jerusalém. O último reino desaparecera havia muito tempo e o primeiro se dividira em dois, mas um desses títulos – o reino continental da Sicília, formado pelas terras do sul da Itália que eram governadas desde Nápoles – permanecia tentadoramente próximo das mãos do Angevin. O marido de Iolanda tinha tentado, sem sucesso, recuperar esse reino italiano, mas sua esposa, que governou seus territórios franceses durante a ausência dele na campanha, ainda era conhecida por seus contemporâneos como "a rainha da Sicília".

Nem depois da morte do marido, em 1417, Iolanda desistiu desse sonho de Angevin. Em 1419, uma vez que estabeleceu o genro Carlos em segurança em Bourges, viajou para a Provença, a fim de preparar uma nova expedição militar, pela qual o filho de 16 anos, o duque Luís, poderia assegurar o seu direito de progenitura italiano. Ela também tinha planos para seu segundo filho, René. De sua mãe, Iolanda havia herdado uma reivindicação ao ducado de Bar, na França oriental, que era governado atualmente por seu tio, o bispo-cardeal de Châlons-sur-Marne – mas como sacerdote, ele não podia ter filhos. Iolanda o persuadiu a adotar René como seu herdeiro; René também, esperava ela, governaria o vizinho ducado de Lorena por meio do casamento que ela negociou para ele com a jovem Isabelle, herdeira do ducado.

Esses eram esquemas complexos e ambiciosos, mas em 1423 eles estavam dando frutos. René agora estava casado com Isabelle e morando em Bar, como o estimado herdeiro do tio de Iolanda e, em junho, Luís embarcou para o reino da Sicília como chefe do exército que sua mãe havia reunido. Era hora de voltar sua atenção para o reino da França. Em 26 de junho de 1423, poucos dias após a partida de Luís de Marselha, Iolanda deixou Provença pela primeira vez em quatro anos para cavalgar até o norte, para Bourges, onde sua filha, Marie, rainha de Carlos, estava para dar à luz o herdeiro francês. E ali, após um breve momento de comunhão doméstica com seu novo neto, ela se dirigiu à próxima tarefa política.

Seus objetivos eram claros. Seu compromisso com o futuro de seu genro Carlos, como rei da França, era compatível com sua determinação de que Anjou e Provença deveriam florescer enquanto seu filho Luís mantinha o trono italiano, e que Bar e Lorena deveriam passar pacificamente para as mãos do filho mais novo, René. Todos os três objetivos exigiam que os ingleses fossem expulsos do solo francês e que o reino fosse reunido sob o governo de Carlos. Não seria útil para Iolanda que a França permanecesse dividida em duas, com as costas rompidas ao longo do vale do Loire: isso isolaria Anjou e Maine na fronteira devastada da guerra com os ingleses e deixaria Bar e Lorena lutando em uma falha burgúndia, ficando, como ficaram, entre o ducado de Borgonha ao sul e os territórios de Borgonha nos Países Baixos ao norte. O caminho a seguir, portanto, não poderia ser alcançado apenas com a força militar. Não importa o que tinha acontecido no passado, Iolanda sabia que os príncipes de sangue – incluindo Filipe de Borgonha – deveriam se unir sob o governo de seu rei, Carlos VII, no interesse conjunto do reino da França e de sua dinastia Angevin.

Ela já havia começado uma troca de correspondências privadas com o duque Filipe na época de seu retorno a Bourges em junho de 1423, mas a ofensiva diplomática que ela lançou no período compreendido poucas semanas após sua chegada tinha, como primeiro alvo, o duque de Bretanha. Naquele outono, Iolanda passou um mês visitando seu castelo em Nantes, a apenas oitenta quilômetros de Angers, e voltou lá na primavera seguinte com uma comitiva da corte de seu genro em Bourges. O resultado dessa elegante intervenção foi o relaxamento político entre Bourges e a Bretanha, que levou à deserção do irmão do duque, Arthur de Richemont, da aliança anglo-burgúndia e à sua indicação, em 1425, como condestável da França armagnac.

Richemont chegou em Bourges, como Iolanda havia planejado, ainda armado com as conexões burgúndias e, como parte do acordo pelo qual ele empunhou sua espada pela causa armagnac, alguns dos homens mais odiados pelo duque Filipe – aqueles que estavam diretamente envolvidos no assassinato de João Sem Medo – foram retirados da corte de Carlos. Tanguy du Châtel, cujo machado desferiu o primeiro golpe, e Jean Louvet, que esteve ao lado dele e assistiu ao duque morrer, foram retirados do lado do rei no verão de 1425 para assumir cargos na longínqua Provença. O destino deles, por si só, teria revelado a orientação de Iolanda, mesmo que o próprio Carlos não tivesse explicitado claramente seu papel: sua decisão fora tomada, segundo ele, pelas "boas recomendações e conselhos da nossa querida e muito amada mãe, a rainha de Jerusalém e da Sicília".

Essa reconfiguração da corte armagnac demonstrou seu pragmatismo como política, mas Iolanda também sabia que a divina providência modelaria o futuro de seu país. Afinal, ela própria já tinha testemunhado a providência operando na cicatrização de uma ruptura no tecido da criação, ainda mais cataclísmica do que a atual divisão interna do reino da França. Em 1400, quando chegou pela primeira vez como uma jovem noiva no condado da Provença, que pertencia a seu marido, dois papas rivais reivindicaram simultaneamente o domínio sobre a cristandade, um em Roma e outro na cidade de Avignon, a apenas dezenove quilômetros de sua nova casa no castelo de Tarascon. Esse grande cisma na Igreja finalmente acabou, depois de quatro décadas de amarga discórdia, com o Concílio de Constança em 1418. Durante aquela época, vozes sagradas se levantaram pela Europa para exigir um fim para a agonia da Igreja – e Iolanda havia aprendido em primeira mão que esses líderes espirituais podiam ser tanto mulheres quanto homens.

Nos anos 1390, por exemplo, sua sogra, Marie de Bretanha – outra formidável duquesa de Anjou viúva e riquíssima –, conhecera uma camponesa chamada Marie Robine, que tinha começado a receber mensagens de Deus. Originária dos Altos Pireneus, Marie Robine partiu de Avignon e viajou mais de 300 quilômetros em 1388, sofrendo de uma doença intratável, em busca de ajuda no santuário de um jovem cardeal que morrera um ano antes, com apenas 18 anos de idade, e cuja sepultura no cemitério de São Miguel em Avignon estava ganhando uma reputação de curas milagrosas. Lá, na presença do papa de Avignon, a graça de Deus restaurou sua saúde, e daí em diante ela permaneceu como uma santa reclusa dentro do cemitério.

Somente dez anos mais tarde, em 22 de fevereiro de 1398, Marie Robine ouviu pela primeira vez uma voz vinda do céu dizendo-lhe que devia ordenar ao rei a reforma da Igreja e o fim do cisma. Por volta de abril, a duquesa estava tão interessada por essa instrução divina, que estava presente no cemitério de São Miguel quando Marie Robine teve outra visão, dessa vez de uma roda ardente com milhares de espadas e inúmeras flechas, prestes a descer do céu à terra para destruir os ímpios. A pedido de suas vozes – e talvez com a ajuda da duquesa – ela deixou sua cela para viajar a Paris, mas não conseguiu obter uma audiência diante do Conselho do rei enfermo. Em 1399, em Avignon, suas vozes se expressavam de forma aberta e com coragem para rejeitar a autorida-de corrompida da Igreja terrena e mais apocalíptica diante do fracasso do rei em atender às suas palavras, até que em novembro, quinze dias depois de sua última revelação, Marie Robine morreu.

As lembranças dela ainda estavam frescas quando Iolanda chegou à Provença no ano seguinte e, quando os jovens duques viajaram para o norte em direção ao vale do Loire, ela encontrou outra visionária. Jeanne-Marie de Maillé era uma mulher nobre de nascimento que, depois da morte do marido em 1362, abraçou uma vida de pobreza e oração como uma reclusa sob a proteção de um convento em Tours. Em certas ocasiões, suas visões lhe permitiam fazer profecias – pelo menos uma delas dizia respeito ao profundo trauma do cisma – e suas palavras poderiam comandar os ouvidos dos poderosos. Suas conexões com a dinastia Angevin eram tão próximas, que ela ocupou a posição de madrinha de um dos filhos da duquesa Marie, o cunhado de Iolanda, e por duas vezes obteve uma audiência com o rei, primeiro quando Carlos VI visitou Tours em 1395, e novamente quando ela viajou para Paris em 1398. Foram conversas privadas, cujo conteúdo não foi registrado, mas Jeanne-Marie também passava um tempo com a rainha Isabel, a quem repreendia por viver no luxo enquanto o povo sofria e morria de fome. Quando Iolanda a encontrou, ela já tinha 70 anos, mas as duas mulheres passaram tempo suficiente juntas de modo que, quando Jeanne-Marie morreu em 1414, Iolanda foi testemunha na audiência de canonização realizada para considerar as evidências de que ela poderia ser reconhecida como santa.

Parece, então, que em 1425 Iolanda possuía o que a França armagnac precisava: visão de um tipo diferente – não a revelação concedida a Marie Robine ou Jeanne-Marie de Maillé, mas a visão para perceber o plano de Deus de que a França deveria ser reunida sob o reino de Carlos e a compreensão de como isso poderia ser obtido. Ela estava ao lado de seu cunhado quando ele voltou a chamar os seus súditos às armas, no início de 1426, e se estabeleceu à frente do seu Conselho, numa tentativa de manter estrito controle sobre as finanças reais. O condestável Richemont estava pronto para a dupla tarefa de lutar com os ingleses e facilitar a paz com a Borgonha, e nesse meio-tempo esforçou-se tanto para reter velhos amigos quanto para dar boas-vindas aos novos. John Stewart de Darnley, por exemplo, recebeu uma doação em novembro de 1425 para ajudá-lo a pagar o resgate exigido depois de sua captura pelos burgúndios em Cravant, de modo que pôde reassumir seu papel como "condestável do exército dos escoceses" (ou, pelo menos, do pouco que restou dele depois do massacre em Verneuil).

E, no entanto, com o passar dos meses, apesar de todos os esforços de Iolanda, o progresso concreto em recuar a fronteira da França inglesa ou persuadir a Borgonha a abarcar o reino de Bourges parecia uma perspectiva tão remota como sempre fora. No final de 1425, o duque de Bedford foi chamado de volta à Inglaterra para lidar com seu irmão de Gloucester, cujo talento para causar problemas tinha sido desencadeado em casa depois de sua ignominiosa retirada dos Países Baixos. Da mesma maneira que seus tenentes, Bedford deixou os condes de Salisbury, Suffolk e Warwick para lançar, em 1426, uma campanha contra o ducado da Bretanha – aos olhos ingleses, um aliado que se transfomara em traidor com o realinhamento diplomático do ano anterior – assim como prosseguir com as operações em Maine e Champanhe. Mas as tropas de Armagnac, com Richemont à frente, mostraram-se incapazes de aproveitar a ausência do regente. Em vez disso, o tribunal de Bourges estava ocupado em voltar-se contra si mesmo.

Iolanda esperava que a chegada de Richemont e o banimento de Louvet e Du Châtel permitiriam ao regime de Carlos se estabelecer em uma nova ordem focada na reaproximação com os burgúndios. Na prática, no entanto, a remoção da controversa figura de Jean Louvet do lado do rei em 1425 só foi efetuada depois de um surpreendente episódio de violência, quando o próprio Louvet, numa manobra desesperada para salvar sua posição, levou o jovem rei a Poitiers com tantos soldados quanto pôde reunir, e preparou-se para manter a cidade contra Richemont, o qual avançou contra ele com um exército próprio. A guerra civil entre os armagnacs, ao final, foi evitada em grande parte graças à intervenção de Iolanda, mas por muito pouco para que os ânimos pudessem se acalmar, e não ficou claro se Carlos era vulnerável à manipulação por parte dos ambiciosos e dos homens ao seu redor, ou se ele deliberadamente agia para colocá-los uns contra os outros. De qualquer forma, a relação entre o rei e seu novo condestável já nasceu envenenada – e o resultado foi um conflito crescente dentro da elite governante dos armagnacs.

No verão de 1426, o homem que havia substituído Louvet no olho do furacão político que se armava era Pierre de Giac, um antigo legalista burgúndio que havia desertado para a corte armagnac e caído nas graças de Carlos. Naquele mês de agosto, Giac lançou um extraordinário ataque contra Robert le Maçon, que servia ao rei desde que Iolanda estebelecera sua corte em Bourges. Agora, aos 60 anos, Le Maçon foi aprisionado por ordem de Giac e mantido em confinamento durante dois meses, até que pagou um valor nada módico por sua liberdade. Mas a confiança de Giac de que a preferência de que desfrutava com o rei o tornava intocável mostrou-se completamente equivocada. Richemont não havia sido recrutado para servir à direita do rei e simplesmente tolerar as travessuras de homens tão vorazes como Giac e, em fevereiro de 1427, Giac foi preso, condenado à morte e executado pelos homens de Richemont. Essa justiça sumária foi necessária, explicou o condestável em uma carta pública ao povo de Lyon, porque o rei estava "mal aconselhado e inconsciente da grande deslealdade e traição do dito Giac", de modo que ele, Richemont, foi forçado a afastá-lo, em nome do rei e do interesse de um bom governo.

Essa foi a notável franqueza: claramente, aos 24 anos, o rei não gozava de controle total sobre sua própria administração, e seus servos mais poderosos eram agora inteiramente capazes de tomar a lei nas próprias mãos. Nem a morte de Giac trouxe mais calma para a corte. Outro favorito, Le Camus de Beaulieu, foi brutalmente assassinado em junho de 1427, e poucos duvidavam de que o condestável havia ordenado a sua execução. Enquanto isso, o próprio Richemont introduziu um novo rosto na multidão que se debatia para obter uma posição próxima ao rei. Georges de La Trémoille – outro antigo aliado burgúndio, cujo irmão Jean ainda era o mestre do duque da casa de Borgonha – tinha sido fundamental na execução de Giac e casou-se com sua viúva cinco meses depois. Quase imediatamente, La Trémoille começou sua própria ascensão na confiança de Carlos e, em breve, ele e Richemont se tornaram inimigos jurados. Iolanda, magoada pela violência autodestrutiva dessa sangrenta agitação e atropelo, retirou-se da corte pela primeira vez em três anos. Durante todo o tempo, o povo da França suportava os efeitos de uma guerra que agora parecia não ter começo nem fim.

A população de Paris – uma cidade que já tinha sido o centro do conflito, mas nos últimos tempos foi praticamente abandonada pelos poderosos – precisava encontrar seus próprios momentos de distração nesse mundo terrivelmente incerto. No último verão de 1425, relatou o escritor que ali habitava, dois entretenimentos haviam sido inventados para distrair os cidadãos. No último domingo de agosto, uma área cercada foi montada na rua Saint-Honoré, na qual foi colocado um grande porco juntamente com quatro homens cegos, cada um deles usando armadura e carregando um pesado porrete. Qualquer um deles que conseguisse matar o porco ganharia sua carcaça como prêmio, e "eles lutavam essa bizarra batalha", registrou o anônimo parisiense, "dando uns nos outros tremendas cacetadas com os porretes. Toda vez que tentavam conseguir dar uma boa porretada no porco, acertavam uns aos outros, de modo que, se não estivessem usando armaduras, certamente teriam matado uns aos outros". Então, no sábado seguinte, na rua Saint-Denis, foi fixado um grande poste, com mais de nove metros de altura e totalmente coberto de sebo, com um cesto no topo contendo um ganso e um punhado de moedas de prata. Aquele que tivesse êxito em alcançar o cesto ganharia o seu conteúdo; mas o poste gorduroso derrotava todos os candidatos, até que, finalmente, um menino que tinha conseguido escalar mais alto que todos os outros recebeu o ganso, mas não o dinheiro. Outra notícia digna de nota foi que um pouco antes, também naquele ano, uma pintura da *Danse Macabre* foi descoberta nas paredes do claustro do cemitério dos Santos Inocentes na cidade. Nela, a figura sorridente da Morte lidera um carnaval grotesco no qual o rei, o mendigo, o papa e o camponês são guiados todos juntos e a pompa e o poder dos poderosos são expostos como vaidade sem valor por essa procissão implacável rumo ao túmulo. A dança da morte, o poste ensebado, a batalha dos cegos. Se o autor do diário sentiu alguma tentação de sugerir que esses momentos na vida parisiense poderiam refletir uma situação mais abrangente do reino, foi algo a que ele resistiu heroicamente.

Na primavera de 1427, quando o duque de Bedford finalmente voltou à cidade, Paris se achava sob um clima terrível: fortes geadas, chuvas constantes e tempestades de granizo. O humor do regente estava um pouco melhor. Ele tinha se empenhado em diálogos e troca de ideias na Inglaterra, mas quinze meses de trabalho não tinham produzido nenhuma solução permanente para a truculência de Gloucester, e na França cada passo em frente parecia ser igualado por outro no sentido inverso. Naquele outono, pelo menos, os ingleses tinham motivos para comemorar, pois muitos meses de campanha na Bretanha finalmente persuadiram seu duque, sempre um jogador versátil nesse jogo sem fim, a abandonar sua aliança com os armagnacs e prometer renovar sua lealdade ao rei inglês. Mas, exatamente 72 horas antes de o tratado ser finalmente assinado em 8 de setembro, a satisfação desapareceu dos lábios ingleses quando as tropas armagnacs venceram dois encontros substanciais num único dia. Em Montargis, 95 quilômetros ao sul de Paris, um exército inglês sitiado foi expulso pelas tropas armagnacs sob o comando do Bastardo de Orléans (irmão ilegítimo do duque que, doze anos depois de Azincourt, ainda permanecia prisioneiro na Inglaterra) e de um capitão chamado Étienne de Vignolles, conhecido de todos por seu apelido "La Hire". E 240 quilômetros mais a oeste, outro capitão armagnac chamado Ambroise de Loré aniquilou uma tropa inglesa quase à vista da fortaleza de Sainte-Suzanne, sede de Sir John Fastolf, governador militar inglês em Maine.

Para o reino de Bourges, por enquanto, esses momentos de triunfo eram fachos de luz num céu tenebroso. A perda da aliança bretã foi um golpe doloroso. Não apenas isso, mas a traição do duque da Bretanha comprometia a reputação de seu irmão, Richemont, como o líder militar da França armagnac – uma circunstância que poderia ter tido mais importância se Richemont não estivesse ocupado levando a efeito o seu próprio e extraordinário dano dentro do regime armagnac. Em mais de dois anos desde que havia jurado respeito ao rei em Chinon, o condestável ainda tinha que liderar suas tropas à vitória em combate com o inimigo. Agora, com os ingleses em Maine e a Bretanha a oeste novamente como uma potência hostil, o ducado de Anjou de Iolanda resistia em urgente necessidade de reforço. Richemont, no entanto, ainda estava pegando em armas não para confrontar os ingleses, mas para remover um "conselheiro demoníaco" do lado do rei – dessa vez seu próprio antigo protegido, La Trémoille.

Só que dessa vez Carlos estava farto. A determinação de La Trémoille de não ser retirado de seu posto foi acompanhada pela determinação do rei de não perder outro favorito para uma morte repentina ou para um exílio em terras distantes. Juntos, na primavera de 1428, o rei e o conselheiro se apoderaram do grande castelo de Chinon, que estivera nas mãos de Richemont desde sua nomeação como condestável. Lá, eles começaram a reunir os recursos do reino, solicitando mais uma vez a presença de Iolanda para fomentar a confiança em seus esforços, enquanto Richemont – cujas energias agora estavam inteiramente focadas em rivais internos e não no inimigo estrangeiro – instalou-se na cidadela fortificada de Parthenay em Poitou, 64 quilômetros a sudoeste. Mas naquele outono, chegaram relatórios alarmantes sobre uma ameaça nova e inesperada. Orléans estava sitiada.

Tecnicamente, Orléans nunca deveria ter sido um alvo inglês. De acordo com as leis da guerra, as terras de um prisioneiro – e o duque de Orléans ainda estava cativo em Londres – tinham situação protegida, sendo preservadas de combates a fim de gerar o dinheiro que pagaria o resgate do duque. Mas havia uma boa razão para que os ingleses fizessem uma exceção estratégica a essa honrosa regra. Orléans era a cidade mais ao norte na grande curva do rio Loire. Se os ingleses viessem a fazer um ataque decisivo por essa fronteira natural para romper com o impasse que mantinha a guerra em um estado de brutal e dispendiosa impotência, Orléans teria que cair. Se ela caísse, a entrada para a França armagnac ficaria totalmente aberta.

O homem por trás desse plano era Thomas Montagu, conde de Salisbury, aos 40 anos um talentoso e experiente comandante com um registro exemplar de serviço a Henrique V e ao regente Bedford – "um soldado completo, um excelente combatente, e muito astuto em todos os seus negócios", o escritor parisiense observou, aprovando-o. Mas sua marcha sobre Orléans não foi uma inequívoca evidência de renovado propósito da parte dos ingleses. O próprio Salisbury tinha a intenção de assegurar a travessia do Loire naquele lugar, mas essa não era a estratégia de Bedford; o regente e o Conselho, sobre o qual presidia em Paris na primavera de 1428, decidiram que as tropas recentemente recrutadas, as quais o conde estava trazendo da Inglaterra, deveriam ser usadas para avançar a linha inglesa de Maine para Anjou, consolidando a conquista devagar e cuidadosamente, pedaço por pedaço, com pressão sobre Le Mans, mantida pelos ingleses, até os portões de Angers, a capital de Iolanda.

Mas quando Salisbury e seu exército desembarcaram na França naquele mês de julho, foi para Orléans, e não para Angers, que se dirigiram; persuasão, ou insubordinação, ou uma combinação dos dois, tinha desviado o regente do caminho escolhido. E isso não seria uma distração momentânea. Mais de trinta torres de guarda guarneciam as muralhas antigas que cercaram Orléans no lado norte do Loire. Uma maciça ponte de pedra, de mais de duzentos anos, alcançando o grande portão da cidade até uma ilha no rio e então continuando – uma extensão de dezenove arcos no total – até uma torre fortificada conhecida como as Tourelles, da qual uma ponte de madeira dava acesso à margem sul do rio. Era uma perspectiva assustadora, mas Salisbury não mostrou qualquer sinal de intimidação. Sua primeira tentativa foi lançar uma campanha de assalto para isolar a cidade pela água, com a captura de Jargeau, dezesseis quilômetros rio acima, e Meung e Beaugency, dezesseis e 25 quilômetros rio abaixo, entre dezenas de outros assentamentos próximos e fortalezas: "[...] o preço e a velocidade desde a nossa última vinda a esta terra têm sido tão bons", relatou, "que sou sempre obrigado a agradecer a Deus, suplicando-lhe que continue com sua misericórdia".

Em 12 de outubro ele estava pronto para tomar posição do lado de fora da própria Orléans. Não possuindo homens suficientes para cercá-la por todos os lados, resolveu atacar a partir do sul; a ponte, acreditava ele, era a chave para a posse da cidade. Durante doze dias as Tourelles resistiram ao bombardeio e ao assalto ingleses até que, finalmente, em 24 de outubro, seus defensores se retiraram para o outro lado do rio a fim de se refugiarem atrás das muralhas da cidade. O triunfo inglês, no entanto, teve vida curta. Quando os sitiadores avançaram para assegurar a ponte, viram que os defensores de Orléans tinham conseguido, de alguma forma, minar a ponte pela qual eles haviam acabado de se retirar. Os ingleses podiam manter as Tourelles, mas a rota para Orléans tinha desaparecido. Pouco tempo depois, Salisbury se encontrava diante de uma janela na parte superior da fortaleza, e tinha o olhar fixo na água de fluxo rápido da cidade que ele não poderia alcançar. De repente, uma bala de canhão disparada de uma das torres de vigilância da margem oposta bateu na parede ao lado dele. Quando seus criados alcançaram o conde no meio dos entulhos, ele ainda respirava; mas, onde deveria estar um lado de sua face, havia somente uma larga abertura, um buraco sangrento. Ele morreu oito dias mais tarde.

Essa dupla perda, a do conde de Salisbury e a da ponte que ele esperava cruzar, mudaram a essência da campanha inglesa. Em vez de um ataque repentino sob um brilhante comandante para forçar o seu caminho sobre o Loire, eles se viram diante de um cerco opressivo e prolongado dirigido por um líder substituto, o conde de Suffolk, um homem inteligente, mas cauteloso, que tinha pouco da ousadia ou do carisma de Salisbury. Suffolk reforçou o máximo que pode o bloqueio que Salisbury tinha estabelecido ao redor da cidade. Os aterros reforçados com madeira, conhecidos como *boulevards*, cobertos por fortificações conhecidas como bastilhas, foram construídos em intervalos, do lado de fora das muralhas, mas grande parte do território ao norte e a leste da cidade permaneceu aberta, porque – como Salisbury soubera – o número de ingleses era muito pequeno para que representasse uma força repressora. As armas inglesas continuaram a atirar sobre Orléans, e foram chamados reforços sob o comando dos lordes Scales e Talbot, mas a estratégia do cerco agora era simplesmente aguardar, na esperança de que a fome e o desespero provocassem um impacto.

Esse era um plano repleto de riscos. O inverno estava chegando e a mesma circunstância que fizera de Orléans uma recompensa a ser conseguida – sua posição-chave na fronteira entre os ingleses e a França armagnac – deixou o exército acampado ao redor de suas muralhas, exposto ao perigo. A própria Bourges situava-se a apenas 95 quilômetros ao sul e a tarefa de manter linhas de suprimentos aos sitiadores era quase tão difícil quanto aquela de fazer o mesmo, pelo outro lado, para os sitiados. Não significava, é claro, que os ingleses tivessem trocado de lugar. Não havia dúvida de que Carlos estava fazendo o que podia para aliviar o cerco; estava determinado a defender Orléans com todo o seu poder, relatou o cronista burgúndio Enguerrand de Monstrelet, "acreditando que, se ficasse perdido nas mãos do inimigo, isso significaria a destruição total de suas fronteiras, do país, e também de si próprio [...]". Enviou o Bastardo de Orléans para assumir o comando da cidade, juntamente com La Hire, que havia ajudado o Bastardo na vitória em Montargis, John Stewart de Darnley, o condestável dos escoceses, e outros capitães, inclusive um experiente soldado profissional chamado Poton de Xaintrailles. Com eles, o rei enviou atiradores especialistas e seu cirurgião pessoal para cuidar dos feridos.

Em Chinon, ele também convocou um encontro de generais de Estado, representantes de suas regiões que foram autorizados a fazer concessões de tributação para a defesa do reino. Eles fizeram isso, mas também apelaram ao rei pela restauração de um bom governo, implorando que ele reunisse os príncipes de sangue em torno de seu trono e, especialmente, que, "por todos os bons meios possíveis", encontrasse uma maneira de fazer as pazes com o duque de Borgonha. Mas isso era, concretamente, um apelo baseado na esperança e não na expectativa. Enquanto as tréguas que ofereciam alguma forma de proteção às terras na fronteira entre o território burgúndio e o da França armagnac ainda estavam sendo exploradas, o próprio duque tinha feito uma rara visita a Bedford, em Paris, naquela primavera, e não havia sinal de que sua preocupação com os Países Baixos – onde ele estava no processo de garantir sua vitória sobre Jacqueline de Hainaut – produziria qualquer reordenamento significativo de sua aliança com os ingleses na França, por mais questionável que essa relação pudesse ser agora. Tampouco as possibilidades de unidade entre os lordes armagnacs pareciam mais favoráveis. Suas fileiras tinham sido pelo menos reforçadas com o retorno do jovem duque de Alençon, recentemente resgatado do cativeiro a que tinha sido levado depois de Verneuil, mas Richemont ainda estava conspirando contra La Trémoille atrás das muralhas de Parthenay – e as manobras destrutivas que a condestável Iolanda havia ajudado a apontar apenas comprometiam as possibilidades que ela tinha de atenuar os efeitos desestabilizadores da presença de La Trémoille dentro da própria corte.

Quando o frio se instalou e as semanas do cerco começaram a se transformar em meses sombrios e congelados, o impasse em Orléans parecia resumir a situação de todo o reino. Ao longo de toda a França, a realidade opressiva e violenta dos exércitos que se moviam pelo campo, das batalhas e dos cercos, do saque e da pilhagem, havia deixado um rastro de terra queimada, casas incendiadas, vidas e meios de subsistência destruídos. E, além de longos anos de sofrimento, à medida que a guerra se reduziu a uma luta desgastante, os motivos pelos quais ela estava sendo travada começaram a ficar obscuros e a serem esquecidos. Outrora, esse tinha sido um conflito entre dois soberanos ungidos: Carlos, o Bem-Amado, que era, quaisquer que fossem suas falhas, o rei mais cristão da França, e Henrique da Inglaterra, saudado por seus súditos como o verdadeiro eleito de Deus. Mas, ainda que a retórica permanecesse, nenhum dos dois reis em nome de quem agora tantas mortes e devastação estavam sendo perpetradas, tinha recebido a unção dos céus – um deles, outro Henrique, porque ainda era apenas uma criança, e o outro, mais um Carlos, porque foi renegado pelo próprio pai e pela Santa Igreja em Reims, onde o rei o mais cristão deveria receber a coroa que lhe havia sido tomada.

Agora, também, não havia nenhuma questão sobre um rei liderando suas tropas em batalha. Henrique era muito jovem e, apesar de seu tio Bedford ser um homem de integridade e habilidade, na condução da guerra ele estava de mãos atadas pelo fato de que qualquer política que se desviasse daquela estabelecida por seu irmão morto – como a libertação de prisioneiros importantes, por exemplo, ou a negociação de um tratado que envolvesse concessões territoriais – não poderia, na prática, ser seguida sem a validação de autoridade de um monarca adulto. E, do outro lado, havia se tornado claro, a ponto de não mais ser questionado, que Carlos, com quase 26 anos, não lutaria. Tinha um filho para sucedê-lo se ele caísse, mas, mesmo assim, o efeito combinado da contínua fragilidade do regime armagnac com sua própria falta de capacidade militar significava que ele não repetiria os gestos de se equipar para o campo de batalha, como tinha feito quando era adolescente.

Então, naquele inverno, enquanto o rei permanecia em Chinon, foi o Bastardo de Orléans quem liderou a resistência ao cerco inglês. Sua tarefa – além de dirigir perigosas, mas em última análise ineficazes, escaramuças e incursões, que o cronista Monstrelet se sentiu impelido a declarar como "demasiado longas e chatas" para descrever – era encontrar uma fraqueza na posição inglesa. E estava claro para os soldados na cidade que a extensão da linha de abastecimento inglesa era um desses pontos de vulnerabilidade. A maior parte do alimento dos sitiadores vinha de Paris, mais de cem quilômetros ao norte, e no início de fevereiro estava reunido na cidade um comboio destinado a Orléans, composto por mais de trezentas carroças apinhadas com provisões – principalmente farinha e peixe salgado, porque estavam quase na Quaresma, a época do jejum, quando era proibido comer carne. As pessoas da zona rural nos arredores de Paris, que haviam sido obrigadas a entregar seus suprimentos para que fossem enviados às tropas, observaram quando eles começaram sua jornada para o sul, escoltados por uma guarda de arqueiros sob o comando de Sir John Fastolf.

No entanto, eles não eram os únicos que sabiam que os alimentos estavam a caminho. O Bastardo de Orléans, bem como La Hire,

Xaintrailles e Darnley haviam tido êxito em liderar um destacamento de tropas de dentro da cidade para além do bloqueio inglês, a fim de encontrar uma tropa de reforço que se aproximava de Blois sob o comando do conde de Clermont, filho e herdeiro do duque de Bourbon, que ainda estava, como o irmão do Bastardo, preso na Inglaterra. Em 12 de fevereiro, depois de uma amarga noite gelada, eles cercaram o comboio inglês fora de uma aldeia chamada Rouvray, vinte quilômetros a noroeste de Orléans. Através da planície, Fastolf os viu chegar. Percebendo que seus homens eram decisivamente superados em número, preparou suas carroças para um círculo defensivo e ordenou que os civis de sua companhia conduzissem os cavalos para o abrigo desse acampamento improvisado. Os arqueiros dirigiram suas estacas afiadas para o chão, onde ficaram de guarda nos dois únicos pontos de entrada deixados na parede de carroças, enquanto os soldados se posicionavam nas proximidades. Então, esperaram.

Duas horas se passaram enquanto, à distância, os armagnacs se preparavam para a batalha e tentavam decidir quais seriam as suas táticas. No final, eles só conseguiram concordar em discordar, os escoceses de Darnley preferiam lutar a pé, os franceses preferiam uma investida a cavalo. Os detalhes, afinal, pouco importavam, dado o peso esmagador de seus números. Quando Fastolf enviou um mensageiro para perguntar se eles queriam negociar prisioneiros, a resposta foi arrepiante: "Se um fio de cabelo deles escapar", declarou Clermont retumbante, "se não forem todos submetidos à espada", então ele próprio desistiria de toda reivindicação da ajuda de Deus para o futuro. Então, às três da tarde, o ataque começou. Os arqueiros de Fastolf estavam prontos. Em questão de minutos, cavalos e homens caíam, flechas rasgavam a carne, animais gritavam de dor e pânico enquanto os arcos e as estacas faziam seu trabalho mortal. Logo o solo congelado ficou ensopado com o sangue armagnac. Mais de quatrocentos homens morreram naquele dia, entre eles John Stewart de Darnley, o homem de um olho só, e com ele o último exército escocês da França. No total, as baixas inglesas totalizaram quatro.

A vitória foi extraordinária. Era importante para os famintos soldados ingleses de Orléans que comessem bem naquela Quaresma, e era importante que Deus tivesse sorrido às tropas leais a Henrique, o verdadeiro rei da França. De qualquer forma, esse triunfo dos arqueiros ingleses contra as avassaladoras adversidades não repercutia com a grandeza de Agincourt, nem mesmo do "segundo Agincourt" de Verneuil. Em vez disso, as pessoas se referiam ao episódio, em um tributo aos conteúdos do comboio de Fastolf, como a "Batalha dos Arenques". E o autor do diário de Paris encerrou o seu relato dos combates com um lamento sincero. "Quão terrível é, de ambos os lados, que homens cristãos devam matar uns aos outros dessa maneira sem saber por quê!"

Se o propósito de Deus não mais parecia claro nem mesmo para os vencedores, os perdedores tinham ainda menos chances de dar sentido à sua derrota. Enquanto o Bastardo de Orléans, que escapara por pouco do campo de batalha ferido com uma flechada no pé, voltava para a cidade sitiada e faminta com La Hire, Xaintrailles, Clermont e o restante dos sobreviventes da batalha, seu rei, a 140 quilômetros de distância em Chinon, lutava para reter qualquer vestígio de esperança de que o seu direito ao trono de seu pai poderia um dia ser reivindicado, sem qualquer dúvida ou hesitação. Seu condestável estava guerreando contra sua própria corte; aqueles entre os grandes lordes de seu reino que ainda não eram prisioneiros da Inglaterra tinham praticamente o deixado à própria sorte; e o destino das forças militares de seu reino estava caminhando, ao que parecia, de mal a pior. Depois da morte de Douglas, Buchan e agora Darnley, a promessa de salvação dos escoceses parecia não ter sido mais do que uma vã fantasia. Começaram a circular rumores de que, se Orléans fosse cair, a própria Escócia, ou talvez Castela, deveria pelo menos oferecer algum tipo de porto seguro para o rei fugitivo.

Quaisquer que fossem os boatos, de qualquer forma estava claro para Carlos e seu Conselho que ainda era muito cedo para cogitar abandonar o reino. A retirada, por outro lado – talvez para Dauphiné no distante sudoeste, de onde ele poderia tentar defender os habitantes de Lyon, Auvergne e Languedoc –, poderia ser aconselhada. Ali, alguns sugeriram, ele seria capaz de aguardar em maior segurança que Deus mostrasse sua misericórdia; mas outros chamavam a atenção de que esse era um conselho desesperado, e que ceder terreno, por maior que fosse a ameaça, só incorreria na ira dos céus e entregaria o coração ao inimigo. As discussões, e o cerco, continuaram. E todos os dias o rei assistia às suas missas, tendo constantemente em mente (sugeriu um cronista) "que as perseguições de guerra, morte e fome são as varas com que Deus castiga os crimes das pessoas ou dos príncipes".

E então, em 23 de fevereiro, exatamente onze dias depois do massacre em Rouvray, chegou ao grande castelo de Chinon um pequeno bando de seis homens armados e empoeirados da estrada. Com eles cavalgava uma jovem vestida como menino, com os cabelos cortados bem curtos. Seu nome era Joana, e ela vinha trazer uma mensagem de Deus.

Parte Dois

Joana

IV

A Donzela

Em Chinon, ela era esperada. Ela tinha sido enviada na frente quando, junto de seus companheiros, havia chegado à cidade de Sainte-Catherine-de-Fierbois, 30 quilômetros a leste, para dizer ao rei que estava vindo – uma carta que precisou ditar, uma vez que não poderia escrevê-la por si mesma. Mas, como Marie Robine e Jeanne-Marie de Maillé tinham descoberto antes dela, a instrução divina por si só não era suficiente para garantir acesso à presença real. Para isso, ela precisava de amigos em altos postos, tanto na terra como no céu – e, assim como Jeanne-Marie de Maillé antes dela, encontraria uma amiga na duquesa viúva de Anjou.

Iolanda tinha sido avisada da existência da jovem semanas antes. No ano anterior, Joana tinha aparecido em Vaucouleurs, uma cidade murada mantida por uma guarnição armagnac no extremo leste do reino, e pediu ao capitão de lá, um homem chamado Robert de Baudricourt, que a levasse até o rei, para quem, ela disse, Deus tinha lhe confiado uma mensagem. De Baudricourt a mandou embora com uma pulga atrás da orelha, mas no final do ano ela voltou e, dessa vez, a natureza da mensagem que ela trouxe atraiu mais atenção influente. Vaucouleurs – como a aldeia de Domrémy, um pouco mais de quinze quilômetros ao sul – situava-se na fronteira entre o ducado de Bar e o ducado de Lorena e, no início de 1429, o próprio duque de Lorena decidiu que deveria ouvir o que a jovem tinha a dizer.

Avignon e o vale do Loire não tiveram nenhum monopólio de visionários durante a vida do duque. Trinta anos antes, em Champanhe, o condado vizinho ao ducado de Bar, uma pobre viúva chamada Ermine havia sido visitada tanto por anjos quanto por demônios, em um caso que tinha levantado tantas dúvidas preocupantes sobre como distinguir um do outro – um processo que ficou conhecido como o "discernimento dos espíritos" –, que elas foram enviadas ao grande teólogo Jean Gerson. Agora, quando a notícia das insistentes alegações de Joana começou a se espalhar, o duque a convocou à sua corte para uma conversa particular. E quando voltou a Vaucouleurs depois dessa audiência, ela descobriu que, fosse por causa ou consequência do interesse do duque, Robert de Baudricourt havia mudado de ideia: estava preparado para enviá-la a Chinon.

A essa altura, alguns habitantes de Vaucouleurs, uma cidade armagnac que ficava numa região cercada por território burgúndio, tinham manifestado ao seu rei tantas esperanças na missão de Joana, que ofereceram ajuda para essa perigosa jornada. Ela recebeu um cavalo para montar e uma vestimenta masculina – túnica, gibão, meias e bombachas, tudo em preto e cinza – para substituir com praticidade seu grosseiro vestido vermelho. Quando ela saiu, com um chapéu de lã preta sobre os cabelos cortados, sua pequena escolta incluía um mensageiro real chamado Colet de Vienne, cuja presença indicava que alguém – talvez o duque de Lorena, ou seu genro René de Anjou, de 25 anos de idade, herdeiro do ducado de Bar – já tinha sido enviado a Chinon para preparar o seu caminho. E não poderia haver dúvida de que qualquer comunicação entre o ducado de Bar e a corte real no Loire, especialmente sobre uma questão tão importante quanto uma mensagem divina, chamaria a atenção de Iolanda, a mãe de René.

Colet e seus companheiros fizeram um bom trabalho. Apesar dos perigos da rota – mais de 430 quilômetros através do país, dentro de terras burgúndias, correndo o constante risco de que alguém pudesse chegar perto demais e se interessar por aquela pequena e estranha comitiva –, Joana chegou a Chinon em segurança. Em meio ao luxo e à cerimônia da corte, ela era uma visão totalmente incongruente: uma garota da aldeia, que ainda não havia saído da adolescência, vestida com roupas que nenhuma mulher de boa reputação deveria estar usando. Mas a mão invisível de Iolanda no controle da situação – invisível, mas inconfundível no fato em si da sua chegada – trouxe-a à presença do rei e, embora seu encontro tenha sido testemunhado apenas por seus principais conselheiros, a clareza de sua mensagem e a convicção com que lhe foi transmitida significou que as notícias de sua missão logo saíram das paredes do castelo e se espalharam pela cidade e fora dela. Era tão impressionante quanto a própria jovem. Joana, ao que parece, tinha sido enviada por Deus não apenas para instruir o rei, mas para ajudá-lo na recuperação de seu reino. Se Carlos – a quem ela às vezes se referia como "Delfim, porque ainda não havia sido ungido por Deus – lhe desse um exército, ela expulsaria os ingleses da França e os levaria a Reims para sua coroação.

A proposta era absolutamente extraordinária. Robert de Baudricourt, de volta a Vaucouleurs, começou a tratar essa camponesa como uma fantasista cuja família, disse ele, deveria lhe dar alguns tabefes para tirá-la de seus delírios. Mas Baudricourt foi, eventualmente, persuadido a fazer o que ela pedia, e agora que ela havia logrado alcançar o rei, suas palavras não poderiam ser desprezadas tão levianamente. Ainda assim, uma extrema cautela era essencial para responder a qualquer pessoa que alegasse experimentar uma visão profética ou uma revelação especial da vontade de Deus, uma vez que não era fácil distinguir as verdadeiras revelações do céu e as artimanhas desencadeadas do inferno. Afinal de contas, o diabo podia se manifestar com uma face justa, assim como com uma vil. Nesse caso, também era necessário se lembrar de que os enganos de Satanás eram praticados mais facilmente com as mulheres, cujas fragilidades morais e intelectuais as tornavam mais suscetíveis do que os homens à influência demoníaca. O fervor delas, havia escrito Jean Gerson, era "excessivo, demasiadamente apaixonado, instável, desenfreado e, portanto, não confiável" – e Joana, que era jovem, inexperiente e sem instrução, era uma embarcação especialmente frágil.

Havia outras razões, também, para se ter cuidado com suas alegações. Mesmo antes de abrir a boca, a virtude e a modéstia da jovem foram questionadas devido às roupas extravagantes que usava. Suas meias e calças, firmemente amarradas com muitas cordas em seu gibão, sem dúvida tinham um propósito de utilidade, pois permitiram que ela andasse rapidamente durante a perigosa travessia no interior do país e também ofereceram proteção contra agressões sexuais quando ela se viu sozinha entre os homens, como esteve em sua viagem desde Vaucouleurs. Não se podia negar, todavia, que, de acordo com as prescrições do *Livro de Deuteronômio* do Velho Testamento, uma mulher vestida com roupas de homem era "uma abominação para o Senhor". E Joana não apenas se vestia como um homem, mas ousava dizer que fora enviada para fazer a guerra contra os ingleses. Não se tratava de um reconhecimento humilde do lugar de uma mulher, nem de um reconhecimento da própria ordem da criação divina, mas de uma coragem impetuosa em que era muito fácil pressupor que havia o dedo do diabo.

Mesmo assim... Para Carlos e seus conselheiros – encorajado, como sempre, pelo sábio conselho de sua sogra Iolanda – a possibilidade de que Deus poderia, finalmente, em sua misericórdia, ter sido comovido pela situação em que a terra santa da França se encontrava agora, só podia ser inebriante. Ao mesmo tempo, os riscos imensos que a jovem personificava eram óbvios e aterradores. A França já estava à beira da destruição com os castigos de Deus por seus pecados. Se o rei mais cristão ordenasse agora ao seu povo que seguisse um falso profeta, um instrumento do senhor do inferno, certamente seria o desastre final. Mas o resultado seria igualmente catastrófico se ele rejeitasse o conselho de um verdadeiro profeta inspirado pelo rei dos céus. Era bem sabido que Deus não enviaria um milagre até que todos os recursos humanos fossem esgotados. Quatorze longos anos após o miserável dia de Azincourt, poderia Ele ter decidido que o reino havia sofrido o suficiente e que era hora de enviar ajuda?

A única maneira possível de seguir em frente consistia em buscar especialistas capazes de fazer uma avaliação das alegações da jovem. O grande repositório de conhecimento teológico da França era a Universidade de Paris, uma comunidade de estudiosos de influência internacional que já tinha dois séculos de idade. Entretanto, a universidade, assim como o reino, tinha sido despedaçada pela guerra entre armagnacs e burgúndios. A batalha acadêmica para demonstrar as verdades teológicas que serviam de base para as posições de cada lado já durava mais de uma década no Concílio de Constança, onde Jean Gerson, o reitor da universidade, teve um embate público e encarniçado com o burgúndio Pierre Cauchon sobre o assassinato do duque de Orléans cometido por João Sem Medo. Agora, no entanto, a universidade estava dividida tanto física quanto intelectualmente: os teólogos que permaneceram em Paris eram leais ao regime anglo-burgúndio, enquanto aqueles que ofereceram sua lealdade ao herdeiro armagnac partiram em direção ao sul, para seu reino de Bourges.

Só que o próprio Gerson não estava entre os clérigos que rodeavam o rei em Chinon. Depois que os burgúndios capturaram a capital em 1418, ele perambulou durante um ano, em exílio político, pela Alemanha. Então, quando chegaram notícias da morte de João Sem Medo em Montereau, Gerson voltou para a França e se estabeleceu em Lyon. Dez anos mais tarde, agora em seus 60 anos, ele continuava lá e ainda escrevia com a mesma velocidade e intensidade de quando levava a vida contemplativa de um eremita. Porém, mesmo em sua ausência, os teólogos da corte armagnac podiam consultar seus três grandes tratados sobre o discernimento dos espíritos, o mais célebre dos quais – *Sobre a prova dos espíritos*, escrito em 1415 – fornecia uma lista de verificação dos princípios que deveriam pautar a investigação teológica das revelações místicas, que Gerson resumiu em uma rima latina em seu discurso doutrinário: "Pergunte quem, o quê, por quê; a quem, de que tipo, de onde". Em outras palavras, ele propôs um interrogatório tanto da visão quanto do visionário: o que a própria natureza da revelação podia mostrar sobre sua origem e o que a natureza de seu receptor podia mostrar sobre sua autenticidade?

O primeiro passo era testar a integridade de Joana, sua totalidade, no sentido literal do seu ser físico. Apesar de sua alarmante falta de modéstia ao usar roupas de homem, ela era uma jovem mulher solteira que declarava viver uma vida pia e temente a Deus – e se isso fosse verdade, ela deveria, por definição, ser virgem, um estado imaculado que tornaria menos provável que ela tivesse sido corrompida pelo diabo. Um exame particular realizado por duas senhoras da corte, a esposa do capitão militar de Chinon, Raoul de Gaucourt, e a esposa do conselheiro do rei, Robert le Maçon, confirmaram que ela realmente era o que reivindicava ser: uma donzela, *pucelle* em francês, do latim *puella*, que significa "menina", uma palavra que veio a significar o estado de transição da pudica adolescência antes de uma mulher se tornar esposa e mãe. E *pucelle* foi a palavra usada para descrevê-la quando os clérigos da corte escreveram para o arcebispo de Embrun, o eminente teólogo Jacques Gélu, para pedir seu conselho sobre o próximo estágio da investigação: testar a integridade espiritual de Joana.

Ela era, diziam eles, uma donzela da região de Vaucouleurs, com cerca de 16 anos de idade, que havia sido criada entre as ovelhas, mas que tinha se dirigido ao rei com predições e profecias de grande vantagem para o reino – se, é claro, elas fossem verdadeiras. Na tentativa de descobrir os fatos, eles a haviam questionado sobre sua fé e seus hábitos, e perceberam que Joana era, em todos esses aspectos, devota, lúcida e virtuosa. Será que ela poderia ser um instrumento da vontade de Deus, comparável aos precedentes bíblicos de profetisas como Débora ou Judith, que salvaram Israel dos invasores assírios, ou das sibilas que tinham previsto a vinda de Cristo?

A resposta do arcebispo Gélu foi duvidosa. Um leal armagnac, ele não tinha dúvidas de que Deus podia muito bem decidir enviar ajuda para o rei, dado que aquela invasão inglesa – como apontou ele com certa paixão – era contrária a todo tipo de lei, divina, natural, sacra, civil, humana ou moral. Mas esse fato inegável não significava que deveria ser dado crédito rápida ou superficialmente às palavras de uma jovem camponesa cuja juventude e simplicidade a tornava tão vulnerável ao poder das ilusões, e que veio de uma região fronteiriça tão próxima da influência do inimigo burgúndio. O rei deveria ser cauteloso, afirmou Gélu, e deveria redobrar suas orações, mantendo Joana à distância enquanto ela era incansavelmente interrogada pelos homens eruditos da Igreja. Se houvesse um demônio nela, ele não poderia ficar escondido para sempre. Porém, por mais improvável que pudesse parecer que a assistência divina viesse na forma feminina, uma vez que não cabia a uma mulher lutar ou pregar ou distribuir justiça, também era essencial manter uma mente aberta, uma vez que Deus poderia trazer a vitória através de qualquer instrumento que Ele escolhesse.

Investigações complementares eram obviamente necessárias antes que se pudesse chegar a algum julgamento sólido e antes de se tomar qualquer decisão sobre o que exatamente deveria ser feito. Os clérigos ao redor do rei sabiam que uma vasta experiência teológica se concentrava em Poitier, o centro administrativo do reino de Bourges, adotado como lar pelos sábios armagnacs que haviam fugido da Universidade de Paris em 1418. E, assim, a jovem Joana, que até então tinha sido cuidadosamente mantida na grande torre do Coudray em Chinon, foi despachada para Poitiers, situada 64 quilômetros ao sul, para ser submetida a um interrogatório mais detalhado pela maior congregação de teólogos que a França armagnac pôde reunir, sob a liderança do chanceler do rei, Regnault de Chartres, arcebispo de Reims. Por três semanas, a partir do começo de março, conforme explicaram posteriormente, eles observaram e testaram a jovem "de duas maneiras: isto é, usando a sabedoria humana para perguntar sobre sua vida, seu comportamento e seus objetivos [...]; e, valendo-se da devota oração para buscar um sinal de alguma ação divina real ou esperada por meio da qual fosse possível julgar que ela tinha sido enviada pela vontade de Deus".

Esses eram os princípios de Gerson colocados em prática pelos mais habilidosos profissionais do discernimento dos espíritos no reino de Bourges. E, ainda assim, à medida em que as semanas passavam e as conversações continuavam, nenhum veredito definitivo pôde ser dado. A dificuldade era que muitos fatos obstruíam uma investigação para a qual não havia precedentes fáceis. As mulheres visionárias da história recente da Igreja tinham experimentado suas revelações quando já estavam sob o cuidado de um conselheiro espiritual, talvez um confessor, que pudesse testemunhar sobre sua moral e a natureza de suas reivindicações. Joana, ao contrário, tinha aparecido sozinha, a não ser pela sua escolta de homens armados. E, em vez de simplesmente transmitir uma mensagem celeste, ela – uma adolescente – queria liderar as tropas do rei para a batalha. Mesmo comparado a um dossiê de casos passados que eram, por definição, extraordinários, este era excepcional.

Contudo, à medida que os dias de primavera começavam a ficar mais longos, algumas conclusões finalmente começaram a tomar forma.

Apesar de estar sob pressão, em um lugar que ficava longe de casa e da família, a conduta da jovem era irrepreensível. "Ela conversou com todos, publicamente e em particular", relataram os doutores e os prelados, "mas nela não se encontrou nenhum mal, apenas bondade, humildade, virgindade, piedade, integridade e simplicidade [...]" Estava claro também que sua crença na sua missão não podia ser abalada. Ela continuou a falar com a determinação surpreendente que a trouxera, contra todas as probabilidades, de uma aldeia distante para a corte real e, de sua insistência inabalável de que havia sido enviada para repelir os ingleses e levar o rei para ser coroado em Reims, surgiu um plano para derrubar a segunda preocupação dos teólogos. Eles estavam procurando por um sinal comprobatório de que as alegações dela poderiam realmente ter sido enviadas por Deus, mas estavam longe de saber qual forma esse sinal poderia adotar. No entanto, quando foi apontado para Joana que seria extremamente difícil conseguir realizar sua missão de conduzir o rei de Chinon ou de Poitiers até Reims, uma vez que a cidade sitiada de Orléans estava bem no meio do caminho, sua resposta foi imediata. Ela própria levantaria o cerco.

Isso era promissor. Uma tentativa de socorrer Orléans seria uma tarefa finita, que exigiria apenas um mínimo de recursos por parte do rei e que poderia servir como um teste prático da missão da jovem. O sucesso, se chegasse, seria uma legitimação milagrosa de suas reivindicações; o fracasso proporcionaria um julgamento incontestável contra ela. De qualquer maneira, Deus teria falado – e, mesmo se o veredito fosse negativo, havia relativamente pouco a perder com a tentativa. Orléans ainda estaria sitiada, exatamente como estava agora, e não seria vergonha nenhuma para o reino sitiado de Bourges ter procurado testar Joana na fornalha da guerra. O arcebispo Gélu tinha ficado preocupado em expor o rei ao ridículo se ela fosse acolhida com demasiada credulidade; os franceses, disse ele, um tanto exasperado, já tinha a reputação de ser facilmente enganado. Mas, dada a situação particularmente desesperadora em que o reino se encontrava na ocasião, não poderia haver desonra em enviá-la a Orléans para descobrir se a sua inspiração realmente viera do céu. "Pois não havendo dúvida ou descartando-a, sem que haja nela aparência do mal", argumentavam os teólogos de Poitiers, "significaria rejeitar o Espírito Santo e tornar-se indigno da ajuda de Deus".

Quando os eruditos doutores apresentaram suas conclusões, foi um alívio palpável ter encontrado um caminho a seguir. "O rei", disseram eles, "[...] não deve impedi-la de ir a Orléans com seus soldados, mas devia mantê-la escoltada até lá, honrosamente, depositando sua fé em Deus". Uma última verificação quanto à persistência da virgindade de Joana, a encarnação física de sua pureza espiritual, foi supervisionada pela própria Iolanda de Aragão. A aprovação da rainha da Sicília confirmou, mais uma vez, que Joana era uma verdadeira donzela, e essa palavra agora começou a definir a personagem pública de uma jovem de origem tão humilde, que nem sequer usou um nome de família para se identificar. Ela não era simplesmente *uma* donzela, mas *a* Donzela – ou assim os teólogos em Poitiers a chamavam ao relatar suas descobertas. E quando lhe foi dada a primeira chance de anunciar sua missão a um público mais amplo do que os conselheiros e teólogos que até então tinham-na ouvido falar, esse era um título que ela reivindicava para si mesma com uma certeza surpreendente.

E a oportunidade surgiu pouco antes de a corte se mudar de volta de Poitiers para Chinon para organizar os preparativos para o teste que ela enfrentava agora. Em 22 de março, na terça-feira antes da Páscoa, Joana ditou uma carta que devia ser enviada ao inimigo inglês. Tendo crescido em Domrémy, mais de 400 quilômetros ao leste, as forças hostis que ela tinha visto ao seu alcance eram os burgúndios. Mas ela tinha vindo para libertar a França do invasor inglês, e o desafio que agora lançou mostrava o quanto tinha aprendido nesse último mês, desde que chegara a Chinon, sobre a guerra e sobre a realidade da missão que tinha vindo realizar. No cabeçalho da carta, Joana instruiu o clérigo a escrever duas palavras em latim que ela tinha ouvido na igreja: *Jhesus Maria*, "Jesus" e "Maria", cada um delimitado em ambos os lados pelo sinal da cruz. E, então, começou.

"Rei da Inglaterra, e você, duque de Bedford, que se diz regente do reino da França; você, William de la Pole, conde de Suffolk; John, lorde Talbot; e você, Thomas, lorde Scales, que se autodenominam tenentes do referido duque de Bedford: submetam-se ao rei dos céus. Restituam à

Donzela, que aqui é enviada por Deus, o rei dos céus, as chaves de todas as belas cidades que vocês tomaram e violaram na França". Ela mesma estava inteiramente pronta para estabelecer a paz, declarou, assim que os exércitos da Inglaterra deixassem Orléans, e toda a França, e voltassem ao seu país, restituindo tudo o que tinham tomado; porém, se não o fizessem, logo descobririam que a Donzela lhes faria um grande mal. "Rei da Inglaterra, se não fizer o que peço, eu sou a líder militar e, onde quer que encontre seus homens na França, eu os farei sair, quer queiram, quer não, e se eles não obedecerem, eu os matarei. Sou enviada aqui por Deus, o rei dos céus, para enfrentar vocês face a face e expulsá-los de toda a França. E se eles obedecerem, eu lhes mostrarei misericórdia. E não acreditem em nada além disso, porque vocês jamais ocuparão o reino da França de Deus, o rei dos céus, o filho de Maria; você não terá o reino da França; mas o rei Carlos o ocupará, o verdadeiro herdeiro, porque Deus, o rei dos céus, assim o deseja, e isto é revelado a ele pela Donzela [...]". Havia mais. O rei, ela asseverou, logo estaria de volta a Paris. Se os ingleses se recusassem a ouvir, a Donzela bradaria um grito de guerra maior do que a França tinha ouvido em mil anos. Os ventos determinariam quem tinha o supremo direito, embora fosse óbvio que Deus daria vitória à Donzela – e não era tarde demais para Bedford se juntar a ela. Como prosa, a carta era tortuosa e repetitiva, andava em círculos, passava da terceira pessoa para a primeira e vice-versa. Como declaração de intenções, era eletrizante.

A singularidade de propósito tinha feito essa jovem cruzar mais da metade do país, e a singularidade de propósito tinha-lhe dado a oportunidade de transformar palavras de luta em ação. Naturalmente, os homens de experiência sabiam que a guerra não era tão simples, e as opiniões ainda estavam divididas quanto aos méritos de suas declarações. Mas as disputas entre os doutores da teologia não se tornaram públicas, tampouco as altercações dentro do Conselho do rei; apenas a cautelosa conclusão de que Joana deveria ser enviada a Orléans. E uma vez que a decisão tinha sido tomada, por mais que estivesse focada em um objetivo de curto prazo e, por mais provisória que fosse a sua razão, a absoluta convicção de Joana em sua causa começou a dar uma nova clareza para as ações do reino de Bourges.

Uma vez que a corte estava de volta a Chinon na última semana de março, ela foi, finalmente, apresentada ao rei em público, em uma amostra de teatro político para preparar o cenário para o lançamento de sua missão. Chegou a La Rochelle (onde o clérigo da cidade anotou em seu registro todas as informações que chegavam até ele) a história de que Joana foi encaminhada primeiro ao conde de Clermont, que havia retornado recentemente do cerco, e depois a um dos escudeiros reais, sob a pretensão de que cada um deles era o rei, apenas para ela declarar que sabia que nenhum deles era o soberano, e para reconhecer Carlos assim que o viu. Se isso era uma farsa, serviu, no entanto, como uma demonstração dramática da alegação da Donzela de que tinha um discernimento sobre-humano. E depois da encenação veio a propaganda. Não só as conclusões dos teólogos de Poitiers foram copiadas muitas vezes e distribuídas até onde a diplomacia armagnac pôde alcançar, mas também os secretários do rei vasculharam minuciosamente os arquivos tentando encontrar profecias que pudessem prognosticar a vinda de Joana. Uma inscrição, que de outra forma seria incompreensível – um verso em que as letras se tornavam uma data quando lidas como algarismos romanos, atribuído a São Beda, o Venerável –, mencionava uma donzela carregando estandartes: seguramente uma prefiguração de Joana e ainda mais significativa por se originar da pena desse venerável escritor inglês, não? De modo mais pertinente, o texto do século XII da *História dos Reis da Bretanha*, de Geoffrey de Monmouth, continha uma profecia reveladora do grande sábio Merlin: "Uma virgem sobe as costas dos arqueiros e esconde a flor de sua virgindade". O que antes havia sido obscuramente alusivo, agora claramente se referia à Donzela, e um novo poema latino foi rapidamente composto e disseminado, expandindo o tema do original de Merlin numa tentativa de explicar a decisão do rei de colocar uma jovem em armadura à frente de suas tropas e encorajar os franceses leais a se juntarem a ela.

Joana também desempenhou seu papel na elaboração dos símbolos do que o poeta chamou de a "guerra virginal" que ela estava prestes a realizar. Ela pediu ao rei que a enviasse para a cidade de Sainte-Catherine-de-Fierbois, onde pernoitara em seu caminho de Vaucouleurs, para buscar uma espada que, segundo ela, ficava escondida na igreja daquele lugar. Com certeza, e para espanto geral, a arma foi descoberta – de acordo com o clérigo de La Rochelle, dentro de um cofre no altar-mor que não havia sido aberto por vinte anos. Os guerreiros cristãos, os contemporâneos sabiam disso, carregavam espadas sagradas, desde a Excalibur do rei Arthur até a Joyeuse de Carlos Magno, e as cabeças sábias concordavam com o pensamento de que a espada de Joana deveria chegar até ela das mãos de Santa Catarina, a padroeira das jovens virgens, que geralmente era retratada carregando a espada que lhe causara seu martírio.

Em Orléans, entretanto, Joana precisaria de mais do que um símbolo para se defender. Um traje completo de fina armadura, feito sob medida para a sua figura delgada, foi encomendado ao mestre armeiro do rei, e um pintor, um escocês que morava em Tours, foi comissionado para confeccionar os estandartes mencionados no verso de São Beda. No estandarte da Donzela, as flores-de-lis douradas, símbolo da França, foram representadas em um campo branco, com as palavras *Jhesus* e *Maria* e a imagem de Cristo sentado julgando o mundo, com um anjo de cada lado; em seu pendão branco havia uma imagem da Anunciação. Durante a primeira semana de abril, a própria Joana saiu de Chinon e foi para Tours, 64 quilômetros a nordeste, na direção de Orléans. A presença de um pintor escocês entre os habitantes da cidade era um lembrete de que Tours havia presenciado a chegada de salvadores anteriormente; e, se era um alívio que o salvador da vez fosse francês, por mais extraordinária que ela pudesse ser de outras formas, ninguém tinha condições de afirmar. Joana estava, pelo menos, acumulando os atributos de um comandante militar: agora ela tinha um escudeiro, Jean d'Aulon, e dois pajens, Louis e Raymond, que aos 14 ou 15 anos eram apenas um ou dois anos mais novos que ela, assim como um capelão, Jean Pasquerel, que viajou com ela para rezar missas e ouvir sua confissão. E, apesar de impaciente para cumprir sua missão, as semanas passadas em Chinon e Tours lhe proporcionaram a necessária oportunidade de aprender a manejar o peso da armadura chapeada, a pé e a cavalo, de se equilibrar na sela com uma lança ou uma bandeira na mão, bem como de se inteirar sobre o cerco que estava à sua frente e sobre a guerra que tinha vindo lutar.

Foi também o tempo necessário para que os homens ao seu redor obtivessem a medida de sua nova companheira de armas. O duque de Alençon, de 22 anos de idade, conseguiu se libertar de um cativeiro de cinco anos após a derrota em Verneuil, só para se deparar com uma Orléans sitiada e a corte em tumulto. Um bom parâmetro do tamanho da sua desilusão talvez fosse o fato de que, no início da primavera de 1429, ele estava dedicando todas as suas energias à caça de codornizes, mas a notícia da chegada de Joana o levou de volta a Chinon. Quando a ouviu falar e a viu montar segurando uma lança, ficou tão impressionado que a presenteou com um cavalo para a campanha que viria; então se preparou para ajudar Iolanda a organizar o comboio de abastecimento e as tropas que Joana levaria à cidade sitiada, com a assistência dos capitães Ambroise de Loré, La Hire, Raoul de Gaucourt e do cavaleiro bretão Gilles de Rais.

Houve intervenções influentes de outros tipos. Em Lyon, o grande Gerson finalmente pegou a sua pena para ponderar sobre esse caso mais urgente de *discretio spiritum*, o discernimento dos espíritos. Sua força estava diminuindo, mas, cuidadoso como sempre, ele compilou seis proposições a favor das reivindicações de Joana, e seis contra. Seu propósito, argumentou, era "convidar as melhores mentes a raciocinarem mais profundamente", mas suas observações introdutórias começavam com uma referência a Amós, o pastor bíblico chamado para profetizar ao povo de Israel, e continuavam descrevendo com alguns pormenores a castidade, a piedade e a convicção dessa jovem pastora, que alegava ter vindo para restaurar a obediência da França a Deus. Não foi difícil detectar as esperanças dos partidários armagnacs subjacentes ao rigor erudito.

A sedutora possibilidade de esperança também havia chegado à cidade sitiada e faminta de Orléans. Após o desastre em Rouvray, as perspectivas de repelir os ingleses à espada pareciam infinitamente remotas; tanto que o futuro parecia depender de um apelo aos "falsos franceses" – os burgúndios que lutaram com os ingleses – para se lembrarem de suas verdadeiras lealdades. Pouco depois da batalha, uma delegação liderada pelo capitão Poton de Xaintrailles abriu caminho para além do bloqueio inglês e cavalgou até a corte de Filipe de

Borgonha, para lhe oferecer um acordo. Entregariam a cidade em suas mãos, propuseram, com a condição de que ele a mantivesse em nome de seu primo, o cativo duque de Orléans. Os ingleses poderiam ir e vir livremente, e metade da renda da cidade seria paga ao rei da Inglaterra, mas a outra metade deveria ser reservada para o resgate do duque. O duque Filipe ficou satisfeito em concordar, mas quando chegou a Paris no início de abril, descobriu que o regente Bedford se recusava a aceitar a possibilidade de que territórios pertencentes à coroa da França fossem entregues nas mãos de qualquer um, exceto ao seu legítimo rei. Lá pelo final do mês, depois de trocarem palavras exaltadas, o duque de Borgonha partiu para Flandres e chegaram a Orléans as notícias de que o tratado não poderia ser concluído. Mas a missão não tinha sido em vão. Na companhia de Xaintrailles, em seu retorno à cidade, estava um arauto do duque Filipe trazendo ordens de que as tropas burgúndias presentes no cerco deveriam se retirar. E, como o povo de Orléans testemunhou que pelo menos uma parte do inimigo que se encontrava em seus portões se dissolvia, correram rumores pelas ruas maltratadas de que uma donzela milagrosa estava vindo para salvá-los.

De Chinon, Carlos e seus conselheiros acompanhavam de perto os eventos em Orléans. Em 21 de abril, quatro dias depois de o contingente burgúndio abandonar o cerco, Joana partiu de Tours para Blois, outros 55 quilômetros ao longo do Loire em direção a Orléans, e o lugar onde seus soldados e provisões estavam reunidos. De lá, a carta em que lançou seu extraordinário desafio a Bedford, Suffolk, Talbot, Scales e todos os ingleses na França foi finalmente despachada para o inimigo. Carroças foram carregadas, as armas foram polidas e a disciplina da Donzela foi imposta a seus homens; até mesmo Jean Gerson, distante de Lyon, ouviu que "ela proibia o assassinato, o estupro e a pilhagem, e qualquer outra violência" contra aqueles que estavam dispostos a se submeter à justiça de sua causa. Na noite de 25 de abril, ela dormiu vestindo sua armadura. E na manhã seguinte, sem olhar para trás, a Donzela cavalgou para a guerra.

V

Como um anjo de Deus

Aquele era um exército estranho, pensavam os soldados ingleses. Eles tiveram um inverno difícil, acampados como estavam para manter o controle sobre a cidade. Havia muito poucos deles desde o início, e muitos homens que estiveram lá no começo se foram de volta para a Inglaterra quando seu contrato de serviço acabou, ou foram convocados por seu mestre, o duque de Borgonha, para se retirar. Eles eram os sitiadores, não os sitiados, mas mesmo assim se viram famintos, especialmente quando – como havia acontecido na primeira semana de abril de 1429 – uma incursão de dentro das muralhas acabou por lhes privar de um apetitoso carregamento de vinho, carne de porco e carne de veado. Agora observavam de seus postos nas bastilhas, na margem norte do rio, e na torre das Tourelles, no extremo sul da ponte destruída, mais provisões, grãos, gado, ovelhas e porcos que se aproximavam da cidade pelo sul. Pelo menos uma vez, porém, a comida não era o foco de atenção. Em vez disso, os olhos ingleses estavam fixos na escolta militar, que mais parecia uma procissão religiosa. De fora da floresta, no lado sul do Loire, caminhavam os sacerdotes, carregando um estandarte da Crucificação e cantando o hino *Veni Creator Spiritus*, "Venha, Espírito Santo". Só então vinham os soldados, com as carroças atrás; e cavalgando entre eles, com uma bela armadura brilhante sob o sol de abril, vinha a jovem.

Eles tinham ouvido falar dela, aquela prostituta blasfema, antes mesmo de o arauto chegar com sua carta. Um desafio para o inimigo se render não era nenhuma novidade; o grande rei Harry tinha feito o mesmo fora das muralhas de Harfleur. Mas ele tinha sido um rei ungido, o próprio guerreiro de Deus, e não uma reles camponesa plebeia. Ela estava ameaçando matar todos eles, portanto só podia ser um pouco doida, ou uma bruxa, ou ambos. E chamava a si mesma de "a Donzela". Será que ela se atrevia a se comparar com a bendita Virgem, a santa mãe de Deus, enquanto corria por toda parte com soldados, os cabelos cortados curtos e as pernas à mostra como uma vagabunda desavergonhada? Era bem sabido que os armagnacs e seu suposto delfim estavam desesperados, mas isso era ridículo. E assim eles observavam, com uivos de escárnio e insultos de profanação épica suspensos no ar da primavera, enquanto a jovem e seus homens se avançavam para atravessar o rio em Chécy, contra a corrente, em direção ao leste da cidade.

Naquele lado, as defesas inglesas estavam tão escassas que eram quase insignificantes, mesmo antes de os habitantes de Orléans lançarem um ataque de surpresa sobre a bastilha de Saint-Loup, a única fortificação inglesa a leste dos portões, a fim de ganhar tempo para o comboio de suprimentos percorrer o seu caminho. No momento em que as perdas foram contabilizadas – vários mortos, feridos e capturados em ambos os lados, e um estandarte inglês agora nas mãos dos armagnacs – a jovem, bem como as provisões, tinham passado pelo bloqueio inglês. Sua escolta de sacerdotes e a maior parte das tropas que ela havia trazido permaneceram no lado sul do rio, mas, no fim das contas, de pouco servia trazer comida se junto dela viessem ainda mais bocas para saciar. Enquanto voltavam em direção a Blois e a escuridão caía, os soldados ingleses puderam ouvir o som das aclamações propagado pelo vento – mas qualquer breve momento de inquietação no campo inglês foi logo dissipado com algumas linguagens corporais bem escolhidas e mais risadas zombeteiras.

Dentro de Orléans, nesse meio-tempo, a cidade delirava. Homens, mulheres e crianças abarrotavam as ruas, suas vozes se erguiam com a alegria da esperança depois de seis meses de sofrimento, cheios de medo, enquanto a Donzela cavalgava entre eles com seu cavalo branco, sua armadura reluzente à luz das tochas, seus estandartes conduzidos à sua frente. Acompanhada por seu escudeiro e seus pajens, bem como o comandante da cidade, o Bastardo de Orléans, e o capitão La Hire e de Gaucourt ao seu lado, ela abriu caminho vagarosamente pela multidão – mãos estendidas para ela ao longo de toda a travessia, como se um toque trouxesse uma bênção – em direção à confortável casa que tinha sido preparada para sua hospedagem. E, uma vez em segurança lá dentro, ficou claro que Joana estava inflamada de fúria.

Ela vinha sob o comando de Deus para lutar contra os ingleses, com soldados que não somente se aliaram à sua causa, mas se juntaram à sua missão, confessando os seus pecados e abandonando a pilhagem e as prostitutas, como ela exigia, enquanto marchavam sob o seu estandarte. Levantar o cerco de Orléans era sua tarefa e seu desígnio. Ela sabia o que tinha que fazer; no entanto, agora que estava ali, ela tinha sido impedida de ir imediatamente confrontar Talbot e Scales e o resto dos ingleses para iniciar seu trabalho. Não só isso, mas suas tropas tinham sido enviadas de volta a Blois contra sua vontade. O Bastardo e La Hire, de Gaucourt e os outros falaram sobre táticas e estratégias, sobre suprimentos de alimentos e cálculo de risco, mas por que precisaria ela pensar naqueles termos quando tinha a vontade de Deus para guiá-la? E se Deus era seu guia, com base em que esses homens poderiam contradizê-la?

Estava se tornando desconfortavelmente óbvio que as realidades operacionais da missão da Donzela não tinham ocorrido aos teólogos que debatiam seu caso. "O rei", disseram eles, "[...] não deveria impedi-la de ir a Orléans com seus soldados, mas deveria tê-la escoltado para lá honradamente, colocando sua fé em Deus". Ele havia feito isso, mas não tinha considerado em nenhum detalhe prático o que poderia acontecer quando ela chegasse lá. Como resultado, Joana – a "líder militar" da França, como ela havia se denominado em sua carta aos ingleses – descobriu agora que sua primeira batalha seria com os comandantes que ela tinha vindo resgatar.

No dia seguinte, 30 de abril, La Hire conduziu um ataque surpresa contra a bastilha de Saint-Pouair ao norte da cidade, mas Joana não estava interessada em uma escaramuça; ela queria a guerra. O arauto que levou sua carta ao inimigo foi aprisionado pelos ingleses, então ela escreveu novamente para o capitão deles, lorde Talbot, para exigir a soltura do homem e repetir os termos do desafio que ela carregava: os ingleses deviam suspender o cerco e voltar para seu próprio país, ou encarar a derrota pelas mãos da Donzela. O arauto foi libertado, mas a resposta com que ele retornou veio gotejando desdém: ela era uma rameira, disse Talbot, e deveria voltar a pastorear o gado, porque se dependesse dos ingleses ela seria queimada. Joana ficou tão indignada com a insolência de Talbot, que escalou as fortificações para contemplar do alto a ponte em ruínas e gritou para os ingleses na torre das Tourelles que eles deveriam se render a Deus. Ela conseguiu apenas provocar mais ofensas. Será que ela realmente pensava, zombaram eles, que eles deveriam se entregar a uma mulher e seus alcoviteiros?

O principal alcoviteiro, o Bastardo de Orléans, podia ver que tinha um problema. Uma salvadora havia sido enviada para sua cidade, e ele havia cavalgado ao lado dela por ruas cheias de esperanças. As pessoas queriam acreditar; *ele* queria acreditar. Mas o que uma jovem poderia fazer? Ele não tinha escolha; no dia seguinte, saiu da cidade pelo portão oriental, escapando pela bastilha de Saint-Loup para ir até Blois a fim de suplicar que os soldados que a Donzela havia trazido consigo voltassem a Orléans para lutar.

Ele deixou Joana esperando por um bom tempo. Durante dois dias, ela cavalgou pela cidade e pelos arredores das fortificações inglesas, descobrindo os mais diversos caminhos ao seu redor, familiarizando-se com a disposição das defesas de ambos os lados e mostrando-se às pessoas que se aglomeravam à volta dela em todos os lugares aonde ia, como se ela fosse seu anjo da guarda. No terceiro dia, os habitantes da cidade organizaram uma procissão em sua honra, oferecendo presentes e fazendo um pedido formal por sua ajuda no levantamento do cerco. Mas as formalidades quase não eram necessárias; o fato era que, até o retorno do Bastardo, ela não poderia colocar em prática seu plano – que era, simplesmente, atacar os ingleses. Finalmente, na manhã de 4 de maio, ele reapareceu, com Gilles de Rais e Ambroise de Loré ao seu lado, e as tropas de Joana e seus sacerdotes às suas costas. A lógica de sua argumentação levou a melhor em Blois; não poderia haver um sinal, afinal de contas, se Joana fosse privada dos meios para pôr sua missão à prova. Naquela tarde, finalmente, eles levariam a batalha até o inimigo.

Seu primeiro objetivo era um alvo frágil: a bastilha de Saint-Loup, a fortificação isolada no lado oriental da cidade que tinha sido um obstáculo insuficiente para o movimento de soldados dentro e fora da cidade. Ainda assim, foram necessárias três horas de combates árduos e a intervenção de uma tropa reserva de dentro das muralhas para derrotar uma tentativa inglesa de resgate da bastilha de Saint-Pouair, ao norte, antes de Saint-Loup ser capturada e queimada. Joana cavalgou ao lado do Bastardo, mas ela mesma não derramou o sangue inglês; carregou seu estandarte, não uma arma, para exortar seus soldados. No entanto, pela primeira vez, viu a morte de perto na batalha. Naquela noite, seu humor estava sombrio. Como costumava fazer, comeu com moderação. E no dia seguinte escreveu novamente ao inimigo. "Vocês, homens da Inglaterra – ela esbravejou –, que não têm direito algum neste reino da França, o rei dos céus os ordena e comanda, através de mim, Joana, a Donzela, que abandonem suas fortalezas e voltem para sua terra. Se não, eu darei um grito de guerra que será lembrado para sempre". Ela foi direta como sempre, mas não incoerente. Agora, estava perdendo a paciência. "Estou escrevendo isso para vocês pela terceira e última vez; não escreverei mais." Como ordenou, o clérigo acrescentou a inscrição "*Jhesus Maria*" antes de seu nome, "*Jeanne, la Pucelle*": Joana, a Donzela. Amarrou a carta a uma flecha e ordenou a um arqueiro que a lançasse no campo inglês. Quando a flecha atingiu o chão, podiam ser ouvidos gritos a distância: "Notícias da prostituta armagnac!".

Agora que Saint-Loup estava nas mãos dos franceses, os defensores de Orléans podiam cruzar o rio livremente, e naquele mesmo dia eles fizeram seu avanço sobre a bastilha de Saint-Jean-le-Blanc, a única fortificação na margem sul do Loire, a leste da cabeça de ponte das Tourelles. Mas quando chegaram lá, encontram-na vazia. Depois da queda de Saint-Loup no dia anterior, os ingleses haviam se retirado para dentro da fortaleza das Tourelles e para a bastilha dos Agostinianos que defendiam. Apesar de todo o escárnio e ofensa que haviam lançado sobre ela, o inimigo, ao que parece, tinha sido abalado pela singular presença de Joana e sua determinação em atacar. E agora o dia do ajuste de contas estava próximo, porque Agostinianos e Tourelles eram a chave para a segurança da cidade. Aqui, finalmente, a Donzela lideraria o ataque para levantar o cerco, e – na vitória ou na derrota – Deus daria Seu veredito sobre sua missão.

Quando amanheceu o dia 6 de maio, o capelão de Joana ouviu sua confissão e rezou uma missa para ela e seus homens. Se os ingleses estavam desconcertados, os soldados armagnacs e de Orléans que estavam lá para a defesa estavam cheios de ardor e esperança. Deus enviara a Donzela para salvar a França, e esse era o momento, aqui em Orléans, em que a salvação trazida por ela estava para começar. Muitos franceses leais perderiam a vida a serviço de Joana, isso era inevitável. Mas morrer executando a obra de Deus era um fim que devia ser devotamente desejado. Foi com um ávido propósito que as tropas cruzaram o rio mais uma vez, com o Bastardo, La Hire e De Rais cavalgando perto da Donzela, que seguia à sua frente. Quase ao mesmo tempo, encontraram um contingente inglês que vinha na direção deles vindo da bastilha dos Agostinianos, mas Joana e La Hire lançaram um ataque feroz que repeliu o inimigo para as fortificações da bastilha. Passou-se um dia inteiro e o combate foi sangrento, mas, ao pôr do sol, ela estava nas mãos dos franceses, e os ingleses que a tinham controlado tornaram-se cadáveres ou prisioneiros.

De repente, não era Orléans, mas Tourelles que estava sob cerco. No lado norte da torre estavam as águas do Loire e as ruínas da ponte de pedra que anteriormente conduzia à cidade. Imediatamente ao sul estava a bastilha dos Agostinianos, na margem que agora ameaçava em vez de proteger a posição inglesa. A guarnição inglesa estava presa na armadilha. Uma tropa armagnac permaneceu fora das muralhas de Tourelles durante toda a noite, bem abastecida pela população da cidade com alimentos e vinho para manter sua força para o ataque do dia seguinte. A batalha começou ao amanhecer e, à medida que os projéteis caíam como uma chuva de pedras selvagem dos baluartes situados acima, ficou claro que seria uma luta em que não haveria lugar para clemência. Os ingleses estavam lutando por sua posição, por suas vidas e pela crença de que Deus ainda estava com eles; mas o ímpeto do ataque francês era impulsionado por uma nova convicção de que o céu intervinha do seu lado, na pessoa milagrosa da Donzela.

Durante horas pareceu que essa força irresistível tinha encontrado um objeto estático. Ondas após ondas de ofensivas armagnacs quebravam as formidáveis defesas de Tourelles. Quando a exaustão cobrou seu preço e o sol mergulhou no céu, Joana foi atingida por uma flecha entre o pescoço e ombro e, ao ver sua Donzela cambaleante e ensanguentada, os franceses começaram a vacilar. O Bastardo preparou-se para soar a retirada, mas Joana o deteve. Era uma ferida superficial, nada grave, e ela avançou para a vala ao pé da torre, brandindo seu estandarte. Quando a viram se levantar do lugar onde havia caído e a ouviram encorajá-los, os soldados se lançaram novamente contra as muralhas e começaram a escalar as escadas até os baluartes. O medo repentino se apoderou dos ingleses e quando, a distância, viram os habitantes da cidade emergirem do portão do outro lado do rio com grandes tábuas de madeira para usarem como pontes nos arcos arruinados e mais soldados esperando para atravessar atrás deles, seus nervos desgastados finalmente se despedaçaram. Seu capitão, Sir William Glasdale, cuja voz tinha liderado o coro de injúrias grosseiras dirigido a Joana nos dias anteriores, perdeu o equilíbrio e caiu na água, de armadura e armas em mão. Não reapareceu. O pânico se espalhou entre seus homens e, quando o sol desapareceu no horizonte, Tourelles era, mais uma vez, uma fortaleza armagnac.

Os carpinteiros que estavam na ponte haviam feito o seu trabalho tão bem, que Joana, o Bastardo e suas tropas puderam voltar a entrar na cidade diretamente das Tourelles – a primeira vez que a travessia tinha sido feita ali desde que o cerco aconteceu seis meses antes. Através do portão eles encontraram uma cortina de ruídos, sinos de igreja soando em jubilosa cacofonia, ruas cheias de sacerdotes e pessoas cantando o grande hino de louvor, *Te Deum Laudamus*, e invocando os padroeiros da cidade, os bispos Aignan e Euverte, mortos havia muito tempo, para abençoar sua vigorosa salvadora, a Donzela. Porém, enquanto as celebrações continuavam, ela precisava descansar, se alimentar e receber tratamento para seu ferimento, porque seu trabalho ainda não havia terminado: a tomada das Tourelles tinha quebrado o poder inglês em

Orléans, mas as guarnições permaneciam nas bastilhas alinhadas ao redor da cidade ao norte e a oeste. E, quando surgiu a primeira luz na manhã seguinte, as sentinelas que estavam vigilantes nas muralhas da cidade informaram que o inimigo estava se armando para a batalha.

Os defensores de Orléans passaram as tropas em revista para ir de encontro a eles. La Hire, De Rais e outros capitães cavalgaram para fora da cidade ao lado da jovem, que agora havia se tornado, extraordinariamente, seu irmão de armas. Eles organizaram suas tropas perto da posição inglesa e esperaram, alertas e em prontidão. Mas não se moveram. Pela primeira vez desde que tinha vindo para a guerra, Joana não ordenou que seus homens avançassem. Eles deveriam se defender com todo o seu poder se os ingleses atacassem, disse ela, mas não deveriam começar a luta. Depois do triunfo do dia anterior, cansadas como de fato estavam, as tropas se mostravam reticentes em sua ânsia de colocar o inimigo em fuga, mas obedeceram ao comando da Donzela. Atrás das linhas inglesas, as bastilhas abandonadas pelos sitiadores durante a noite estavam vazias, e algumas estavam em chamas; o que quer que acontecesse agora, estava claro, seria o último ato desse drama brutal. Uma hora se passou e as tropas ainda não se movimentaram. E então, finalmente, um comando soou, e as fileiras inglesas começaram a se afastar rapidamente. O cerco havia terminado.

As baixas inglesas haviam sido tão pesadas e a perda da cabeça de ponte tão grave – relatou mais tarde o cronista Monstrelet –, que os comandantes Suffolk, Talbot e Scales decidiram que sua opção mais prudente seria uma metódica retirada da fortificação que eles não tinham mais confiança em manter. Eles teriam lutado com os armagnacs se tivesse sido necessário, mas como não houve nenhum ataque, deram o sinal para bater em retirada. Ao que parece, era melhor ignorar a inquietante questão da jovem garota enviada de Deus. A própria garota e seus companheiros capitães, suas tropas e o povo jubiloso de Orléans, todos assistiram à partida dos ingleses. Somente quando era tarde demais para o inimigo voltar e lutar, os soldados armagnacs montaram nos cavalos para persegui-los em seu caminho e atacar de surpresa a caravana de artilharia na parte traseira do comboio inglês a fim de obter mais armas para o arsenal francês.

O milagre havia acontecido. Depois de seis meses de cerco e com o reino de Bourges em desordem, Joana, a Donzela, havia libertado Orléans em apenas quatro dias – *quatro dias* – de luta. A ameaça de que os ingleses pudessem arrebatar essa chave para o Loire foi suspensa. E, ainda mais importante, Deus tinha justificado a legitimidade da causa do rei Carlos. Uma camponesa de 17 anos não sabia nada de guerra: como poderia? No entanto, Joana sabia o que iria fazer. Os sábios doutores de Poitiers haviam pedido um sinal, e ele havia chegado, enviado pelo céu.

Na própria Orléans, as igrejas estavam repletas de pessoas dando graças, admiradas, pela sua libertação. Cidadãos que antes temiam as depredações dos soldados enviados para defender sua cidade agora os abraçavam – observou o cronista do cerco – como se fossem seus próprios filhos. Mas foi Joana o foco de sua devoção – e agora sua fama começava a se espalhar. Apenas dois dias depois da retirada dos ingleses, Pancrazio Giustiniani, um mercador italiano em Bruges, escreveu ao pai, que vivia em Veneza, para lhe contar o que acontecera em Orléans, relatando como uma "pastora donzela" havia prometido ao delfim que o cerco seria suspenso; "parece", disse ele, "que ela pode ser outra Santa Catarina que desceu na terra". Em Roma, o bispo de Cahors, Jean Dupuy, acrescentou às pressas um novo capítulo à sua *magnum opus*, uma breve história do mundo, para descrever a "donzela chamada Joana" que "realiza ações que parecem mais divinas do que humanas".

E em Lyon, o frágil e velho Jean Gerson novamente aplicou os princípios do *discretio spiritum*, o discernimento dos espíritos, para esse caso excepcional. O primeiro tratado que produziu sobre o assunto, com suas exposições imparciais dos pontos a favor e contra as alegações de Joana, era conhecido simplesmente como *De quadam puella*: "Acerca de uma certa donzela". O segundo tratado se tornou conhecido como *De puella Aurelianensi* – "Acerca da Donzela de Orléans" – ou, ainda, *De mirabili victoria* – "Acerca da admirável vitória" – e refletia a mudança em seu julgamento moldada pelos eventos dramáticos da primeira semana de maio. Ele começou com a costumeira cautela, oferecendo uma prolongada discussão da relação entre probabilidade e verdade, e a recitação de diversas questões teológicas nas quais o desacordo entre sábios estudiosos não podia ser definitivamente resolvido. Mas, isto posto, acreditava que um veredito sobre a Donzela agora era possível, porque o resultado de suas ações – a restituição do rei ao seu reino e a derrota dos inimigos mais obstinados da França – justificava a crença em sua inspiração divina. Ela não recorreu a magias ou superstições; assumiu riscos para prosseguir sua missão; inspirou fé no rei e no seu povo e temor em seus inimigos; e não tentou a Deus agindo imprudentemente. Sua história encontrava paralelos, indicou ele, nas vidas santas de Débora, de Judite e de Santa Catarina. E, se usou roupas de homem apesar da proibição do Antigo Testamento, isso poderia ser desculpado porque o Antigo Testamento tinha sido substituído pelo Novo, e porque suas circunstâncias, como uma guerreira cercada por homens, tornaram isso necessário. Sua conclusão foi simples. "Esta ação", escreveu, "foi feita por Deus".

Cópias manuscritas do novo tratado de Gerson começaram a circular pela França e além; em Chinon, a corte estava comemorando. Durante o anoitecer da segunda-feira, 9 de maio, o rei escreveu uma carta ao povo de Narbonne, a 480 quilômetros de distância em Languedoc, para lhes dar a encorajadora notícia de que dois comboios de abastecimento tinham conseguido romper o cerco em Orléans durante a semana anterior, e que a bastilha de Saint-Loup tinha sido capturada, uma grande perda dos ingleses. Sinceros agradecimentos e orações se deviam a Deus, disse Carlos; mas então, à uma da madrugada, um arauto chegou golpeando os portões do castelo com notícias que dificilmente pareceriam críveis, se o exausto homem não tivesse jurado por sua vida que elas eram verdadeiras. A bastilha dos Agostinianos e a torre de Tourelles tinham caído, louvado seja Deus que, em Sua misericórdia divina, não havia esquecido da França, e essas vitórias tinham sido realizadas na presença da Donzela. Carlos estava ocupado acrescentando esse assombroso pós-escrito à sua carta aos narbonenses quando chegaram mais dois mensageiros, enviados por Raoul de Gaucourt, para lhe dizer que os ingleses haviam fugido e Orléans estava livre.

Três dias depois, a própria Donzela cavalgou com o Bastardo para encontrar o rei, a fim de relatar o que tinham conseguido e implorar por mais homens e dinheiro para concluir sua tarefa. Carlos devia ir a

Reims, insistiu Joana, para a coroação, o que daria confirmação divina à sua realeza. Ela o guiaria até lá; mas antes que essa campanha crucial pudesse ser empreendida, a rota norte e a leste através do Loire teriam que ser desimpedidas, acabando com as guarnições inglesas restantes ao longo do rio em Meung, Beaugency e Jargeau. Depois do milagre em Orléans, estava fora de questão colocar de lado a missão da Donzela ou ignorar suas instruções, mas seu triunfo não eliminou os desafios militares e financeiros que o reino de Bourges tinha de enfrentar. Levou boa parte de um mês para que as novas tropas de que ela precisava fossem reunidas – um atraso frustrante, mas durante o qual Joana poderia, pelo menos, continuar a refinar o desenvolvimento de suas habilidades de montaria e no manejo de armas de guerra. Um jovem nobre, Guy de Laval, que a conheceu durante uma visita à corte, viu Joana usando a couraça da armadura e conduzindo um grande cavalo de guerra negro com um pequeno machado em sua mão. Quando a visitou em seu alojamento, ela ordenou que fosse trazido vinho e disse que logo lhe estaria oferecendo uma bebida em Paris. Ele declarou com fervorosa admiração: "Foi como receber um presente do céu", disse ele a sua mãe, "o fato de que ela estava lá, e que eu pude vê-la e ouvi-la".

À época em que a carta de Laval foi escrita, em 8 de junho, os preparativos estavam quase completos. Seu encontro com a Donzela aconteceu em Selles-sur-Cher, pouco mais de 30 quilômetros a sudoeste de Blois, e ali se juntou a ela o jovem duque de Alençon, que ajudara a reunir as tropas para a sua primeira campanha. Agora o duque estava pronto para lutar. Ele estava ao lado dela, junto do Bastardo, Xaintrailles, La Hire, De Loré e outros capitães, quando cavalgaram para Jargeau, a fortaleza inglesa, a dezesseis quilômetros de Orléans, rio acima. Alençon, sendo o príncipe de sangue real presente no campo, era agora o tenente do rei no comando dessa campanha, mas não havia qualquer dúvida sobre o fato de que o que conduzia o exército adiante era o propósito inexorável de Joana – a convicção e o florescente carisma que tanto tinham deslumbrado Laval.

Em 11 de junho, eles sitiaram as tropas do conde de Suffolk em Jargeau, expulsando os ingleses dos subúrbios até que eles se retiraram para trás das muralhas da cidade. Como havia feito em Orléans, naquela noite Joana enviou uma mensagem ao inimigo dizendo que eles podiam salvar suas vidas se desistissem da cidade para Deus e o rei Carlos. Quando a recusa chegou – desta vez, sem a zombaria que tinha sido o prelúdio de tantas mortes inglesas em Orléans – os canhões franceses começaram a soar e, pela manhã, as muralhas foram esburacadas e danificadas, e uma das grandes torres ruiu.

Ainda assim, a tarefa de tomar uma cidade fortificada por um assalto precipitado era assustadora. Vieram notícias de que Sir John Fastolf, vencedor da Batalha dos Arenques, vinha de Paris com reforços e alguns dos capitães franceses aconselhavam cautela: talvez recuar, ou uma tentativa de encontrar Fastolf em campo aberto antes que ele pudesse se aproximar da própria Jargeau. Mas Joana insistiu em atacar imediatamente. Novamente, empunhou seu estandarte dentro da vala fora das muralhas; novamente, foi derrubada por um projétil, desta vez uma pedra jogada na sua cabeça por um soldado inglês. E, mais uma vez colocou-se de pé, gritando para seus homens que não poderia haver dúvida de sua vitória porque Deus estava com eles. Parecia, tanto para os franceses quanto para os ingleses, que os eventos de Orléans estavam se repetindo: depois de quatro horas de assalto implacável, a presença de Joana encorajou o avanço dos franceses enquanto os ingleses retrocediam amedrontados. Quando as tropas francesas subiram as escadas e invadiram as muralhas, o próprio conde de Suffolk foi feito prisioneiro, parando por um momento para nomear cavaleiro o soldado que o capturou antes de se entregar às mãos recémhonoráveis do homem. Com ele, Jargeau caiu, e a Donzela, Alençon e o Bastardo levaram seus cativos de volta a Orléans, onde foram recebidos com celebrações exaltadas.

De lá, eles se dirigiram para o oeste em direção a Meung, dezesseis quilômetros descendo o rio – outra cidade murada, esta com uma fortaleza do lado de fora de seus portões, onde os lordes ingleses Talbot e Scales se refugiaram após sua retirada do cerco em Orléans. Em vez de tentar um assalto duplo sobre a cidade e o castelo, o exército armagnac atacou a ponte fortificada que dava acesso ao rio Loire e deixou uma guarnição para guardá-la enquanto se dirigiam por outros poucos quilômetros até Beaugency, deixando Talbot e Scales isolados no lado norte do rio. O cerco foi preparado em Beaugency em 15 de junho, com a artilharia francesa ameaçadoramente agrupada, mas, no dia seguinte, notícias perturbadoras chegaram a Joana e aos capitães armagnacs nas duas frentes. Do norte, Sir John Fastolf e suas tropas agora estavam muito perto de sua posição, enquanto, aproximando-se do sudoeste – para consternação geral – vinha o conde de Richemont, o renegado condestável do reino de Bourges, que não tinha aparecido em campo por meses desde que pegara armas contra seu ex-protegido e principal rival pelo poder na corte, Georges de La Trémoille. Parecia que aquela notícia sobre as façanhas milagrosas da Donzela havia atraído Richemont de sua estabilidade em Parthenay. Se Deus concedesse notáveis vitórias contra os ingleses, ele queria o seu quinhão de glória.

Para Joana e o duque de Alençon, no entanto, a chegada iminente do condestável era profundamente alarmante, uma vez que o rei havia barrado a sua presença e o banido de seu serviço. Ao mesmo tempo, o fato palpável era que Fastolf representava o perigo claro e presente, e Richemont trazia consigo mais de mil novos soldados. Depois de tensas discussões dentro do campo armagnac, Alençon e o Bastardo cavalgaram para se encontrar com ele. O admirável biógrafo de Richemont, mais tarde, declarou ser dele um discurso negligentemente heroico, feito enquanto Joana – supostamente – se ajoelhava a seus pés: "Eles me dizem que você quer lutar comigo", teria dito o condestável. "Não sei se você é de Deus ou não; se é de Deus, não temo você de modo nenhum, porque Deus conhece bem as minhas boas intenções. Se você é do diabo, temo você ainda menos". Muito mais plausíveis eram os relatos de que Joana e os outros comandantes o fizeram prestar um juramento solene de que serviria fielmente ao rei antes de concordarem em lutar ao seu lado. De qualquer modo, as forças de Richemont conseguiram se juntar ao cerco. E quando Fastolf chegou em Beaugency, agora com Talbot e Scales em sua companhia, a posição armagnac parecia muito forte para ser atacada. Os reforços ingleses bateram em retirada rio acima para o castelo, fora das muralhas de Meung e, naquela noite, a guarnição sitiada de Beaugency, agora desesperada por resgate, negociou sua rendição.

No dia seguinte, 18 de junho, os soldados de Beaugency partiram para Paris, levando consigo pouco mais que os cavalos e suas próprias vidas. Quando essas notícias devastadoras chegaram a Meung naquela manhã, Fastolf, Talbot, Scales e seus homens os seguiram pela estrada rumo ao norte; não valia a pena manter a fortaleza se o rio estivesse perdido. Mas atrás deles, estimulada pela determinação da Donzela de que os ingleses agora fossem expulsos do vale do Loire sob a ponta da espada, estava a força total do exército armagnac, movendo-se rapidamente com La Hire e Xaintrailles na vanguarda, e Richemont, Alençon, o Bastardo, de Rais, de Gaucourt e Joana à frente de suas tropas. Os ingleses ainda não haviam chegado à aldeia de Patay – não muito longe da cena do triunfo de Fastolf na Batalha dos Arenques, apenas quatro meses antes – quando seus vigias trouxeram relatos alarmantes sobre essa furiosa perseguição.

Como acontecera antes, Fastolf usou uma formação defensiva, com Talbot e várias centenas de arqueiros se posicionando mais adiante, formando uma passagem estreita entre dois bosques, para proteger o corpo principal do exército atrás deles. O plano já conhecido, mas formidável, era que uma tempestade de flechas inglesas pegaria os armagnacs de surpresa. As tropas estavam quase no lugar certo quando, de repente, um veado saiu do bosque e mergulhou nas fileiras inglesas, desencadeando uma grande gritaria de confusão e medo exatamente no momento em que a aproximação dos cavaleiros das tropas francesas que avançavam podia ser ouvida. O animal tinha revelado a posição inglesa antes que os arqueiros de Talbot tivessem terminado de plantar suas estacas afiadas no chão e preparado seus arcos; a armadilha que os ingleses estavam tentando projetar seria lançada sobre eles, como descobriram seus inimigos armagnacs. Com um rugido, os soldados da Donzela investiram dentro da posição de Talbot e atacaram com o aço afiado das espadas, encontrando carne e osso. Enquanto os ingleses caíam em confusão e pânico, Talbot e Scales foram capturados e, desesperado em meio à matança, Fastolf virou seu cavalo e fugiu.

Já antes da batalha, de acordo com um cavaleiro burgúndio chamado Jean Waurin, que lutou sob o comando de Fastolf, "Pela fama de Joana, a Donzela, os corações dos ingleses foram enormemente mudados e enfraquecidos, e viram, como pareceu a ele, que a sorte estava cruelmente girando sua roda contra eles". Agora, o derramamento de sangue em Patay tinha não só garantido a fronteira do reino de Bourges, mas a empurrado de volta através do Loire para o interior da França inglesa. Tudo isso foi conseguido em apenas sete semanas desde a chegada da Donzela em Orléans. "E por essas operações", escreveu Waurin, "ela obteve tão grande louvação e renome, que realmente parecia a todos os homens que os inimigos do rei Carlos não teriam nenhum poder de resistência em qualquer lugar onde ela estivesse presente e que, por meio de seus recursos, o dito rei seria em breve restaurado ao seu reino, apesar de todos aqueles que desejavam se opor a esse fato.

Isso era o que Joana havia dito o tempo todo. E depois, ela levaria o rei para sua coroação.

VI

Um coração maior do que
o de qualquer homem

Havia pelo menos uma pessoa em Londres que recebia as notícias da França com prazer. Àquela altura, o duque de Orléans já era um prisioneiro na Inglaterra por 14 dos seus 35 anos. Ele era um cativo honrado, a quem se permitia viver no luxo que seu sangue real demandava e receber visitas cuidadosamente monitoradas dos seus criados franceses, mas foi incapaz de ajudar a sua cidade de Orléans durante seus longos meses de sofrimento sob o cerco inglês. Agora ela estava livre, graças à maravilhosa intervenção da extraordinária jovem. Para homenageá-la, o duque lhe enviou um presente: uma bela túnica e um casaquito em carmesim e verde mais escuro, as cores da farda da casa de Orléans, confeccionada para ela por um vendedor de tecidos e alfaiate na cidade.

Jean Gerson acreditava, quando escreveu seu primeiro tratado para analisar o caso da Donzela, que ela se vestia novamente com roupas femininas quando não estava cavalgando com soldados; toda vez que desmontava de seu cavalo, disse ele, essa camponesa era tão inexperiente em assuntos mundanos como um cordeiro inocente. Gerson até poderia ter tido razão em ambos os casos, porém não mais. Quando tirava a armadura, Joana se vestia como um homem, com meias de seda e gibão de cetim como aquele enviado pelo duque cativo. Ela tinha criados para servi-la e podia ordenar o vinho quando estava com sede, como fazia quando bebia com o deslumbrado Guy de Laval, assim como podia enviar para a aristocrática avó de Laval um anel de ouro, pedindo desculpas ao fazê-lo porque era apenas uma pequena joia. Agora Joana não era apenas uma jovem camponesa, mas uma jogadora no palco político da corte armagnac – uma posição que, dia a dia, trazia consigo uma nova experiência complexa e frustrante.

Depois de seu triunfo em Patay, Joana e o duque de Alençon torna-ram a se reunir com Carlos em Sully-sur-Loire, uma fortaleza circundada por fossos que pertencia ao favorito do rei, Georges de La Trémoille, que ficava quarenta quilômetros a leste ao longo do rio que vem de Orléans. Carlos os recebeu com alegria, agradecendo a Deus por dar à Donzela tal coragem em sua missão, e concedendo uma elegante recepção a seus nobres prisioneiros ingleses. Mas quando Joana se ajoelhou para pedir ao rei que Richemont – que havia trazido tantos soldados para a sua causa e lutado bravamente ao seu lado – fosse perdoado por suas ofensas anteriores, a resposta foi muito menos suave. Richemont foi perdoado, disse Carlos, mas ele não deveria vir à corte, nem se unir ao rei em sua jornada para a coroação em Reims. Para Joana isso era desconcertante. Deus a enviara para reunir a França ao serviço de seu verdadeiro soberano. Por que, então, o rei não abraçaria um filho pródigo que voltava ao aprisco? A resposta, era claro, estava com La Trémoille, cujo entusiasmo pelas vitórias de Joana estava diluído pela preocupação de que elas pudessem reintroduzir efeitos indesejáveis dentro da política de um reino em que atualmente exercia tal influência. A infeliz lição que Joana estava começando a aprender era que até mesmo uma missão do céu não poderia reparar facilmente as falhas nessa corte fraturada.

Pelo menos o rei havia concordado em deixar a renovada segurança de Loire para fazer a viagem até Reims para a coroação que a Donzela havia prometido. Essa seria a primeira incursão do rei dentro do terri-tório inimigo desde os resultados da vitória armagnac em Baugé, oito anos antes, quando seu pai e o rei-guerreiro Henrique da Inglaterra ainda estavam vivos – e, para um rei que nunca tinha conduzido seu povo além da linha de frente militar, essa não era uma perspectiva tranquilizadora. A própria Reims, onde o óleo sagrado de Clóvis era guardado na Santa Ampola, encontrava-se sob controle burgúndio, e grande parte dos 160 quilômetros ou mais do território entre Reims e o Loire estava em mãos inglesas ou burgúndias. Outras vozes na corte argumentavam que Reims era uma distração e pressionavam por um ataque certeiro na Normandia, o coração da ocupação inglesa, mas Joana permanecia inflexível de que o rei deveria ser ungido e coroado. Uma vez que Deus tivesse sancionado a sua realeza, ela sabia que o poder de seus inimigos definharia. Ela estava certa em Orléans, um veredito confirmado pela vitória gloriosa em Patay. Os homens afluíam para se juntar ao exército do rei pela primeira vez em anos, e cidades como Janville, trinta quilômetros ao norte de Orléans – onde Fastolf tinha tentado se refugiar após a luta em Patay, mas encontrou os portões fechados –, foram voltando espontaneamente sua lealdade aos armagnacs. Em outras palavras, sua missão era incontestável. E assim, no dia 29 de junho, a festa real começou.

O rei cavalgou encabeçando milhares de soldados, o maior exército que pôde reunir; ele convocara todos os seus súditos aptos a carregar armas para virem em seu auxílio, e agora mandava cartas à frente para avisar as cidades anglo-burgúndias que se encontravam no seu caminho sobre a sua aproximação iminente. Se eles prestassem a obediência que, legitimamente, era devida a ele, o passado seria esquecido, sem mais pensamentos de vingança real por sua deslealdade. A ameaça mal dissimulada funcionou em Auxerre, onde os governadores da cidade burgúndia não mostraram apetite para o confronto armado e, por volta da manhã de 5 de julho, o exército armagnac tinha avançado para Troyes, o lugar onde a ultrajante sentença de deserdação tinha sido formalmente pronunciada contra o verdadeiro herdeiro da França havia quase uma década.

Mas o povo de Troyes, afinal, não seria tão facilmente persuadido a abrir suas portas. Eles haviam jurado lealdade ao duque de Borgonha e ao rei Henrique, o legítimo sucessor do rei Carlos, o Bem-Amado, de acordo com os termos do tratado que havia sido selado na catedral da cidade, e sua guarnição de soldados ingleses e burgúndios estava pronta para defendê-los contra as pretensões do chamado delfim e seu exército de traidores. Tampouco ficaram intimidados com a presença da moça que chamava a si mesma de Donzela. Dentro de seus próprios muros, havia um homem bem qualificado para julgar tais alegações de inspiração divina: um frade chamado Irmão Richard, que ficou publicamente conhecido três meses antes, em Paris. Durante dez dias em abril, ele pregou advertências sobre a chegada do Anticristo para milhares de pessoas, invocando as dores do fogo do inferno com uma urgência tão aterrorizante, que os homens queimaram grandes montes de tabuleiros de xadrez, dados, cartões "e todo tipo de jogo cobiçoso que pode dar origem à raiva e a imprecações", disse o autor do diário da cidade, enquanto as mulheres atiravam nas chamas elaborados ornatos para cabeça e outras tantas vaidades femininas. Agora que ele havia trazido sua mensagem apocalíptica para Troyes, os habitantes da cidade o enviaram para descobrir se Joana tinha vindo até eles do céu ou do inferno.

Quando Irmão Richard voltou, no entanto, não trazia a resposta que eles esperavam. Haviam pensado que ele provavelmente a declararia uma herege ou uma bruxa, para ser condenada como as raízes de mandrágora – mantidas pelos insensatos na crença supersticiosa de que trariam riquezas terrenas – que ele havia jogado sobre as fogueiras em Paris. Em vez disso, o Irmão Richard tinha ficado tão impressionado com a Donzela, que trouxe uma carta que ela ditou no dia anterior de sua chegada ao exterior das muralhas de Troyes, endereçada aos habitantes da cidade. Eles já haviam recebido uma carta de Carlos, o legítimo rei da França; agora Joana trazia para eles a palavra do todo-poderoso rei dos céus. Ela não se esqueceu de que a população de Troyes era francesa, para ser acolhida de volta ao caminho da justiça, e não inglesa, para ser ameaçada com a ira de Deus, mas suas instruções – após sua invocação habitual dos santos nomes *Jhesus Maria* – não foram menos diretas.

"Meus mui queridos e bons amigos", começou ela, "se é isso o que vocês são: meus lordes, cidadãos e povo da cidade de Troyes; Joana, a Donzela, lhes traz uma mensagem do rei dos céus, seu legítimo Senhor soberano, em cujo serviço real ela passa todos os dias, de que vocês devem se submeter em verdadeiro reconhecimento ao nobre rei da França, que em breve estará em Reims e em Paris, independentemente de quem quer que possa se opor a ele, e em suas belas cidades deste reino santo, com a ajuda do Rei Jesus. Leais franceses, venham diante do rei Carlos, e não falhem; e não temam por suas vidas ou suas posses se vocês o fizerem". Os braços dela estavam abertos para recebê-los, mas ainda havia aço por trás de suas palavras. "Se assim não o fizerem, prometo e juro a vocês, por suas vidas, que entraremos com a ajuda de Deus em todas as cidades que legitimamente pertencem a este santo reino, e imporemos uma paz boa e duradoura a quem quer que se oponha a nós. Eu os entrego a Deus; que Deus os preserve, se for essa a Sua vontade. Respondam imediatamente".

Contudo, as autoridades em Troyes sentiram-se pouco inclinadas a obedecer a essa peremptória demanda. Estava claro que o Irmão Richard não era o homem honorável que eles haviam pensado, mas sim um feiticeiro, e essa jovem era uma louca inspirada pelo demônio; não Joana, a Donzela, mas Joana, a Arrogante. Eles leram sua carta e zombaram dela – a carta não tinha rima nem razão, declararam – e então a queimaram, sem respondê-la. Enquanto observavam o exército dos armagnac se agrupar fora das muralhas, escreveram com urgência aos cidadãos de Reims, pedindo-lhes que solicitassem ao regente Bedford e ao duque de Borgonha que viessem ajudá-los. Nesse meio-tempo, prepararam-se para defender a cidade até a morte.

Não demorou muito, porém, até que uma saída inicial de alguns de seus soldados demonstrasse que o exército dos traidores era inquietantemente maior do que imaginavam. À medida que o impasse se arrastou de um dia para o outro e depois de dois para três dias, as esperanças de resgate começaram a minguar, bem como as certezas de sua posição. Seria possível que o Irmão Richard pudesse estar certo, afinal, de que essa jovem tinha algum tipo de autoridade vinda de Deus? Eles não tinham como saber, visto que os arautos se moviam infrutiferamente entre os dois lados, que a ansiedade estava reinando tanto fora quanto dentro das muralhas da cidade. Havia muitas bocas famintas no exército armagnac e pouco com que alimentá-las. Os sitiadores tinham pouco dinheiro e artilharia e a cidade estava fortemente defendida. Talvez, como o chanceler do rei, Regnault de Chartres, arcebispo de Reims, sugeriu a uma receptiva audiência de conselheiros e capitães reais, eles pudessem deixar Troyes à sua intransigência e voltarem para a segurança e abundância do Loire. Mas o veterano Robert le Maçon insistia que se deveria procurar mais uma opinião: a da Donzela, aquela que cavalgava à frente das tropas do rei, mas não era uma presença regular entre os sábios chefes do Conselho real. Ela, asseverou Le Maçon, era a razão de estarem lá; portanto, devia ser dada a ela a oportunidade de falar.

Joana foi devidamente convocada e as dificuldades de sua posição lhe foram explicadas. Não era a primeira vez que ela ficava desconcertada. Tais detalhes eram irrelevantes. Que razão havia, agora ou em qualquer outro momento, em desviar-se de um curso estabelecido pelo próprio Deus? A resposta era simples. Dentro de dois ou três dias, ela deveria conduzir o rei através dos portões de Troyes; quanto a isso, não podia haver dúvidas. Os conselheiros sabiam que tinham uma probabilidade: ou seguir sua fé, ou deixá-la de lado em favor da razão. Mas se eles optassem pelo último caminho, em primeiro lugar, por que haviam eles deixado o Loire para a perigosa jornada até Reims? Colocando-se dessa maneira, a decisão já estava tomada.

E, então, com a relutante bênção do Conselho Real, montada em seu cavalo de guerra e diante da plena visão dos habitantes da cidade que a observavam, Joana ordenou a seus soldados que preparassem as armas que possuíam e enchessem de galhos as valas ao redor das muralhas. Depois de quatro dias de medo e profunda incerteza, a visão desses preparativos para um ataque conduzido pela Donzela milagrosa finalmente quebrou a resistência da cidade. Os portões foram abertos, surgiu uma comitiva para oferecer condições para a rendição e, na manhã seguinte, o rei cavalgou para dentro de Troyes numa imponente procissão, com Joana e seu estandarte ao seu lado. No dia seguinte, 11 de julho, os governadores da cidade escreveram para Reims apressadamente. Dessa vez, não havia qualquer menção ao regente Bedford e ao duque de Borgonha, ou ao juramento de servir ao rei Henrique ou de lutar até a morte; dessa vez, eles explicaram que o rei Carlos estava pronto para esquecer o passado, e que ele iria trazer a paz para o seu reino, assim como seu antepassado São Luís havia feito. Os habitantes de Reims certamente compartilhariam a alegria que Troyes conhecia agora, uma vez que eles se submeteram a um príncipe de tanta discrição, compreensão e valor.

Não demorou muito para que o povo de Reims recebesse outra carta oferecendo uma versão bastante diferente dos acontecimentos. Em um golpe de má sorte, o capitão de sua própria guarnição não estava com eles na cidade, mas seu irmão escreveu com urgência das proximidades de Châtillon-sur-Marne para lhes dizer que muitos cavaleiros leais em Troyes não queriam se render. Apesar dessa primeira oposição e da evidente fraqueza na posição do inimigo, as artimanhas do Irmão Richard – ou pelo menos era isso que o irmão do capitão tinha ouvido – convenceram o bispo e muitas pessoas comuns a abrirem as portas aos armagnacs. O escudeiro que lhe trouxera essa notícia de Troyes tinha visto Joana, a Donzela, com seus próprios olhos, e a ouvira falar, e jurou que ela era tão simples que era quase estúpida; o que ela dizia não fazia mais sentido, relatou o homem, do que as palavras do maior tolo que ele já tinha visto.

Ao que parece, nem todos estavam convencidos pela jovem camponesa vestida em armadura, falando sobre Deus e correndo com soldados. No entanto, qualquer que fosse a visão que a população de Reims tivesse dela, o fato era – como o seu capitão que havia regressado foi relutantemente forçado a admitir – que qualquer perspectiva de resgate por parte dos duques de Bedford e Borgonha estava a semanas de distância, enquanto o inimigo estava praticamente à vista. Em 16 de julho, os habitantes de Châlons, quarenta quilômetros a sudeste de Reims, escreveram para informar seus vizinhos de que eles também haviam decidido receber o afável e misericordioso rei Carlos como seu soberano e para aconselhar que Reims deveria fazer o mesmo sem demora. No final, a escolha foi rapidamente feita. Quando o rei e seu exército chegaram a Sept-Saulx, a apenas dezenove quilômetros da cidade, foram recebidos por um grupo de dignitários vindos de Reims que se ajoelharam para oferecer a Carlos sua obediência como seu legítimo rei.

Naquela noite, o rei cavalgou através dos portões de Reims enquanto a multidão lhe dava as boas-vindas gritando *"Noël"*. A aclamação era política, mas seu significado era inescrutável; depois de tantos anos de conflito era impossível distinguir entre expressões de alívio e medo, entre entusiasmo e exaustão. Carlos foi saudado pelo arcebispo da cidade, por seu próprio chanceler, Regnault de Chartres, que saíra do lado do rei apenas algumas horas antes para, finalmente, tomar posse do assento arquiepiscopal, do qual tinha sido banido durante os anos em que este estivera em mãos burgúndias. Naquela noite, enquanto o rei descansava nas suntuosas redondezas do palácio do arcebispo, seus oficiais, conselheiros e servos trabalharam ao longo das horas de escuridão para organizar a coroação improvisada que aconteceria na grande catedral logo no dia seguinte.

Às nove da manhã do domingo, 17 de julho, 49 anos depois da coroação de seu pai e sete anos depois da morte dele, Carlos VII da França entrou na catedral de Reims para a sua própria coroação. O labirinto octogonal incrustado em mármore preto e branco no piso da nave poderia ter parecido representar o caminho tortuoso que Deus, em Sua sabedoria, exigira que o rei pisasse, não fosse pelo fato de que, desde a chegada da Donzela, o céu tinha aberto o caminho diante dele com uma nova e surpreendente retidão. Quatro meses antes, ele contemplara a retirada para o extremo sul de seu reino diante de uma usurpação que havia começado a parecer inexorável e irreversível. Agora, após o milagre de Orléans e a vitória em Patay, ele avançara profundamente para o território de seus inimigos, sem que um golpe sequer fosse desferido ou precisasse resistir a ele. As antigas insígnias de Carlos Magno, por enquanto, estavam fora de seu alcance em Saint-Denis, mas uma coroa e uma espada tinham sido preparadas para substituí-las e, às seis horas daquela manhã, quatro de seus cavaleiros, incluindo Gilles de Rais, tinham ido à abadia vizinha de Saint-Rémi para coletar o óleo sagrado de Clóvis com o qual sua realeza, finalmente, receberia a força sacramental.

Agora os cavaleiros cavalgavam completamente armados em seus grandes cavalos de guerra pela porta oeste da catedral para apresentar a Santa Ampola ao arcebispo à entrada do coro. E assim começou a cerimônia. Por mais que estivesse preparada com magnificência, a santidade era palpável. Com orações e salmos, o rei foi apresentado a Deus, e o óleo santo com o qual ele foi ungido na cabeça, no peito, nos ombros e nos braços o consagrou ao serviço do céu como o soberano abençoado de seu povo. Naquele momento sagrado, e novamente quando o arcebispo colocou a coroa em sua cabeça, gritos de *"Noël"* ecoaram sob o teto abobadado da catedral, e as trombetas soavam tão alto que um observador declarou que parecia que os próprios arcos se quebrariam. E, o tempo todo, Joana, a Donzela, estava ao lado de Carlos, vestida em sua brilhante armadura e segurando seu estandarte branco.

Agora, finalmente, o verdadeiro rei da França era realmente um rei. Após a cerimônia, Joana se ajoelhou a seus pés. "Nobre rei, a vontade de Deus está feita", ela disse, e começou a chorar, dominada pela magnitude do que os céus tinham-na ajudado a cumprir. Como havia prometido, ela trouxera o homem que uma vez chamou de delfim até Reims e o viu coroado, com a nobreza do reino mais cristão reunida ao seu redor. O duque de Alençon, o conde de Clermont e o Bastardo de Orléans estavam presentes. O dedicado Guy de Laval, que havia lutado ao lado de Joana desde que a encontrou em Selles, foi nomeado conde naquele dia, juntamente com o mais amado conselheiro do rei, Georges de La Trémoille. Gilles de Rais foi nomeado marechal da França, diante do olhar de aprovação dos capitães com quem ele e Joana cavalgaram para combater em Orléans e Patay. A eles se havia juntado, a tempo para a cerimônia, o cunhado do rei, filho de Iolanda, René de Anjou, herdeiro dos ducados de Bar e Lorena. E também recém-chegado de Bar, junto do jovem futuro duque, estava um pequeno grupo de rostos maravilhados que eram muito familiares a Joana: seu pai, seus irmãos, o marido de sua prima e seu padrinho, que haviam sido alojados em uma estalagem à custa da população da cidade.

Apesar das lágrimas de júbilo, no entanto, faltavam algumas figuras nesse encontro leal cuja ausência era um lembrete incisivo do que ainda restava ser feito. Independentemente das súplicas de Joana, o condestável Arthur de Richemont, que deveria ter levado a espada do Estado em procissão perante o rei, viu recusada sua permissão para comparecer, sendo o seu lugar ocupado pelo meio-irmão de seu inimigo La Trémoille. O duque de Orléans, primo-irmão do rei, estava inevitavelmente detido pelas barras da sua gaiola dourada na Inglaterra. A ausência mais significativa de todas foi a do duque de Borgonha, o príncipe de sangue real, cuja rivalidade com o rei recém-coroado estava no âmago da automutilação da França. Se o reino quisesse garantir sua unidade novamente e que os ingleses fossem afastados de uma vez por todas, então Filipe de Borgonha precisaria estar ao lado do rei Carlos. Todos os participantes da corte armagnac sabiam que isso era verdade, por maiores que fossem as rupturas entre eles. La Trémoille, que havia sido burgúndio antes de se tornar armagnac e cujo irmão Jean permanecia a serviço dos burgúndios, estava envolvido em debates diplomáticos com os enviados do duque Filipe desde o fim de junho, e nesse ponto Joana também tomou a iniciativa de escrever ao duque para lembrá-lo de seu dever de vir a Reims para a coroação de seu legítimo rei.

Agora, no dia triunfal da cerimônia, ela chamou novamente seu clérigo. *"Jhesus Maria"*, começou. "Vossa alteza e poderoso príncipe, duque de Borgonha, Joana, a Donzela, vos convida em nome do rei dos céus, meu legítimo senhor e soberano, para que vós e o rei da França possam estabelecer uma boa e duradoura paz. Perdoem um ao outro inteiramente, de boa-fé, como os leais cristãos devem fazer; e se vós quiserdes fazer a guerra, fazei-a contra os sarracenos". Ela foi respeitosa – "príncipe da Borgonha, peço, suplico e exorto-vos tão humildemente quanto posso, que vós não façais mais nenhuma guerra no reino santo da França" – mas não hesitou em deixar claro o quanto estava em jogo e quais seriam as consequências se o duque não levasse em conta as suas palavras. "Trago-vos a palavra do rei dos céus, meu legítimo e soberano senhor, para vosso bem, para vossa honra e para vossa vida, que vós não ganhareis nenhuma batalha contra franceses leais, e que todos que fazem a guerra contra o reino sagrado da França travam guerra contra o Rei Jesus, o rei dos céus e de todo o mundo, meu legítimo e soberano senhor. E, com as mãos entrelaçadas, rogo e invoco que não luteis em batalha e não façais guerra contra nós, nem vós, nem vossos homens, nem vossos súditos; e sabei com certeza que, não importa quantos homens tragais contra nós, eles não ganharão nada, e uma grande tristeza será o resultado da grande batalha e do sangue que será derramado por aqueles que vierem contra nós."

A veracidade evidente das palavras de Joana foi demonstrada pelo destino daqueles a quem ela havia escrito antes: os ingleses em Orléans, derrotados, e os franceses de Troyes, que se renderam. No entanto, Filipe de Borgonha não havia respondido a sua primeira carta, nem respondeu a essa segunda. Se alguma centelha de hesitação passou pela mente do duque, qualquer questionamento sobre se o dom de profecia que essa jovem afirmava possuir realmente vinha do céu, ele tinha sido extinto

– pelo menos em público – exatamente uma semana antes, quando Filipe foi recebido com grande magnificência na cidade de Paris por seu cunhado, o duque de Bedford.

Nessa cerimônia, as elegantes palavras de saudação de Bedford foram emitidas por entre dentes cerrados, mas o regente até poderia ter sido perdoado por desejar saber como chegou àquele ponto de se defrontar com notícias tão perigosas naquele verão. Em primeiro lugar, ele nem queria sitiar Orléans; aquele tinha sido o plano do conde de Salisbury, até que uma bala de canhão rasgou o rosto dele. Mesmo assim, aquele que se dizia delfim e seus rebeldes armagnacs praticamente fugiram correndo, até a chegada dessa rapariga, essa bruxa, que agora estava conduzindo o falso rei até Reims para uma coroação espúria. Em abril, antes mesmo de Joana ter chegado a Orléans, Bedford havia escrito ao Conselho da Inglaterra para pedir reforços e propor que o rei-infante Henrique fosse coroado o mais rápido possível. Ele sabia o quanto era importante demonstrar que Deus estava com o menino que governava dois reinos, exatamente como Ele tinha estado com seu glorioso pai em Agincourt. Mas o Conselho da Inglaterra nada fez. Agora, depois dos extraordinários reveses que haviam acontecido aos ingleses nos meses seguintes, sobrou para Bedford lembrar ao seu cunhado burgúndio a sua responsabilidade divinamente confirmada de combater os armagnacs.

O ritual público que marcou o primeiro dia da visita do duque Filipe a Paris incluía uma grande procissão e um sermão pregado em Notre-Dame, mas o cerne de sua apresentação política foi um espetáculo que aconteceu em 14 de julho na presença dos dois duques no palácio real na Île de la Cité. Ali, relatou o jornalista, foi publicamente ensaiado como "nos tempos antigos", que o suposto delfim e seus pérfidos armagnacs fizeram a paz com o nobre pai do duque de Borgonha, e haviam prestado solenes juramentos e recebido juntos o sacramento da Eucaristia, "o precioso corpo de Nosso Senhor", e como então o pai do duque – "desejando e ansiando que o reino estivesse em paz e querendo cumprir a promessa que havia feito" – ajoelhou-se diante do delfim na ponte em Montereau, para em seguida ser traiçoeiramente assassinado. Junto a essa lembrança dos crimes cometidos pelo homem que os armagnacs ousaram chamar de seu rei, houve alvoroço na multidão parisiense, até que o regente Bedford pediu silêncio para permitir que o duque de Borgonha falasse de sua tristeza pela paz rompida e a morte prematura do pai. Então os dois duques, juntos, juraram defender a cidade, e convocaram seus habitantes para que, por sua vez, jurassem que seriam leais e fiéis.

Na emoção do momento, foi fácil esquecer quão raro era para os dois duques naquele dia estarem em Paris, e muito menos juntos. Como seus interesses nos Países Baixos cresceram e suas diferenças com os ingleses se multiplicaram, Filipe de Borgonha parecia cada vez mais ser um parceiro adormecido na aliança anglo-burgúndia. E isso era perigoso, uma vez que dava a impressão de que a guerra se tornara um conflito entre os ingleses e os franceses, e não entre os verdadeiros franceses leais ao rei Henrique e os falsos franceses do pretendente Carlos. Falar simplesmente dos franceses lutando com os ingleses, afinal de contas, era usar a linguagem da jovem que havia sido enviada pelo demônio para romper o cerco de Orléans. Mas o *coup de théâtre* parisiense de Bedford – reforçado nos bastidores com a ajuda de sua devotada esposa, a amada irmã de Filipe, Anne de Borgonha – agora queria dizer que o duque Filipe não tinha escolha a não ser reafirmar seu compromisso de aliança com a Inglaterra contra os traidores armagnacs.

Mesmo assim, a persistente fragilidade da coalizão anglo-burgúndia estava aparente em toda parte. Apesar de seus gestos públicos de solidariedade, Bedford foi forçado a concordar que o duque de Borgonha deveria continuar a ser pago integralmente pelo apoio militar que fornecia para a França inglesa. E o regente bem poderia ter-se perguntado se um aliado que exigia pagamento era um aliado de fato: no dia em que o duque Filipe deixou Paris depois de seu encontro com Bedford, chegaram a Reims alguns enviados de sua corte a tempo de assistir à coroação do rei Carlos. Enquanto se preparavam para negociar uma trégua temporária entre os burgúndios e os armagnacs, o rei armagnac e seu exército avançaram, aproximando-se de Paris, à medida que mais cidades burgúndias abriam suas portas e se submetiam à sua autoridade.

Todavia, a vitoriosa enviada dos céus, Joana, a Donzela, não estava feliz com essa abordagem fragmentada. Sua fama estava crescendo; embora o grande teólogo armagnac Jean Gerson tivesse morrido no dia 12 de julho, cinco dias antes da cerimônia de deificação de seu rei em Reims, diferentes escritores pegaram suas penas para registrar a conquista de Joana. Um dos secretários do rei, um talentoso poeta chamado Alain Chartier, compôs uma carta em latim descrevendo os miraculosos feitos dessa "moça guerreira" que era "a glória não apenas da França, mas de todos os cristãos". E esse enaltecimento encontrou eco na extraordinária figura de Christine de Pizan, a filha de um médico veneziano na real corte francesa que, apesar das desconfianças acumuladas contra ela por causa de seu sexo, havia se tornado uma das mais ilustres escritoras de sua época. Em 1418, quando os burgúndios atacaram Paris, Christine fugiu horrorizada para a abadia de Poissy, fora das muralhas da cidade; agora, sexagenária, emergiu de mais de uma década de silêncio literário para celebrar o renascimento da causa armagnac, regozijando-se em verso efervescente sobre a restauração do rei legítimo por meio de sua abençoada donzela. Joana, declarou ela, foi enviada por Deus, "que lhe concedeu um coração maior do que o de qualquer homem".

Agora, no entanto, o coração da Donzela estava aflito. Em 5 de agosto, ela enviou uma carta aos seus "queridos e bons amigos", a população de Reims, alertando-os de que não deveriam ter nem um momento de dúvida em relação ao seu compromisso para com eles ou sobre a causa pela qual ela estava lutando, mas que era verdade que o rei tinha feito uma trégua com o duque de Borgonha, cujos termos estabeleciam que o duque deveria entregar a cidade de Paris ao final de quinze dias. Joana não estava convencida. "Não fiquem surpresos", disse a eles, "se eu não entrar lá tão rapidamente. Embora essa trégua tenha sido feita, não estou de todo satisfeita, e não sei se irei mantê-la. Mas se o fizer, será apenas para preservar a honra do rei, e também enquanto eles não menosprezarem o sangue real, porque estarei controlando e mantendo o exército do rei reunido para estar pronto ao final dos referidos quinze dias se eles não estabelecerem a paz". A responsabilidade que Deus havia dado a ela sempre fora singular, mas agora — depois da euforia da coroação, e encontrando-se repentina e inesperadamente em meio a vertiginosas correntes políticas — ela parecia novamente consciente do quão sozinha estava com seu dever. "Meus queridos e mais perfeitos amigos", acrescentou, "rogo a vocês que não se sintam inquietos enquanto eu viver; mas peço que prestem muita atenção e protejam a boa cidade do rei, e me avisem se houver algum traidor que deseje prejudicá-los, e assim que eu puder, eu o afastarei; e deixem-me saber de suas notícias".

Christine de Pizan, tendo terminado seu hino de louvor à Donzela seis dias antes, tinha certeza de que Joana em breve conduziria o rei até Paris e, para a própria Joana, a reconquista da grande capital do reino parecia ser o próximo passo óbvio. Óbvio, talvez, mas não ordenado por Deus. Ela soube que levaria o rei para Reims assim que chegou a Chinon e, em Poitiers, soube pouco depois que sua sina seria libertar Orléans. Mas ainda havia o restante de sua missão: expulsar os ingleses do solo francês. Isso foi o que Deus havia deixado claro – mas a questão era como tal façanha poderia ser alcançada. A paz com o duque de Borgonha curaria as feridas da França, mas isso, para Joana, exigia a sub-missão do duque a seu rei, não só as palavras sutis e sem substância dos diplomatas. Ela também sabia que se atacasse o inimigo – e tirar Paris das mãos inglesas seria um grande e necessário prêmio –, então Deus lhe daria a vitória. Porém, nesse grande exército que tinha escoltado o rei até Reims, ela era mais um entre muitos capitães, e não era dado a ela, habitualmente, um lugar nos debates sobre política e estratégia que consumiam a atenção dos conselheiros do rei.

Joana havia sido uma líder excepcional num momento excepcional – uma anomalia miraculosa que, pela vontade dos céus, havia trans-formado a paisagem onde estava colocada. Sabia que Deus estava com ela e quanto trabalho ainda tinha pela frente. Mas o que aconteceria se aqueles que estavam a seu redor acreditassem que o momento do milagre havia passado?

VII

Uma criatura na forma
de uma mulher

Estava claro para o duque de Bedford que, se Paris tivesse que ser defendida, ele mesmo teria que fazer isso. Em público – e com o ar de alguém que esperava (caso repetisse com frequência) que isso se tornasse realidade – o duque insistia que a aliança anglo-burgúndia continuava forte; Filipe de Borgonha, Bedford disse ao Conselho na volta para a Inglaterra, estava mostrando ser, nessa hora de necessidade, um "verdadeiro parente de sangue, amigo e vassalo leal" do jovem rei Henrique.

O fato prático da questão, no entanto, era que o duque Filipe não estava em Paris. Em vez disso, por volta da primeira semana de agosto, ele estava em seu palácio de Arras, em Artois, 160 quilômetros ao norte, onde – como Bedford ficou sabendo – uma delegação de enviados armagnacs de alto nível tinha acabado de chegar, liderada pelo chanceler Regnault de Chartres, arcebispo de Reims, e pelo soldado veterano Raoul de Gaucourt. O duque Filipe não admitiu de imediato que comparecessem à sua presença, e Bedford tinha o melhor de todos os espiões possíveis, os olhos afiados de sua esposa, Anne, para mantê-lo informado sobre o que seu irmão estava fazendo. Ainda assim, a situação não era nada tranquilizadora – e, independentemente de sua preocupação a respeito da confiabilidade de seu parceiro burgúndio, Bedford decididamente também possuía poucos tenentes ingleses, já que Suffolk, Talbot e Scales agora penavam em mãos inimigas.

Havia pouca opção, exceto se preparar para trabalhar. Agora mesmo as muralhas de quase dez metros da cidade tinham sido reforçadas e posições de artilharia estendiam-se em torno delas, e em 25 de julho o duque atravessou os portões em sua montaria, na companhia de seu tio, o cardeal Henrique Beaufort, 250 soldados e 2.500 arqueiros – novas tropas reunidas pelo cardeal na Inglaterra para uma cruzada contra os hereges hussitas na Boêmia, mas, graças à pressão dos acontecimentos na França, rapidamente foram desviados para Paris. Dentro de alguns dias, Bedford e sua nova tropa estavam no campo, avançando pela zona rural, fora dos limites da cidade, numa tentativa de evitar qualquer abordagem mais próxima do exército armagnac. Mas quando chegaram as notícias de que os embaixadores armagnacs estavam em Arras para negociar a paz com a Borgonha, o regente decidiu que havia chegado o momento de um movimento mais dramático de sua parte.

Em 7 de agosto, ele estava em Montereau, o funesto local onde o sangue de João Sem Medo havia sido derramado quase dez anos antes. De lá, Bedford lançou um desafio para "você, Carlos de Valois, que está acostumado a se chamar de *dauphin de Vienne*, e agora, sem justa causa, chama a si mesmo de rei". Carlos deveria encontrá-lo cara a cara, declarou, fosse para fazer a paz ou para lutar; mas os termos nos quais seu desafio foi formulado deixaram claro que suas palavras eram destinadas na mesma medida para os ouvidos do seu aliado burgúndio assim como eram dirigidas para seu inimigo armagnac. "Nós somos, e sempre seremos, atentos e determinados a seguir todos os bons caminhos de paz que não sejam fingidos, corruptos, dissimulados, divididos ou perjurados", ele anunciou – e todos os que ouviram poderiam adivinhar o que viria a seguir –"[...] como aquele em Montereau-Fault-Yonne, do qual resultou, por sua culpa e conivência, o assassinato mais horrível, detestável e cruel cometido contra a lei e a honra cavalheiresca do nosso querido e mais amado falecido pai" – João, o Sem Medo, pai de Bedford de acordo com a lei da Igreja, através de seu casamento com Anne, a filha do duque. Após os juramentos feitos em Paris, e agora com essa evocação do assassinato exatamente no mesmo lugar em que havia sido cometido, Bedford estava esperançoso de que seu cunhado Filipe não pudesse ignorar publicamente os crimes do passado, por mais água que tivesse corrido sob a ponte manchada de sangue de Montereau desde então.

Bedford também tinha uma mensagem para a população de Paris. O autointitulado delfim estava abusando da confiança dos simples e dos ignorantes, explicou ele, com a ajuda de dois "personagens supersticiosos e imorais", ambos "abomináveis aos olhos de Deus": uma "mulher vagabunda de má reputação, vestida como homem e dissoluta em sua conduta", e "um monge apóstata e sedicioso". O Irmão Richard, ao que parece, tinha sido conquistado por seu encontro com Joana em Troyes a tal ponto que ele agora estava cavalgando com ela e o exército armagnac. Essas notícias eram tão indesejáveis em Paris, onde seus sermões ensurdecedores haviam convertido muitos a uma nova austeridade de vida, que os cidadãos voltaram a jogar gamão, boliche e dados em desafio ostensivo aos seus ensinamentos e trocaram os medalhões de estanho que os persuadiu a usar, cada um com a inscrição do nome de Jesus, por saltores burgúndios. Por conseguinte, reunir o frade e a Donzela serviu como um projeto útil para Bedford dentro da cidade que ele estava tentando defender: as reivindicações de Joana sobre a inspiração divina só podiam ser manchadas, aos olhos dos parisienses, se ela fosse a parceira no crime de um líder espiritual que houvesse traído totalmente sua confiança.

A carta de Bedford era longa, mas sua conclusão era clara: Deus, "que é o único juiz", disse ele, reconheceria o direito verdadeiro do rei Henrique, fosse por meio da paz ou da guerra. No entanto, por mais que muitas dessas palavras fossem destinadas a outros, assim como ao recém-coroado rei armagnac, Carlos dificilmente poderia ignorar tal desafio ao seu título e à sua conduta. Em 14 de agosto, seu exército tinha chegado à vista das forças de Bedford, ao norte de Paris, em Montepilloy, nos arredores de Senlis. Ambos os lados cavaram durante a noite, trabalhando rapidamente para fortificar suas posições. Os ingleses – junto de algumas centenas de soldados burgúndios reunidos às custas da Inglaterra para a defesa de Paris – carregavam as bandeiras da França e da Inglaterra, dos dois reinos do rei Henrique e o estandarte de seu patrono, São Jorge. Os armagnacs foram organizados sob muitos comandantes: o duque de Alençon, René de Anjou, Gilles de Rais e, na parte dianteira, o Bastardo de Orléans, La Hire e a Donzela, com sua bandeira branca mantida no alto. O rei Carlos, escoltado pelo conde de Clermont e o sempre presente La Trémoille, cavalgou a uma distância cuidadosa atrás das linhas de frente. Então, embaixo do calor abrasador de um dia de agosto, todos eles – ingleses, burgúndios e armagnacs – esperaram a batalha.

Havia escaramuças, simulações e manobras, enquanto cada lado procurava tentar o outro para haver um ataque completo. Cada movimento levantava tanta poeira da terra seca que, por mais perto que fosse, era difícil manter o inimigo à vista. Mas à medida que as horas se arrastavam, começava a ocorrer aos capitães dos armagnacs que os ingleses não tinham intenção de deixar o terreno que haviam assumido. Em Rouvray, as tropas inglesas tinham arruinado os armagnacs com uma bateria de flechas vindas de trás de uma barricada de carroças cheias de arenque, mas em Patay, com suas defesas incompletas, eles haviam enfrentado um desastre sangrento. Não tinham intenção de cometer novamente o mesmo erro. De todos os capitães armagnacs, era Joana quem não podia conter sua frustração. Ela pegou sua bandeira e foi direto até as linhas inimigas, desafiando-os a atacar; quando sua presença não provocou qualquer reação da parte deles, enviou uma mensagem dizendo que as tropas do rei Carlos lhes dariam tempo e espaço para se mobilizarem para a batalha como desejassem. Não houve resposta. A noite caiu; e, na manhã seguinte, chegaram notícias ao acampamento francês informando que os ingleses estavam marchando de volta para Senlis e, de lá, para Paris.

Bedford havia deixado clara sua intenção, mas ele não estava disposto a arriscar tudo em um único encontro em campo aberto. Que os seus inimigos se mobilizassem contra Paris se tivessem coragem; enquanto isso, a Normandia exigia urgentemente a sua atenção. Ali, o Mont-Saint-Michel ainda mantinha um posto avançado armagnac fora da costa da França inglesa, mas, de lado a lado do ducado, à medida que se espalhavam os relatos do resgate de Orléans e da campanha de coroação do rei Carlos, a resistência ao domínio inglês crescia. Tanto assim, de fato, que a cidade de Évreux, quase cinquenta quilômetros ao sul de Rouen, tinha sido cercada por tropas de armagnacs e forçada a aceitar a rendição se a ajuda não chegasse até 27 de agosto. Bedford, que não podia se permitir assistir à desintegração do seu poder normando, moveu-se velozmente para o resgate e então se posicionou em Vernon, equilibrando-se entre as duas capitais ameaçadas, Paris e Rouen.

Na ausência do duque, o rei Carlos continuou sua majestosa e aparentemente inexorável incorporação das cidades ao redor de Paris. Compiègne, a 65 quilômetros a nordeste da cidade, abriu seus portões, e Beauvais, outros cinquenta quilômetros a oeste de lá, enviou uma delegação para oferecer sua submissão. Esse era um progresso real e ameaçador, não somente porque abria caminho em direção à própria Paris, mas porque avançava surpreendentemente para o interior da Normandia inglesa a oeste e para a Artois burgúndia ao norte. A estratégia armagnac, no entanto, possuía duas frentes. O exército do rei permanecia no campo, mas em 16 de agosto – no dia seguinte do inconclusivo confronto direto com as tropas de Bedford em Montepilloy – seus enviados foram finalmente admitidos na presença do duque de Borgonha em Arras. Eles esperavam elaborar os termos da paz entre o rei e seu parente burgúndio, e havia uma intenção séria, ao que parece, de ambos os lados: após a intensa discussão em Arras, os embaixadores burgúndios retornaram com o arcebispo e De Gaucourt para Compiègne a fim de apresentar os resultados de seus trabalhos na corte armagnac. Por volta de 27 de agosto, o rei concordou, em princípio, em fazer uma reparação espiritual para o assassinato em Montereau (o qual, é claro, infelizmente na ocasião ele era muito jovem para impedir), e para oferecer compensação financeira para as joias e pertences que o duque trazia quando morreu. Filipe manteria o domínio das terras que lhe haviam sido concedidas pelos ingleses e estaria pessoalmente dispensado de qualquer obrigação de homenagear Carlos, enquanto o próprio Carlos concederia perdão e trégua gerais.

Mas isso não foi o bastante. A intimação pública de Bedford do espectro do falecido pai burgúndio tinha cumprido seu papel; o duque não conseguia se obrigar a negociar uma paz permanente com o assassino. Em vez disso, em 28 de agosto, foi acordada uma trégua temporária, por meio da qual a abstinência de guerra que já protegera as fronteiras meridionais entre o território burgúndio e o armagnac estaria agora estendida a todas as terras ao norte do Sena, com exceção da cidade de Paris, a qual o duque de Borgonha poderia defender se ela viesse a enfrentar ataque dos armagnacs. Isso, em outras palavras, era um gesto de boa vontade que permitiria que o momento se esgotasse. O duque de Borgonha não havia abandonado sua aliança inglesa, mas sua porta ainda estava aberta para os armagnacs, que, nesse ínterim, teriam a oportunidade de descobrir se tinham condições de tomar Paris.

Isso era música para os ouvidos de Joana, que havia sido deixada num desconfortável limbo enquanto essa engrenagem diplomática girava. Ela tinha uma missão que dependia da interferência divina, não da humana – exceto pelo fato inconveniente de que precisava da fé dos políticos e da presença dos soldados para levá-la a efeito. Agora que o momento inicial de sua campanha havia sido dissipado no rescaldo da coroação em Reims, as questões sobre a natureza e os limites da autoridade que ela podia reivindicar estavam se tornando um pouco mais difíceis de acatar. Algum tempo antes, por exemplo, o conde Jean de Armagnac – filho do nobre que havia dado seu nome à causa antiburgúndia – havia escrito de suas terras no extremo sudoeste do reino para pedir o conselho dela sobre o cisma papal. Quase toda a Europa considerava que o conflito havia sido estabelecido em favor de Martinho V, que fora eleito para a Santa Sé no Concílio de Constança, mas o conde Jean foi um dos poucos que persistiu na crença de que um dos dois outros ainda poderia ser objeto de reivindicação. "Peço-vos", ele pediu, "que implore a Nosso Senhor Jesus Cristo que, em Sua misericórdia infinita, possa querer declarar para nós, através de vós, qual dos três homens é o verdadeiro papa". Em Compiègne, durante a trégua militar depois de Montepilloy, Joana deu sua resposta. *"Jhesus Maria.* Conde de Armagnac, meu mui querido e bom amigo, Joana, a Donzela, permite que saibas que sua mensagem chegou até mim [...]. Não posso com segurança lhe dizer a verdade sobre a questão agora, até que eu esteja em Paris ou em algum outro lugar, conforme seja exigido, porque agora estou muito envolvida nas questões da guerra; mas quando souber que estou em Paris, envie um mensageiro até mim, e então lhe direi claramente em quem deve depositar sua fé, e o que aprendi com meu legítimo senhor e soberano, o rei de todo o mundo [...]."

Joana, ao que parece, estava preparada para considerar que suas instruções vindas dos céus algum dia envolveriam mais assuntos do que aqueles sobre os quais ela tinha falado até agora. Por enquanto, porém, ela estava consumida – e perturbada – pela interrupção de sua missão militar. Em 23 de agosto, no dia seguinte ao de sua resposta ao conde de Armagnac, finalmente lhe foi permitido partir de Compiègne cavalgando com seus soldados e seu companheiro capitão, o duque de Alençon. Três dias mais tarde, eles haviam alcançado Saint-Denis, a cidade além das muralhas de Paris que abrigava a sagrada abadia do antigo patrono da França e os ossos abençoados de seus reis mais cristãos. Os ingleses calcularam que não valia a pena instalar uma guarnição em um lugar que tinha poucas fortificações, e muitos habitantes da cidade tinham partido para Paris ao receberem a notícia da aproximação dos armagnacs. Joana e seus homens, portanto, não encontraram resistência quando exigiram a proteção de São Denis a um reino e um exército que haviam marchado por tanto tempo sob a bandeira do celestial guerreiro São Miguel antes que a Donzela viesse para liderá-los.

Agora as muralhas de Paris estavam a apenas sete quilômetros de distância, mas Joana ainda não podia lançar o ataque que pretendia. Em vez disso, o rei se movia lentamente para o sul, de Compiègne para Senlis, enquanto seus conselheiros continuavam com frequentes reuniões de cúpula com os enviados do duque de Borgonha. Finalmente, foi assinada a trégua parcial, que deixou aberta a possibilidade de uma luta pela capital e, no final da primeira semana de setembro, Carlos chegou a Saint-Denis, enquanto Joana e o exército prosseguiram outros três quilômetros para a aldeia de La Chapelle. Ela e Alençon agora tinham os campeões da França armagnac ao redor deles – os condes de Clermont e Laval, De Rais, La Hire, De Goncourt, Xaintrailles e outros mais – e eles haviam passado os dias desde sua chegada em Saint-Denis envolvidos com incursões de reconhecimento, avaliando a tarefa que estava por vir.

Não havia dúvida de que as defesas de Paris eram monumentais, em uma escala muito maior do que tudo o que Joana havia presenciado até então. Muralhas maciças eram perfuradas por fendas para o posicionamento de arqueiros e coroadas com torres fortificadas e lugares estratégicos para a colocação de armas; *boulevards* recém-construídos protegiam cada um dos seis portões, ficando todos atrás de uma imensa vala que circundava a cidade. Não somente isso, mas o duque de Bedford tinha emitido um apelo apaixonado a seus capitães na Normandia para virem se encontrar com ele em Vernon por volta de 8 ou 9 de setembro, com todos os homens que pudessem ceder, para marchar em salvamento da capital. ("[...] e sem falhas nisso, como vocês amam a conservação dessa terra, e como responderão a meus senhores e a nós, por esse motivo, no tempo futuro"). Mas a ameaça da chegada de Bedford era mais uma razão para Joana fazer o que sempre acreditou que deveria: atacar, em nome de Deus, sem demora.

E então, na quinta-feira, 8 de setembro, dia da festa da Natividade da Virgem, a Donzela pegou seu estandarte e cavalgou com suas tropas para a Porta Saint-Honoré, o portão que conduzia ao palácio do Louvre na margem ocidental da cidade. Para os soldados armagnacs, como eles começaram a obra de Deus sob o comando da líder que Ele tinha enviado para salvar a França, o dia sagrado só poderia santificar as suas atividades. Para os burgúndios de Paris, por outro lado, era um sacrilégio: "[...] esses homens eram tão desafortunados, tão cheios de confiança tola", protestou o escritor do diário de dentro da cidade, "que confiaram na palavra de uma criatura na forma de mulher, a quem eles chamavam de Donzela – o que isso era, só Deus sabe – e concordaram em conspirar para atacar Paris no exato dia da Sagrada Natividade de Nossa Senhora". Dessa vez, estava claro, não haveria discórdia entre os sitiados para pressionar a abertura dos portões. Dessa vez, a cidade seria tomada de assalto, ou não seria tomada de modo algum.

Até para Joana, a essa altura, já havia uma familiaridade com o funcionamento da máquina militar. O ruído era ensurdecedor. O rugido do canhão armagnac foi respondido por explosões de artilharia provenientes das muralhas situadas acima; sempre que um artilheiro parisiense atingia seu alvo, os gritos dos cavalos e dos homens mutilados acrescentavam um contraponto angustiante aos gritos dos soldados que trabalhavam no fosso, lançando feixes de madeira dentro da água parada no fundo, numa tentativa de construir um caminho improvisado para o pé das muralhas. Como sempre, Joana comandou a passagem dentro da trincheira, brandindo seu estandarte e encorajando seus homens, enquanto flechas e pedras caíam do alto em uma tempestade persistente e lancinante. Longas horas se passaram, até que os músculos estivessem tensos em agonia e os olhos ardendo com sangue, suor e sujeira, e ainda as muralhas se elevavam acima deles, impenetráveis e intransitáveis.

À medida que o sol mergulhava no horizonte, Joana bradou com urgência uma ordem ao inimigo invisível atrás das fortificações. "Entreguem-se a nós sem demora, em nome de Jesus! Pois se vocês não se renderem antes do anoitecer, nós entraremos aí pela força, quer vocês gostem ou não, e todos serão mortos sem misericórdia!" "Nos entregarmos, sua maldita prostituta?", veio a resposta, e uma flecha atravessou sua coxa. Enquanto Joana cambaleava, outra flecha imobilizou o pé do soldado que era seu porta-estandarte no chão, ao seu lado. Quando ele levantou a viseira para que pudesse se libertar, uma terceira flechada rachou seu crânio entre os olhos. Ele morreu no lugar onde caiu. A escuridão estava chegando. Joana estava perdendo sangue, mas ainda gritava até ficar rouca: seus exaustos soldados deviam avançar, adiante, ao ataque. Em Orléans e em Jargeau ela tinha sido ferida, mas se levantou novamente; sua resistência era um sinal para suas tropas de que Deus lhes daria a vitória. Paris seria a próxima, disso não poderia haver dúvida. E então, por cima das explosões de canhão, ela ouviu o som da retirada. Não parava de insistir que a cidade poderia ser conquistada, ao mesmo tempo em que ela era arrastada da vala e levada para local seguro. Somente quando a parte de trás do exército armagnac desapareceu dentro da noite as armas parisienses tremeram, finalmente, em silêncio.

Tinha valido a pena tentar, o rei e seus conselheiros sabiam. Tomar Paris de assalto – para dominar as defesas da cidade mais forte a oeste de Constantinopla sem ajuda de dentro das muralhas – teria sido um milagre; mas a Donzela, afinal de contas, havia feito milagres antes. Porém, pedir por mais um poderia parecer um teste da paciência do céu. A ajuda de Deus poderia vir quando todos os recursos humanos houvessem falhado, mas agora, graças à intervenção de Joana em Orléans e em Reims, o recém-coroado rei Carlos poderia ter esperança de ajudar a si mesmo. A Donzela tinha arriscado, mas Paris não havia caído, e a iminente chegada das tropas do duque de Bedford na capital tornava o momento ainda mais propício a um balanço, de insistir na paz com a Borgonha, o que uniria a França contra os invasores ingleses. Um armistício tinha sido acordado com os burgúndios para durar até o Natal, e em um tempo de cessar-fogo – conforme Carlos explicou em uma carta ao povo de Reims alguns dias depois – o rei não poderia manter um exército sem emprego no campo sem arriscar a "destruição total" da zona rural através da qual eles se moviam. Intimamente, também, ele sabia que seu regime carente de dinheiro ainda não tinha os recursos para prosseguir uma campanha em grande escala contra os ingleses na Normandia. Então ele retornaria ao Loire, deixando o conde de Clermont para manter as terras ao norte do Sena, e se prepararia, junto de suas tropas, para o novo ano que iria chegar.

Joana estava confusa. Embora ferida, ela havia acordado no campo em La Chapelle em 9 de setembro, determinada a renovar seu ataque a Paris. Pediu ao duque de Alençon para soar as trombetas para preparar as tropas; somente então descobriu que Carlos havia dado a ordem para uma retirada maciça. Enquanto os enviados voltavam para as muralhas da cidade sob salvo-conduto para recolher os armagnacs mortos, ela viajou os três quilômetros que a separavam de Saint-Denis, em dor e desespero, para se reunir com o rei que a havia traído. Como estava ela – como estavam toda e qualquer pessoa – para entender tal reviravolta para Joana, a Donzela, e sua missão oriunda de Deus? O grande teólogo Gerson tinha previsto esse exato problema. O "partido que tem a justiça ao seu lado", concluiu depois do triunfo dela em Orléans, deve tomar cuidado para não tornar inútil o auxílio do Céu por descrença ou ingratidão; "porque Deus muda sua sentença como resultado de uma mudança no mérito", escreveu ele, "mesmo que Ele não mude Seu conselho".

Uma possibilidade, então, era que ela havia fracassado nas muralhas de Paris porque seu rei não compartilhava sua convicção de que, com a ajuda de Deus, a vitória era certa. Mas havia outra interpretação, e os estudiosos burgúndios da Universidade de Paris estavam apressados em encontrá-la. Talvez – continuou o argumento de um tratado teológico escrito alguns dias depois de sua retirada da capital – ela tivesse fracassado porque sua inspiração não veio do céu, mas do inferno. "Não é o bastante", escreveu o autor de *Acerca do espírito de Deus e do Diabo*, "que alguém reivindique pura e simplesmente ser enviado por Deus, uma vez que essa é a reivindicação de todos os hereges; mas é necessário que essa missão invisível seja confirmada por um trabalho miraculoso ou por um testemunho particular extraído da escritura sagrada". Para os que apoiavam os ingleses em vez de a França armagnac, a libertação de Orléans não foi nenhum milagre – e então, na ausência de prova teologicamente suficiente, qualquer um que aceitasse as declarações de Joana estaria rejeitando o julgamento e a autoridade da própria Igreja.

Não apenas isso, mas suas reivindicações eram comprovadamente falsas. Se ela realmente tivesse sido enviada por Deus, não usaria roupas de homem em contravenção à lei de Deus e aos ensinamentos da Igreja. A natureza de sua suposta missão não servia de desculpa para essa abominação, uma vez que nenhum bem "maior" poderia jamais justificar o pecado – e, em todo caso, as mulheres eram proibidas de lutar, assim como lhes era proibido pregar, ensinar, administrar os sacramentos e todos os outros deveres que pertenciam aos homens. Que ela fazia o trabalho do diabo estava claro, pelo fato de que incitava a guerra, ao invés de trazer a paz; ela até mesmo ousou insultar Deus ao lutar no dia de festa da Natividade de Sua gloriosa mãe. Havia permitido que crianças se ajoelhassem diante dela com velas acesas, com as quais ela pingava cera sobre suas cabeças, como um encantamento para boa sorte: idolatria, bruxaria e heresia, tudo junto. E algumas pobres almas cultuavam imagens dela como se Joana fosse uma santa, um erro de tal magnitude que ameaçava a verdadeira fé – e a Igreja deveria fazer tudo o que estava em seu poder para extirpar o perigo que essa Donzela representava.

Era pouco provável que a própria Donzela concordasse. Mesmo assim, ela estava mancando, tanto espiritual quanto fisicamente, enquanto se preparava para a longa cavalgada em direção ao sul, até o Loire. Na abadia sagrada de Saint-Denis, ofereceu uma armadura diante da imagem da Virgem; não um presente de agradecimento pela vitória, mas um reconhecimento mais inescrutável de uma tarefa inacabada. Então, porque não tinha outra escolha, seguiu o rei enquanto ele reconstituía seus passos ao redor de Paris em direção ao leste, de Lagny-sur-Marne a Provins, e depois para o sul, Montargis, Gien e Bourges. "E assim", escreveu um criado do duque de Alençon, "a vontade da Donzela e do exército do rei foi desfeita".

Alguns dias mais tarde, Bedford entrou violentamente na capital e se lançou enfurecido sobre o restante dos habitantes de Saint-Denis por terem acomodado os inimigos armagnacs sem resistência ou protesto. Aos que haviam fornecido alojamentos, os armagnacs prometeram o pagamento da pilhagem de uma das cidades que conquistassem; em vez disso, eles se viram pesadamente multados por seu erro de cálculo. Bedford, no entanto, sabia que esse era um momento em que suas principais armas eram diplomáticas, não financeiras ou militares. Em 18 de setembro, dez dias depois do fracassado ataque armagnac, o Conselho do rei Carlos concordou tardiamente que Paris agora deveria ser incorporada ao tratado que ele já tinha selado com o duque de Borgonha. A tarefa que Bedford encarava era garantir que essas negociações entre armagnacs e burgúndios não fossem mais longe sem sua presença e, em vez disso, que as cordas da França inglesa fossem mais firmemente enroladas em torno de seu cunhado.

No último dia de setembro, o próprio duque Filipe chegou à cidade, vistosamente vestido, e acompanhado, como sempre nos últimos meses, por sua irmã, Anne, a leal esposa de Bedford. Uma semana mais tarde, o tio de Bedford, o cardeal Henrique Beaufort se juntou aos dois duques para conversas que terminaram em um acordo de que o duque de Borgonha devia se tornar o novo governador de Paris. Não apenas isso, mas enviados da Inglaterra e da Borgonha encontraram os embaixadores armagnacs em Saint-Denis e concluíram que uma trégua à guerra deveria ser observada entre todas as partes até que negociações gerais de paz pudessem recomeçar no mês de abril seguinte (ou, como Bedford sugeriu em particular para a Borgonha, um novo ataque podia ser lançado sobre os armagnacs). Nesse meio tempo, o plano de Bedford para tirar o vigor da consagração de Carlos em Reims com a unção e coroação de seu sobrinho, o rei Henrique, estava finalmente rendendo frutos. No dia 6 de novembro, no magnífico esplendor da abadia de Westminster, o cardeal Beaufort, que havia retornado recentemente, colocou a pesada coroa da Inglaterra na cabeça do menino de 8 anos; os preparativos estavam bem encaminhados para o avanço do jovem rei através do Canal em direção ao seu segundo reino, para uma segunda coroação na França.

E todos esses acontecimentos estavam relegando Joana ao esquecimento. A época dos milagres havia passado, e agora até mesmo a guerra que ela tinha vindo lutar havia sido temporariamente suspensa. Os combates continuavam e as guarnições precisavam de capitães; uma vez que sua perna estava inteira outra vez, alguma ocupação certamente poderia ser encontrada para ela. E, no entanto, as qualidades que a tornaram a salvadora da França armagnac agora ameaçavam minar seu futuro. Aprendera muito, mas se o curso da guerra passasse a ser determinado pela estratégia militar, não pela inspiração divina, havia outros comandantes com infinitamente mais experiência e habilidade do que ela. Acima de tudo, talvez, se a mão do céu se houvesse retirado uma vez mais da direta intervenção no mundo, então uma mulher em um campo de batalha se tornava uma desvantagem alarmante, em vez de uma singular representação da vontade de Deus.

Alguns dos homens que haviam lutado a seu lado não agiam com hesitação sobre suas crenças. Apesar da trégua, o jovem duque de Alençon estava reunindo suas próprias tropas para avançar na direção de suas terras ancestrais na Normandia, das quais ele havia sido desalojado havia muito tempo. Queria que Joana estivesse junto com ele, mas os conselheiros do rei – entre eles o arcebispo de Reims, La Trémoille e o grisalho Raoul de Gaucourt, todos os quais haviam tomado parte nas recentes rodadas da diplomacia – sabiam que a agressão impulsiva da Donzela e de Alençon juntos no campo poderia desfazer todo o seu cuidadoso trabalho. Em vez disso, depois de várias semanas de convalescença na residência de uma das damas da rainha em Bourges, Joana foi enviada com Charles d'Albret, o meio-irmão de La Trémoille, para lidar com um capitão mercenário chamado Perrinet Gressart, que estava causando aborrecimentos na fronteira ao longo dos limites orientais do Loire.

Em teoria, Gressart servia aos ingleses e aos burgúndios. Na prática, seus próprios interesses vinham em primeiro lugar. Dois anos antes, ele havia ousado raptar o próprio La Trémoille na estrada entre os territórios armagnac e burgúndio, libertando-o somente com o pagamento de um resgate exorbitante. Agora, Gressart dirigia seu próprio feudo não oficial a partir da cidade fortificada de La Charité-sur-Loire, 48 quilômetros a leste de Bourges, e seu brutal domínio estendia-se até o sul de Saint-Pierre-le-Moûtier, 48 quilômetros rio acima. La Trémoille estava determinado a destruí-lo, e foi assim que Joana e d'Albret chegaram do lado de fora das muralhas de Saint-Pierre no final de outubro. O cerco estava organizado, mas não demorou muito para que a Donzela se voltasse para as táticas que conhecia melhor. Ela encabeçou o caminho para a vala fora das muralhas e chamou os soldados para lançarem feixes de lenha na água a fim de abrir um caminho para a cidade. Encorajou-os a avançar em direção às muralhas cuja altura era apenas uma fração das grandes defesas da capital, diante das quais ela e o poder do exército armagnac haviam soçobrado. Mais uma vez, um dos homens que a servia teve o pé perfurado por uma flecha; mas Saint-Pierre não era Paris. Ao comando da Donzela, suas tropas lançaram-se ao ataque e os defensores vacilaram. Em 4 de novembro a cidade havia sido tomada.

Foi uma pequena vitória, mas ainda assim era uma vitória. La Charité ainda estava situada adiante, e isso, como o inverno começava a se aproximar, era uma perspectiva menos confortável. Joana estava com um estado de espírito sombrio em 9 de novembro quando escreveu para o povo de Riom, a 96 quilômetros ao sul de Saint-Pierre, para pedir a ajuda deles para fornecer suprimentos à sua pequena tropa. Ela já estava aprendendo a segurar uma pena tão bem quanto uma lança e, quando a mensagem terminava, escrevia seu nome no final, em letras grandes e incertas, mas pelo menos uma vez ela não começou com o nome de Jesus. "Queridos e bons amigos", ela escreveu, "vocês sabem bem como a cidade de Saint-Pierre-le-Moûtier foi tomada de assalto, e com a ajuda de Deus pretendo limpar os outros lugares que se opõem ao rei. Mas porque houve um tão grande gasto de pólvora, flechas e outros equipamentos militares ao enfrentar aquela cidade, e porque eu e os lordes que estão agora naquela cidade temos mínimas sobras deixadas para sitiar La Charité, onde estamos no ponto de partida, eu suplico a vocês, uma vez que vocês têm no coração o bem-estar e a honra do rei e também de todos os nossos outros homens que aqui estão, que ajudem com o cerco enviando imediatamente pólvora, salitre, enxofre, flechas, boas bestas fortes e outros equipamentos militares. E, assim, garantir que o assunto não deva ser prolongado por falta da dita pólvora e outros equipamentos militares, e que não possa ser dito que vocês são negligentes ou relutantes. Queridos e bons amigos, que Nosso Senhor os proteja".

Foi direta, prática e notavelmente desprovida da certeza gloriosa que tinha infundido em cada palavra de suas missivas anteriores. Quem sabe, agora, o que o futuro reserva? Essa foi, pelo menos, a mensagem disseminada pela Europa pelo comerciante Pancrazio Giustiniani em 20 de novembro, de Bruges até seu pai em Veneza. A Donzela decerto ainda estava viva, ele relatou, e recentemente havia até mesmo tomado de assalto um forte castelo. Se o que as pessoas estavam dizendo era verdade, ela ainda era capaz de surpreender o mundo. A Universidade de Paris o enviou a Roma para acusá-la de heresia, informou, mas, mais uma vez, o ex-reitor da universidade, Jean Gerson, havia escrito um excelente trabalho em sua defesa. Alguns acreditavam nela, outros não. Enquanto isso, o rei da Inglaterra havia sido coroado em Londres e logo chegaria à França à frente de um formidável exército. "Parece-me certo", escreveu ele, "que grandes eventos acontecerão na primavera".

Joana só podia esperar que ele estivesse certo.

VIII

Estarei com vocês em breve

Estava frio. Dezembro sempre era gélido, mas na lama congelada do lado de fora de La Charité, a umidade penetrava as camadas de couro e lã e chegava até os ossos doloridos. A fome também não ajudava em nada. O rei enviara palavras pesarosas de seu palácio de Mehun-sur-Yèvre, 64 quilômetros a oeste e a um mundo de distância, de que não tinha dinheiro para enviar mais suprimentos. Como resultado, os soldados, que já lutavam para carregar as grandes armas de ferro, agora trabalhavam com estômagos doloridos e dedos entorpecidos e enrijecidos.

Eles estavam ali havia quatro semanas. Quatro dias, foi o que levou a Donzela para libertar Orléans do seu cerco. Um único dia, o rei lhe tinha dado para tentar atacar Paris. E agora andava, com ar de determinação, sob as iminentes fortificações de La Charité, onde o bombardeio de um mês tinha deixado um rastro alarmante. O comandante dessa tropa encurralada, o meio-irmão do favorito do rei, fez o que pôde para abastecer, ainda que com dificuldades, o suprimento de comida e munição, mas quando veio a ordem para cancelar o cerco, poucos dias antes do Natal, eles estavam tão cansados e tão ansiosos para deixar o lugar, que abandonaram as peças de artilharia entre os escombros do acampamento, bem como as armas que estavam demasiado danificadas ou eram demasiado pesadas para arrastar por estradas profundamente sulcadas com gelo.

Se Joana sentiu alívio, ele foi encoberto por algo mais escuro e mais difícil. Ela não queria lutar contra um mercenário burgúndio em La Charité, quando os ingleses ainda tinham a posse de grande quantidade do reino desmembrado de seu rei. Porém, não queria voltar sem algo para mostrar daquele mês de esforço árduo, e sem nenhum outro lugar aonde ir. Quando os soldados se dispersaram, não cavalgou para Mehun, para a corte que não mais sabia o que fazer com ela; em vez disso, pegou a estrada mais ao norte rumo a Jargeau, o cenário de seu triunfo sobre o conde de Suffolk, no verão, havia mais ou menos seis meses. Ali ela ouviu que o rei, com seu bom senso, decidira recompensá-la por seus serviços. De volta em julho, Carlos havia declarado – a pedido de Joana, ele alegou – que seu vilarejo em Domrémy deveria ser isento de pagamento de impostos, em reconhecimento ao extraordinário papel que estava desempenhando na recuperação de seu reino. Agora, era uma honra pessoal que ele tinha em mente: a Donzela e a família da qual, pela graça de Deus, ela tão gloriosamente surgiu deveriam ser dignificadas pela autoridade real. Isso não significava serem presenteadas com um título, mas uma posição mais elevada. Não somente a própria Joana, mas seus pais, Jacques e Isabelle, e seus irmãos Jacquemin, Jean e Pierre, e todos os seus descendentes, homens e mulheres (um privilégio incomum, esse), deveriam de agora em diante figurar entre aqueles com sangue nobre no reino da França, embora seu nascimento não os tivesse previamente qualificado para tal distinção.

O decreto real falava do serviço iminente da Donzela, bem como das realizações passadas. De qualquer modo, o tom era inconfundível: tratava-se do fechamento de um capítulo. Mas Joana, que ainda tinha menos de 18 anos de idade, e com sua missão divina ainda inacabada, não estava pronta para deixar a armadura para ter uma confortável aposentadoria. Ela não fez qualquer menção pública a respeito de sua nova dignidade. Sua autoridade vinha de Deus, não do rei, e os paramentos da aristocracia não podiam amenizar a raiva que sentia da inatividade que lhe era imposta nessa hora de necessidade da França. À medida que avançou ao longo do vale do Loire, de Jargeau para Orléans e depois de volta, relutantemente, para se juntar ao rei no castelo de La Trémoille em Sully, tudo o que lhe restava fazer era responder àqueles que ainda procuravam por sua liderança, por menor que fosse o pedido. A filha do pintor escocês em Tours, que tinha feito seu estandarte, estava se casando: será que a cidade, dada a sua consideração por Joana, concordaria em pagar pelo enxoval da noiva? Até mesmo esse favor, afinal, agora estava além do poder da Donzela. Os conselheiros lamentaram profundamente que não pudessem responder mais positivamente à sua carta, porque seus fundos estavam comprometidos com os reparos municipais, mas rezariam por ela, e – pelo amor que tinham à Donzela – ofereciam um pequeno presente de pão e vinho para a refeição do casamento.

A filha do pintor não era a única planejando um casamento naquele mês de janeiro. O duque de Borgonha estava se preparando para se casar pela terceira vez, e, para ele, as despesas não eram um problema. Embora não estivesse, de modo algum, com falta de companhia feminina – a corte de Borgonha abrigava uma família cada vez maior de sua prole ilegítima – o duque Filipe tinha sido viúvo por cinco anos, desde a morte de sua segunda esposa em 1425. Agora, ele escolhera como noiva Isabel, filha do rei de Portugal, um par perfeito que proclamava seu poder como um jogador independente no palco político europeu (embora com um aceno diplomático a seus aliados ingleses, já que ela contava com o bisavô do rei Henrique, John de Gaunt, entre os seus avós).

A chegada de Isabel de Portugal tinha sido ansiosamente aguardada durante semanas, mas o rigoroso inverno tinha atrasado o curso de sua pequena comitiva, e somente em 8 de janeiro ela fez sua entrada cerimonial em Bruges, ao som de 150 trombetas de prata através das ruas aglomeradas enfeitadas com tecido cor de carmim. No palácio do duque, cozinhas temporárias, fornos e dispensas cercaram um salão de banquete de cerca de 50 metros de comprimento, decorado em todos os cantos com suas brilhantes pederneiras e prataria. A festa de casamento combinava arte culinária de tirar o fôlego com entretenimento grotesco: a *pièce de résistance* foi uma torta enorme da qual explodiu uma ovelha viva, com a lã tingida de azul e os chifres dourados, junto de um homem vestido como uma fera selvagem que percorreu o comprimento da mesa enquanto o animal aterrorizado mergulhava debaixo dela. Em seguida, os dias de peleja culminaram com a declaração do duque de que havia fundado uma nova irmandade cavalheiresca, a Ordem do

Velo de Ouro, uma honra a ser concedida aos 24 melhores cavaleiros de Artois, Flandres e do condado e ducado da Borgonha.

Durante anos, Filipe havia recusado polidamente o convite do duque de Bedford para ser cavaleiro da Ordem da Jarreteira, do rei inglês. A mensagem combinada da fundação de sua própria Ordem do Velo de Ouro e seu casamento real foi, portanto, a de que a Borgonha era mais do que nunca uma força considerável, um estado emergente apostando sua reivindicação de um lugar independente dentro do mapa político da Europa. Mas como essa força se faria sentir na prática dependeria do que aconteceria após o Domingo de Páscoa, 16 de abril, data em que a trégua entre a Inglaterra, a Borgonha e a França armagnac chegaria ao fim.

O uso de todos os meios para alcançar uma posição já estava em curso. A duquesa de Bedford, Anne de Borgonha, era convidada de honra no casamento de seu irmão, mas seu marido estava ausente das festividades, já que estava ocupado reforçando as defesas da França inglesa. A retórica das duas coroas do rei Henrique estava mais forte do que nunca: nas iluminuras de um livro litúrgico que estava sendo produzido para Bedford por sublimes artesãos de Paris, o arcanjo guerreiro São Miguel tinha um escudo primorosamente pintado que não trazia a cruz branca dos armagnacs, mas a cruz vermelha da Inglaterra e de São Jorge. Apropriar um santo com um par de delicadas pinceladas era uma coisa, já a realidade militar era muito mais desafiadora. As tréguas ainda se mantinham, mas estavam cada vez mais instáveis e, em fevereiro, o capitão armagnac, La Hire, apoderou-se da grande fortaleza normanda de Château Gaillard, no Sena, cerca de trinta quilômetros a sudeste de Rouen. Um mês depois, as tropas do armagnac invadiram novamente Saint-Denis, saqueando a cidade e causando pânico entre os habitantes de Paris. Bedford sentiu que era hora de seu cunhado recém-casado se mostrar disposto a partir para o campo de batalha se a paz projetada não se materializasse como planejado e, em 8 de março, ele nomeou Filipe conde de Champanhe, na expectativa de que esse novo título e os direitos territoriais que o acompanhavam encorajassem o duque de Borgonha a recuperar Reims, Troyes e as outras cidades de Champenois da sua aliança armagnac recentemente estabelecida.

O duque Filipe, no entanto, não tinha muita certeza de seu próximo movimento. Seu dilema foi exposto para todos na lista de chamada de seus recém-nomeados cavaleiros do Velo de Ouro: ela incluía Jean de La Trémoille, irmão do conselheiro mais próximo do rei armagnac, mas também Hugues de Lannoy, cujo compromisso com a aliança anglo-burgúndia era tão inabalável, que ele apresentou ao duque um plano militar minuciosamente preparado para a campanha da primavera seguinte. A concessão do condado de Champanhe, de fato, fazia parte de um acordo pelo qual o duque tinha se comprometido a conduzir seu exército durante dois meses contra os armagnacs a serviço do rei Henrique, mas, ao mesmo tempo, como esse contrato tinha sido acordado no final de fevereiro, Filipe também estava estendendo suas mais ricas e mais polidas boas-vindas a uma delegação de cavaleiros armagnacs, incluindo Poton de Xaintrailles, durante cinco dias de combate em Arras. Ficou claro, ao menos, o quanto dependia agora da chegada iminente na França do próprio rei Henrique, de 8 anos de idade, para liderar o que estava planejado para ser o maior exército inglês a atravessar o Canal desde os dias de glória das extraordinárias campanhas de seu pai.

A tensão estava aumentando e Joana ainda se encontrava engaiolada no castelo de Sully. Ali, ela recebeu uma série de missivas cada vez mais frenéticas dos governadores de Reims, que estavam profundamente alarmados com a possibilidade de que o duque de Borgonha pudesse exigir reclamar sua cidade – o que era igualmente possível, dada a rapidez com que se renderam a um rei armagnac, que já havia recuado mais de 160 quilômetros ao sul para a segurança do Loire. Ela fez o que pôde para acalmá-los. "Mui queridos e bons amigos a quem desejo muito ver", escreveu em 16 de março, "Joana, a Donzela, recebeu suas cartas dizendo que temem ser sitiados. Por favor, saibam que não o serão, se eu puder encontrá-los em breve; e se acaso eu não os encontre em meu caminho até vocês, fechem suas portas, porque estarei com vocês em breve. E se eles estiverem aí, eu os farei colocar as esporas com tanta pressa, que não vão nem saber o que estão fazendo, e eu vou socorrer vocês tão rapidamente, que não vai parecer tempo algum". Ela ditou outra mensagem cheia de encorajamento quase duas semanas depois, mas a verdade é que Joana não podia proteger o povo de Reims, nem mesmo garantir que iria em seu auxílio se o rei e seus conselheiros não lhe dessem licença para lutar e um exército com que pudesse fazer isso.

O próprio desespero crescente de Joana encontrou ressonância numa carta muito diferente, escrita em latim e destinada a ela, uma semana depois, pelo capelão Jean Pasquerel, que estava ao lado dela desde Orléans. A mensagem era dirigida aos hussitas, os hereges que lutavam pelo controle da distante Boêmia. Durante anos, o papa Martinho V vinha tentando reunir uma força cruzada para esmagá-los, e agora – contrariada como ela estava dentro do reino da França – Joana soltou sua raiva pela primeira vez para além de suas fronteiras. *"Jhesus Maria*. Há algum tempo, relatos e rumores difundidos têm chegado até mim, Joana, a Donzela, de que vocês deixaram de ser verdadeiros cristãos para se tornarem hereges, e como sarracenos [...]. De fato, eu, na verdade, se não estivesse ocupada em lutar contra os ingleses, já os teria visitado. No entanto, a menos que eu ouça que corrigiram seus caminhos, bem posso abandonar os ingleses e marchar contra vocês, para que, pela espada, se não puder fazê-lo de outra maneira, eu destrua sua vã e abominável superstição e despojá-los de sua heresia ou de suas vidas. Mas, se retornarem à fé católica, e ao seu antigo estado iluminado, enviem-me seus mensageiros, e eu lhes direi o que devem fazer."

Se essa ideia foi de Joana ou de Pasquerel, ou se era simplesmente um grito lamentoso de frustração porque já fazia seis meses que ela tinha perdido a chance de lutar contra os ingleses fora dos muros de Paris, pelo menos teve o efeito de reafirmar sua pretensão de uma autoridade espiritual única no campo de batalha – uma ideia que tinha começado a perder sua potência a cada momento que se passava desde os triunfos do verão anterior. Não que a própria Joana tivesse qualquer intenção de desistir dela. Antes de se preparar para iniciar sua infeliz campanha de inverno contra o mercenário Gressart, o pregador Irmão Richard pediu a ela que desse seu veredito sobre uma mulher chamada Catherine de La Rochelle, que queria estabelecer a paz entre o rei Carlos e o duque de Borgonha com a ajuda do que ela estava alegando serem visões celestiais. Joana não ficou impressionada – Catherine devia voltar para seus afazeres domésticos, declarou – e disse isso ao rei, para desagrado do Irmão Richard; mas grande parte de sua própria missão ainda estava para ser concluída, e ela não podia suportar a possibilidade de que as falsas afirmações dessa mulher pudessem distrair a verdade da mensagem enviada por Deus que ela mesma trouxera.

No fim do mês, parecia que a hora e a vez de Joana estavam chegando. Finalmente, ela cavalgou 130 quilômetros ao norte com um destacamento de tropas a fim de se juntar à guarnição em Lagny-sur-Marne, exatamente a oeste de Paris. Com seu pequeno grupo, saiu de Melun e alcançou os arredores da capital, quarenta quilômetros ao sul, até Senlis, quarenta quilômetros ao norte, combatendo com ingleses sempre que podia. Os armagnacs – escreveu o alarmado autor do diário parisiense – estavam invadindo os portões da cidade: "O duque de Borgonha era esperado todos os dias, mas durante janeiro, fevereiro, março e abril, ele não se movimentou". De fato, em abril, o duque Filipe estava no campo, mas não à vista dos sitiados parisienses. Em vez disso, estava partindo para Compiègne, uma cidade que havia se rendido ao rei Carlos nas semanas que se seguiram à sua coroação, mas que, de acordo com os termos detalhados da trégua armagnac-burgúndia, agora deveria se entregar novamente para o duque de Borgonha. O povo de Compiègne, no entanto, não estava disposto a ser moeda de troca, e começou a reforçar suas defesas e construir seus depósitos de alimentos e armas. Se o duque Felipe quisesse sua cidade, ele teria que vir tomá-la.

E não seria uma tarefa fácil. Compiègne estava situada na margem mais ao sul do Oise, com uma única ponte de pedra atravessando o rio em direção ao norte. Havia grandes muralhas circundadas por um fosso cheio de água, e guaritas com torreões repletos, agora, de armas. E, à medida que os nervos ficavam mais e mais à flor da pele a cada dia de abril que se passava, todos os olhos se voltaram para essa cidade situada numa encruzilhada estratégica entre a inglesa Rouen a oeste e a armagnac Reims a leste, entre a Paris anglo-burgúndia ao sul e a própria cidade de Arras, pertencente ao duque de Borgonha, ao norte.

Mais ao norte do que ela, entretanto, em Calais, o menino-rei Henrique VI da Inglaterra avistou a terra de seu reino francês às dez da manhã de 23 de abril, dia da festa de seu patrono São Jorge. Com ele estavam o seu tio-avô, o cardeal Henry Beaufort, e 22 pares ingleses, incluindo os duques de York e Norfolk e os condes de Warwick, Huntingdon, Arundel, Stafford e Devon, além de um generoso número de criados e mais tropas para se juntar à guarda que já tinha desembarcado no início do ano. Ali, para lhe dar as boas-vindas, estava Pierre Cauchon, bispo de Beauvais, um vigoroso partidário que havia ajudado a negociar o Tratado de Troyes dez anos antes e era um dedicado conselheiro da coroa inglesa na França desde então. Cauchon havia servido a Henrique V; agora, era um momento de triunfo pessoal acompanhar o grande filho do soberano na caminhada para sua coroação francesa.

Mas, por enquanto, o bispo Cauchon e seu rei de 8 anos tiveram sua jornada bruscamente interrompida. Por mais inexata que fosse a observação, as tréguas que obrigavam formalmente os ingleses, os burgúndios e os armagnacs a se absterem da guerra haviam expirado uma semana antes, no Domingo de Páscoa, e todas as partes apontavam dedos acusatórios entre si para explicar por qual razão eles não estavam se reunindo, como fora previamente acordado, para negociar uma paz permanente. E, se a paz não podia ser garantida no país através do qual a cavalgada real precisava viajar, então a pessoa preciosa e insubstituível do rei Henrique não poderia ser posta em risco. Ele esperaria em segurança atrás das maciças muralhas de Calais até que seu reino francês estivesse pronto para recebê-lo.

Enquanto o jovem rei se estabelecia dentro de sua nova acomodação protegida pela fortaleza da abatida Calais, o duque de Borgonha avançava através da linha de frente. Durante semanas já estava reunindo suas tropas em Péronne, a quarenta quilômetros ao sul de Arras. Depois da passagem da Páscoa com segurança, marchou para o sul até Montdidier e, em seguida, ziguezagueou pelo país com seu capitão Jean de Luxemburgo, outro de seus cavaleiros do Velo de Ouro, para obrigar a rendição de castelos e cidades ao longo de seu caminho. Esse avanço militar foi suficiente, afinal, para convencer o rei Carlos e seus conselheiros de que sua política de distensão armagnac-burgúndia tinha fracassado. Em 6 de maio, uma carta real foi redigida para alertar os leais súditos do rei sobre a traição do inimigo burgúndio. Carlos, explicava ela, havia tentado a reconciliação com todo o seu coração, na esperança de que pudesse socorrer seu povo do sofrimento. O duque Filipe, ao contrário, não fez nada, exceto demonstrar sua má-fé, divertindo-se com tratados quando não tinha intenção de construir uma paz duradoura. A Borgonha, agora estava claro, ainda estava do lado da Inglaterra; o resultado seria a guerra.

E a guerra era o que Joana estava esperando. Se o duque de Borgonha tinha Compiègne em sua mira, ela estava pronta para defender esse território. Estivera em ação nas semanas anteriores – uma escaramuça resultou na captura de um incômodo capitão burgúndio chamado Franquet d'Arras, que fora julgado e decapitado em Lagny –, mas agora a tarefa à sua frente tinha uma familiaridade reconfortante. Ela socorreria uma cidade que se encontrava sitiada, tal como o fizera em Orléans. Exatamente como em Orléans, sua intervenção impediria o inimigo de garantir uma vital travessia do rio. Seus oponentes dessa vez eram os burgúndios, os falsos franceses, não os ingleses, e o rio era o Oise, e não o Loire, mas, exatamente como em Orléans, ela tinha o leal capitão Poton de Xaintrailles montado a seu lado. Os presságios eram bons, até mesmo com os comandantes burgúndios aproximando-se ameaçadoramente: o duque Filipe instalara seu quartel-general em Coudun, cinco quilômetros ao norte de Compiègne, e Jean de Luxemburgo em Clairoix, do outro lado do rio rumo ao nordeste.

Por volta da terceira semana em maio, ela tinha um plano. Como em Orléans, ainda era possível para os defensores de Compiègne se movimentarem para dentro e para fora da cidade de um lado, e Joana partiu com outro capitão e um destacamento de tropas para Soissons, um pouco mais de trinta quilômetros a oeste ao longo do rio Aisne. A ideia deles era usar o rio que cruzava aquele local a fim de cavalgar rumo ao norte e surpreender o inimigo com um ataque-surpresa por trás de sua posição. Em princípio, a estratégia era sólida; na prática, a dificuldade de combater os burgúndios em um território que abraçara a autoridade armagnac havia menos de um ano tornou-se rápida e alarmantemente clara. Soissons havia se rendido ao rei Carlos logo na sequência de sua coroação, no último mês de julho, mas agora o rei armagnac partira havia muito. E, em vez dele, o duque de Borgonha e seu exército estavam bem próximos, e a perspectiva de acomodar as tropas dos armagnacs dentro das muralhas da cidade parecia, para o povo de Soissons, uma loucura perigosa. Eles deram à Donzela alojamento para a noite e despacharam seus soldados para os campos.

O plano precisaria ser mudado. Se não pudesse cruzar o rio, Joana pelo menos tinha a chance de pedir reforços antes de retroceder para Compiègne, e então ela partiu para Crépy-en-Valois, situada a dezenove quilômetros ao sul da cidade sitiada. Quando retornou com novas tropas, encoberta pela escuridão da noite de 22 de maio, descobriu que o cerco tinha se fechado. O momento havia chegado. Depois de umas poucas horas de descanso, Joana pegou seu estandarte e reuniu seus homens para um ataque ao inimigo. Com Xaintrailles ao seu lado, ela cruzou a ponte até o final da avenida fortificada na margem norte do Oise e, adiante, investiu contra o coração da posição burgúndia. A ofensiva empurrou o inimigo cada vez mais para trás, os gritos dos atacantes e os clamores dos caídos misturando-se com o ruído de aço golpeando aço. Joana forçou o cavalo adiante, incentivando seus soldados a seguirem em frente uma e outra vez até que, de repente, algo mudou no ruído da batalha. Olhando sobre seu ombro, viu o que era.

Nem todos os inimigos estavam à frente dela. Outra divisão de tropas burgúndias e inglesas havia se detido na luta, fora do campo de visão. E agora se movia em posição atrás dela, abrindo caminho através da ponte e em segurança. Joana continuava gritando aos seus homens até ficar com a garganta ferida, dizendo que Deus estava com eles. Mas a pressão era implacável. Cada vez mais soldados armagnacs eram forçados a se retirar para o outro lado do rio, até que o inimigo os empurrou para tão perto do *boulevard*, que o capitão de Compiègne não teve escolha: por sua ordem, o grande portão da cidade foi fechado. A luz do sol estava desaparecendo quando os burgúndios se aglomeraram ao seu redor, lâminas e mãos a cercando, até que finalmente ela foi puxada bruscamente da sela. No meio da confusão de rostos, ela ofereceu ao capitão burgúndio mais próximo a sua submissão, como um nobre cavaleiro deve fazer, em reconhecimento à sua nova condição, inesperada e indesejável. A Donzela era uma prisioneira.

A notícia se espalhou rapidamente, e foi recebida com gritos de excitação e gargalhadas nos campos da Borgonha e da Inglaterra. O próprio duque Filipe não perdeu tempo em cavalgar saindo do conforto de seu alojamento em Coudun para olhar de perto esse prêmio extraordinário. O cronista Enguerrand de Monstrelet, que estava entre os entusiastas do duque de Borgonha quando ele se encontrou cara a cara com a prostituta armagnac, afirmou que não se lembrava das palavras que circulavam entre eles, mas não havia dúvida de que o duque se deleitava. Ele escreveu naquela mesma noite às cidades fiéis da França e dos Países Baixos que estavam sujeitos à sua autoridade: "[...] pela vontade de nosso Criador Abençoado, os eventos têm-se sucedido e Ele nos mostrou tal graça, que a mulher conhecida como a Donzela foi capturada [...]. Sua captura, estamos certos, será por toda parte uma grande notícia, e demonstrará o equívoco e a credulidade estúpida de todos aqueles que se deixaram convencer pelos feitos desta mulher; e estamos escrevendo para dar-lhes esta notícia, esperando que vocês nela encontrem alegria, conforto e consolo, e que façam o devido agradecimento e deem louvor ao nosso dito Criador que vê e sabe de todas as coisas [...]".

O homem a quem a cativa pertencia, de acordo com as leis da guerra, era Jean de Luxemburgo, o comandante dos soldados que haviam combatido os armagnacs naquele dia. Joana foi levada sob guarda ao castelo dele em Beaulieu-les-Fontaines, 27 quilômetros ao norte de Compiègne, para aguardar o próximo movimento em um jogo em que tinha sido repentinamente transmutada de um cavaleiro para um peão. Joana via-se como um soldado, o que era muito claro pela maneira como ela tinha se rendido ao capitão de Luxemburgo, e, como tal, esperaria ser resgatada – talvez por seu rei, dado que ela mesma não tinha nenhum rendimento com que comprar sua liberdade – ou trocada por outro prisioneiro.

Outros, no entanto, viam-na de maneira muito diferente. Ela era uma moça de 18 anos cujo comando militar derivava puramente de sua missão. Para os ingleses e os burgúndios – como o duque Filipe apontava com satisfação – sua captura oferecia uma prova incontestável de que seu pretexto de agir em nome dos céus sempre tinha sido falso. Claramente, o rei armagnac não podia aceitar essa orientação mal interpretada, tampouco podia concordar com o falecido Jean Gerson que, se a Donzela vacilasse, a culpa podia estar nas inadequações daqueles em torno dela. Em vez disso, a única conclusão possível era que ela própria se excedera. Naquela noite, enquanto as missivas do duque Filipe eram despachadas para as cidades burgúndias, cartas urgentes do arcebispo de Reims, chanceler do rei Carlos, levavam as notícias – e suas explanações – para a França armagnac. Joana, a Donzela, havia sido capturada, dizia ele, porque ela era muito teimosa, muito pertinaz para ouvir um conselho sábio. Enquanto isso acontecia, o rei já tinha sido abordado por outro mensageiro do céu, desta vez um jovem pastor das montanhas no sudeste do reino. Não havia dúvida de que o inimigo inglês e o burgúndio seriam derrotados, confirmou esse jovem; apesar disso, Deus havia permitido que a Donzela fosse presa porque, consumida pelo orgulho e pela luxúria, ela havia feito o que queria em vez de seguir Seus comandos.

Era difícil saber o que fazer com Joana agora que seus milagres começaram a desaparecer. Se Deus tivesse retirado completamente o Seu favor a ela – o que certamente indicava a mensagem de sua captura – então isso, pelo menos, proporcionava uma certeza útil. Era uma questão de arrependimento, mas não se poderia permitir que uma sombra fosse lançada sobre o mandato do céu que tinha sido confirmado tão poderosamente pela consagração do rei em Reims. Para o arcebispo e seus seguidores armagnacs, portanto – políticos, teólogos e aqueles que, como o próprio arcebispo, eram ambas as coisas –, havia toda razão para deixar a Donzela à mercê do destino que Deus tivesse lhe preparado, o que certamente seria um julgamento sobre a conduta dela, e não do reino a que ela tinha servido.

Mas essa era uma conclusão que os guardiões espirituais da França inglesa – as partes da Igreja francesa que escolheram o lado burgúndio desde o começo da guerra civil – não podiam permitir que fosse sustentada. O fracasso da Donzela era o fracasso de sua missão. O erro ao qual ela tinha levado o suposto delfim e a inspiração demoníaca que a levou a contestar os direitos dados por Deus ao rei Henrique exigiam investigação e condenação; assim, três dias depois de sua captura, os teólogos da Universidade de Paris e o vigário-geral do inquisidor da fé na França inglesa escreveram ao duque de Borgonha pedindo-lhe humildemente que entregasse à justiça eclesiástica a mulher conhecida pelos inimigos do reino como "a Donzela". Ela era veementemente suspeita, eles explicaram, de heresia e – como todos os bons cristãos sabiam – estava sob a autoridade da Igreja o fato de que ela deveria ser julgada por crimes que haviam insultado a Deus e arriscado as almas das pessoas simples que a tinham seguido. Seis semanas mais tarde, não tendo recebido resposta, escreveram novamente incentivando o duque a cumprir seu dever para com Deus e a Sagrada Igreja, entregando Joana ao inquisidor ou, se preferisse, ao bispo de Beauvais, no seio de cuja diocese ela tinha sido aprisionada.

O caso, acreditavam, era claro. Joana havia sido derrotada no campo de batalha, e agora a chance deles tinha vindo para fazer brilhar a luz da verdadeira fé no escândalo manifesto por suas reivindicações. Seus argumentos, porém, atingiram ouvidos surdos. Filho fiel da Igreja, Jean de Luxemburgo ainda esperava trocar tal prisioneira de renome por um resgate substancial. E após o golpe da captura de Joana, o duque de Borgonha estava começando a lamentar seu renovado compromisso de lutar pelos ingleses. Atolado na lama do lado de fora de Compiègne e encontrando seus territórios sob ataque em outras partes, ele precisava de espaço para manobra política muito mais urgente do que uma demonstração teológica do fato de que Deus não era um armagnac.

A solução apareceu na figura do bispo de Beauvais. Pierre Cauchon era um erudito que, por volta de 1416, tinha defendido o pai do duque de Borgonha do assassinato de Luís de Orléans, cometido há muito tempo, contra o armagnac Jean Gerson no Concílio de Constança. Agora, ele fora reduzido a um bispo sem sede episcopal desde que a cidade de Beauvais se entregou à Donzela e a seu rei como consequência da coroação em Reims no verão anterior. Ele estava determinado a ver Joana julgada por seus crimes, e – como um político com anos de experiência entre os conselheiros reais da França inglesa – estava bem colocado para levar a cabo tal audiência. Se os ingleses, aconselhados pelo bispo Cauchon, pagassem o resgate pela jovem para Jean de Luxemburgo, então o rei Henrique poderia entregá-la à Igreja, representada pela pessoa do bispo Cauchon, para julgamento.

A posição militar inglesa na Normandia tinha melhorado o suficiente para que, enfim, na segunda quinzena de julho, o próprio rei Henrique viajasse os 160 quilômetros ao sul de Calais para se juntar a seu tio Bedford em Rouen, onde foi recebido por uma delegação de burgueses usando chapéus vermelhos e por multidões que clamavam *"Noël!"*, tão alto que o menino perguntou se era possível parar com o barulho. A presença de Henrique em seu reino francês, ainda que jovem, significava que Bedford estava temporariamente dispensado de seu papel de regente e, portanto, foi o Conselho Real – sob a liderança do cardeal Beaufort e contando com o bispo Cauchon entre seus membros – que concordou, em nome do rei, em comprar Joana, a Donzela, dos burgúndios. Com planos sendo preparados para a coroação francesa de Henrique, não havia dúvida do mérito de expor ao público a feitiçaria e a idolatria da prostituta que colocara uma coroa na cabeça do pretendente armagnac.

O bispo Cauchon iniciou negociações financeiras com o duque de Borgonha e Jean de Luxemburgo, enquanto o Conselho tomava providências para levantar o dinheiro necessário dos súditos leais do rei no seu ducado da Normandia. Era um trabalho demorado, mas sua urgência era evidente. No início de setembro, uma seguidora de Irmão Richard, uma mulher bretã chamada Pieronne, foi julgada em Paris; ela afirmou não só que Deus conversava com ela em forma humana, vestindo um manto branco e uma túnica vermelha – prova evidente de sua blasfêmia, disse o escritor do diário parisiense –, mas também que "a mulher Joana que lutou ao lado do armagnacs era boa, e que o que ela fez foi bem feito e foi vontade de Deus". Pieronne foi condenada e um sermão foi pregado do lado de fora de Notre-Dame para explicar seu erro; então, porque ela não abjurou sua heresia, foi queimada viva. Entretanto, quanto maior o atraso em levar a Donzela a julgamento, maior o risco de que essas expressões de apoio a ela pudessem crescer – ou que a própria prisioneira pudesse, de algum modo, antecipar a exposição de seus crimes. Ela já tinha empreendido uma tentativa de fuga de Beaulieu-les-Fontaines e, como resultado, foi transferida em julho para um castelo mais seguro, a fortaleza de Beaurevoir, cerca de 50 quilômetros mais para nordeste; lá ela tinha conseguido saltar da janela da torre na qual estava trancada e, embora tenha sobrevivido à queda, demorou algum tempo para que seus ferimentos se curassem.

Finalmente, em novembro, o acordo estava feito: os burgúndios tinham seu dinheiro e os ingleses, sua prisioneira. Os teólogos da Universidade de Paris enviaram uma carta um tanto hostil escrita em latim ao bispo Cauchon, expressando seu espanto diante da demora para entregar a mulher à jurisdição da Igreja, e outra em francês, mais política, ao próprio rei Henrique, pedindo que ela fosse levada imediatamente a Paris, onde tantos eruditos estavam dispostos a ajudar na investigação de seu delito. Mas o Conselho do rei Henrique tinha outras ideias. Tinham acabado de garantir a posse de sua cativa e não estavam prestes a enviá-la para uma cidade que estava muito perto do alcance dos armagnacs e muito incertamente sob o controle inglês. O bispo de Beauvais não podia ouvir o caso em sua própria diocese, que estava nas mãos do inimigo; ela seria, por conseguinte, transferida para Rouen, a capital da Normandia inglesa, onde o próprio rei, aos 9 anos de idade, poderia vigiar o processo, com o seu Conselho e seu exército tranquilizadoramente por perto.

Então, em 3 de janeiro de 1431, um édito em nome de Henrique, pela graça de Deus rei da França e Inglaterra, foi emitido a seus súditos leais. "É bastante notório e conhecido...", declarava a carta real, "que há algum tempo uma mulher que chama a si mesma de Joana, a Donzela, despiu o hábito e o vestido do sexo feminino, o que é contrário à lei divina, abominável a Deus, condenado e proibido por toda lei; ela se vestiu e se armou no hábito e no papel de um homem, cometeu e levou a cabo assassinatos cruéis e, segundo se diz, levou o povo simples a acreditar, por sedução e engano, que ela era enviada de Deus, e que tinha conhecimento de Seus segredos divinos, juntamente com vários outros dogmas muito perigosos, mais prejudiciais e escandalosos à nossa santa fé católica." Porque esses crimes exigiam que ela fosse examinada "de acordo com Deus, a razão, a lei divina e os santos cânones", o rei – como "um verdadeiro e humilde filho da Santa Igreja" – ordenou a seus oficiais que entregassem a prisioneira ao bispo de Beauvais. O que isso significava era que Joana seria julgada pela Igreja, mas seria levada ao tribunal todos os dias de uma cela em um castelo real e para lá voltaria todas as noites. Não havia risco de que a prisioneira pudesse escapar. E "se acaso ela não for condenada ou declarada culpada dos referidos crimes", prosseguia a carta do rei, "é nossa intenção retomar e recuperar a posse desta Joana". No improvável caso de que sua heresia não fosse provada, ela ainda seria, afinal de contas, uma prisioneira de guerra.

A própria Joana havia chegado a Rouen, sob guarda cerrada, na Véspera de Natal. Tinha sido soldado durante treze meses e prisioneira por sete meses. Agora seu julgamento estava prestes a começar.

IX

Uma simples donzela

Logo após o pôr do sol em 21 de fevereiro de 1431, o bispo Pierre Cauchon tomou seu lugar na capela da fortaleza real de Rouen. Reunidos ao redor dele estavam algumas das mais admiráveis mentes teológicas e jurídicas da França inglesa: 42 clérigos da mais alta probidade e distinção erudita, a maioria deles graduada na Universidade de Paris, o maior centro de aprendizagem no reino mais cristão. Estavam ali, à meia-luz de uma manhã cinzenta, com os rostos tensos de antecipação, para a primeira sessão pública do caso que englobava a mais grave questão de heresia que já haviam sido convocados a julgar.

Hoje, a acusada faria sua primeira aparição diante dos juízes e seus conselheiros, mas a própria investigação havia sido aberta semanas antes, em 9 de janeiro, quando o bispo e oito de seus distintos colegas se encontraram na câmara do Conselho Real, perto do castelo, para decidir de forma precisa que procedimentos deveriam adotar. De acordo com a lei canônica, o processo de inquisição se iniciava pela percepção de culpa, pela notoriedade pública tão bem estabelecida que servia como uma acusação em si mesma. Nesse caso, é claro, a infâmia da prisioneira dificilmente poderia ter sido maior. Como a abertura do registro do julgamento observou, "o relatório agora tornou bem conhecido em muitos lugares que esta mulher, ignorando completamente o que merece respeito no sexo feminino, rompendo os limites da modéstia e esquecendo toda a decência feminina, tem vergonhosamente se vestido com roupa do sexo masculino, uma monstruosidade chocante e vil. E, o que é maior, sua presunção foi tão longe, que ousou fazer, dizer e disseminar muitas coisas além e contrárias à fé católica e prejudiciais aos artigos de sua crença ortodoxa". O bispo tinha, é claro, o dever de investigar esses crimes aparentes e expô-los ao escrutínio de teólogos e advogados canônicos para julgamento definitivo.

Em qualquer inquisição era necessário agir com muito escrúpulo mediante as suspeitas de heresia, mas neste caso o cuidado deveria ser redobrado, dado que a acusada teve a temeridade de sugerir que Deus a enviara para arrebatar o reino de seu soberano legítimo. Essa alegação tinha sido difundida em toda a Europa; a demonstração de que ela era falsa devia, portanto, ser conduzida e registrada com incontestável propriedade e rigor, de modo que as conclusões dos juízes pudessem ser amplamente publicadas da mesma forma. Muito se esperava da audiência, tanto pessoal quanto politicamente – sobretudo, é claro, no que dizia respeito ao destino da própria prisioneira. Se sua culpa fosse estabelecida e ela permanecesse impenitente, a Igreja não teria escolha senão abandoná-la ao braço secular, que a condenaria à morte pelas chamas purificadoras. Uma marca da singularidade de sua situação era o fato de que, se não fosse condenada, não seria libertada, mas devolvida à jurisdição da coroa e seu futuro seria decidido pelo rei. Entretanto, esse resultado era pouco provável e o que realmente preocupava o bispo Cauchon era a possibilidade de que ela pudesse ser induzida a confessar sua culpa e abjurar sua heresia. Então seria poupada do fogo para passar o resto de seus dias atrás das grades em contemplação arrependida de seu pecado. Esse julgamento, o bispo sabia, era uma oportunidade de salvar uma alma e uma vida, bem como de defender o reino ao qual ele havia dedicado sua carreira. Além disso, ao executar o trabalho de Deus, também poderia ganhar uma mitra de arcebispo; a sé de Rouen estava vaga e, nas próximas semanas e meses, ele demonstraria publicamente suas credenciais como homem de Deus diante dos membros do Conselho do rei e dos cânones do capítulo da catedral de Rouen.

Havia muita coisa a ser feita e Cauchon começou a cumprir suas responsabilidades com determinação resoluta. Em 9 de janeiro, ele e seus oito conselheiros revisaram as evidências que já tinham compilado e decidiram que era necessário mais, incluindo algumas a serem procuradas na aldeia da prisioneira – não seria uma tarefa fácil, dado que Domrémy ficava situada na fronteira entre o território armagnac e o burgúndio, mas era necessário que isso fosse feito, concordou a comissão. Em seguida, havia funcionários a serem nomeados: Jean d'Estivet, um cânone de Beauvais, para agir como promotor do julgamento; Jean de La Fontaine, um especialista em direito canônico, para supervisionar o interrogatório como examinador; Jean Massieu, decano de Rouen, para transmitir as instruções dos juízes como executor; e dois clérigos experientes, Guillaume Colles e Guillaume Manchon, para atuarem como notários. Durante as seis semanas seguintes, sob a tutela de Cauchon, o caso foi sumarizado em artigos e uma série de questões foi escolhida. Em 19 de fevereiro, uma assembleia de doze estudiosos sob a supervisão do bispo confirmou que as evidências eram suficientes para justificar a convocação da prisioneira para o interrogatório preliminar. Ficou-se sabendo que o inquisidor da fé na França, Jean Graverent, estava ocupado com outra audiência em Coutances, e seu suplente na diocese de Rouen, um frade chamado Jean le Maistre, foi chamado para atuar em seu lugar como juiz, ao lado do bispo. Le Maistre parecia relutante – ou, pelo menos, interessado em discutir os detalhes técnicos de sua nomeação – mas concordou que a audiência poderia prosseguir enquanto os detalhes de sua participação eram resolvidos.

Finalmente, em 20 de fevereiro, o bispo Cauchon estava pronto. Expediu a ordem de que a acusada deveria se apresentar diante dele às oito horas da manhã seguinte, "para responder sinceramente aos artigos e às questões e a outros assuntos nos quais ela estava sob suspeita". Jean Massieu, que entregou essa convocação, voltou a informar que ela estava disposta a comparecer; ela pediu apenas autorização para ouvir a missa de antemão, e que o bispo deveria reunir em torno dele "tantos homens da Igreja da França quanto da Inglaterra". O bispo consultou seus conselheiros, mas a resposta precisou de pouca discussão: estava fora de questão permitir que a mulher assistisse ao culto divino, tendo em vista os crimes de que a acusavam e o fato de que ela ainda insistia na perversão do uso de roupas masculinas; e, é claro, todos os homens santos que reunidos na penumbra da capela real eram franceses, mesmo que reconhecessem um rei diferente daquele a quem a prisioneira havia oferecido lealdade.

O pesado silêncio foi interrompido repentinamente e, então, lá estava ela: uma jovem, vestida como um rapaz, de cabelos pretos e curtos. As sedas e as peles às quais se acostumara desde Orléans tinham desaparecido, e ela estava pálida por causa dos longos meses sem ver o sol. Mas seu rosto estava sereno e seus olhos, fixos. Diante dessa grande e solene assembleia, ela era a única mulher e a mais jovem em idade, porém, depois de suas aventuras desde que deixou Domrémy, aquela não era mais uma experiência tão nova. Já havia sido interrogada antes, em Poitiers, onde outra augusta companhia de estudiosos procurou investigar a verdade sobre sua missão. Aquela não havia sido uma inquisição hostil como a que ela enfrentava agora, mas ainda assim havia muitos elementos que eram familiares. Mais uma vez, o interrogatório com o qual seria confrontada hoje havia sido precedido por um exame para confirmar que ela era virgem, desta vez conduzido sob a égide da duquesa de Bedford. Sua integridade física havia sido provada; agora era hora de testar sua integridade espiritual. Os juízes da Donzela estavam prontos, mas ela também estava.

A primeira formalidade era um juramento sagrado de que ela diria a verdade, a ser feito, conforme explicou o bispo Cauchon, com a mão sobre os evangelhos. E, pela primeira vez, a jovem falou: "Não sei sobre o que vocês querem me questionar. Talvez vocês façam perguntas que não vou responder". Exigiu-se que ela dissesse a verdade sobre assuntos de fé, e sobre outros assuntos que ela sabia, foi informada, e novamente contestou. Falaria de bom grado sobre seus pais e tudo o que tinha feito depois que saiu de casa, mas suas revelações de Deus eram uma questão diferente; aquelas, ela só tinha dito ao seu rei, e não acreditava que o céu lhe permitia falar delas, mesmo que sua cabeça fosse cortada – embora ela fosse saber mais, disse, dentro de oito dias. Este era um obstáculo que o bispo não havia previsto. Ele perguntou novamente, e novamente, e todas as vezes ela deu a mesma resposta, até que, finalmente, ajoelhada diante dele com as mãos sobre o livro sagrado, jurou dizer a verdade sobre assuntos relativos à fé católica. Por enquanto, suas revelações teriam que esperar.

Em todo caso, havia o básico a ser estabelecido; sua voz clara respondia às perguntas, enquanto as penas dos notários rabiscavam o pergaminho diante deles. Seu nome era Joana, disse ela, e não sabia nada de um sobrenome. Seu pai era Jacques d'Arc, e sua mãe, Isabelle. Tinha 19 anos, achava ela, e tinha sido batizada em uma igreja de Domrémy, o vilarejo onde nasceu. A uma sugestão dos juízes, nomeou os seus padrinhos e o padre que a tinha batizado; confirmou que conhecia a Oração do Senhor, a Ave-Maria e o Credo, tudo isso ela tinha aprendido com sua mãe. Mas aqui também o bispo se deparou com a vontade da prisioneira, a qual, já estava se tornando evidente, poderia ser um obstáculo formidável. Solicitada a repetir a Oração do Senhor para o tribunal, ela disse que gostaria de dizê-la, mas apenas para aquele que fosse ouvir a sua confissão. Cauchon pressionou-a diversas vezes, mas Joana não cedeu, até que ele ficou sem escolha, a não ser seguir em frente.

Ainda assim, pelo menos o serviço do dia estava quase completo. Antes de a jovem ser levada para sua cela em outra parte do castelo, Cauchon advertiu-a de que não tentasse escapar, sob pena de acusação por heresia. Mas isso também despertou sua resistência. Ela não estaria quebrando nenhum juramento se fugisse, protestou, já que nunca tinha dado sua palavra de que não o faria; ela também se queixou das correntes de ferro com que tinha sido amarrada. Mas os grilhões eram necessários, lembrou o bispo, porque ela já tinha tentado escapar antes. Essa última afirmação era verdade, e ela admitiu isso, mas querer fugir, declarou, era o direito de qualquer cativo. Nessas circunstâncias, parecia sensato que seus carcereiros jurassem pelos evangelhos que a protegeriam bem e que ninguém pudesse falar com ela sem a permissão do bispo Cauchon. E com isso, o tribunal foi adiado.

Na manhã seguinte às oito, a multidão de estudiosos comprimidos no salão das becas em uma extremidade do grande salão do castelo era ainda maior: 48 homens da Igreja estavam lá para ajudar o bispo Cauchon e seus oficiais na administração de seu dever. Se os recém-chegados haviam decidido comparecer na esperança de testemunhar o desafio da menina, não tiveram que esperar muito. Mais uma vez, os procedimentos foram abertos com a exigência de que ela deveria jurar dizer a verdade, e mais uma vez ela se opôs. "Eu fiz um juramento para vocês ontem, isso deveria ser o bastante", e quando foi pressionada: "Vocês me sobrecarregam demais". No final, ela jurou como fez no dia anterior, para dizer a verdade em questões relativas à fé; mas quando o teólogo Jean Beaupère, a quem Cauchon havia nomeado para conduzir o interrogatório do dia, começou a falar. Ela olhou-o fixamente. "Se você estivesse bem informado sobre mim, iria desejar que eu estivesse fora de suas mãos. Nada fiz, exceto por meio da revelação."

Beaupère começou devagar, cuidadosamente, falando sobre a vida dela em sua casa em Domrémy – ninguém poderia superá-la em costura e fiação, disse ela, orgulhosamente – e sua viagem para Vaucouleurs. As perguntas serpentearam e sondaram, para a frente e para trás através de sua história: seu encontro com o capitão Robert de Baudricourt, sua carta de desafio aos ingleses em Orléans, então de volta para a sua chegada em Chinon, e sobre seu ataque em Paris. Em alguns momentos ela respondia, mas às vezes, entre uma pergunta e a seguinte, Beaupère encontrava uma recusa vazia. (Teria sido correto atacar a capital em um dia de festa sagrada? "Siga em frente.") Mas, enquanto conversavam, havia momentos em que aqueles que ouviam descobriam que tinham esquecido de soltar o ar dos pulmões; porque, apesar de seus protestos, Joana tinha começado a falar sobre a voz que ouvia de Deus.

Ela tinha ouvido pela primeira vez no auge de um dia de verão no jardim de seu pai, quando tinha 13 anos de idade. Do seu lado direito, em direção à igreja, veio uma luz, e uma voz, e ela teve medo, mas ouviu a voz uma segunda vez, e depois uma terceira, e então ela entendeu que era a voz de um anjo, enviado a ela por Deus. A voz lhe disse para ser uma boa menina e para ir à igreja; depois falou-lhe da sua missão, embora ela fosse uma pobre rapariga que não conhecia a guerra. Quando chegou a Chinon, sua voz lhe revelou quem era seu rei dentre todos os lordes de sua corte. O rei e seus lordes viram e souberam que ela ouvia uma voz vinda de Deus, Joana explicitou, e agora, à medida que os eventos se desdobravam, às vezes ela estava falando de uma voz, e às vezes de "vozes". Mas quando Beaupère lhe perguntou quem lhe havia dito que usasse roupas de homem, ela se recusou a responder. Aquilo não era culpa de ninguém, ela disse, e, além disso, teve que fazê-lo; "e mudou sua resposta muitas vezes", observaram os notários.

Era o bastante por um dia. Quando a próxima sessão foi convocada, dois dias depois, um número ainda grande de clérigos ilustres – 62 ao todo – apertaram-se para encontrar um assento no salão das becas para ouvir a interminável discussão sobre a confirmação do juramento. "Vocês podem desistir do assunto. Jurei duas vezes; é o suficiente", atestou Joana. Ela não iria ceder, não importava o quanto o bispo Cauchon a pressionasse, e aquilo foi seu próprio juramento provisório antes de se virar para enfrentar Beaupère, e as perguntas sobre a voz. Quando a tinha ouvido pela última vez? Hoje, e três vezes ontem, uma pela manhã, uma vez à tarde e outra vez quando o sino tocou para a Ave-Maria à noite. De manhã, a voz a acordara do sono, mas (isso em resposta à pergunta de Beaupère) sem tocá-la fisicamente. A voz lhe instruíra a responder às perguntas corajosamente e Deus a ajudaria; ao dizer isso, voltou-se para o bispo. "Você diz que é meu juiz. Tome cuidado com o que faz, pois na verdade eu sou enviada por Deus, e você se coloca em grande perigo."

O autocontrole era absolutamente notável, mas Beaupère mal teve tempo de notar. Seu trabalho era complexo e sutil: como desvendar, passo a passo, a informação necessária para esse caso tão desafiador do discernimento dos espíritos. O grande Jean Gerson, em seus últimos dias, tinha sido enganado pelas alegações da Donzela, mas seu método ainda fornecia o modelo às tentativas desse tribunal para alcançar a verdade. Já era aparente que Joana não mostrava a necessária humildade, a consciência de que ela, uma jovem iletrada, exigia o julgamento autoritário da Igreja para decidir sobre a natureza de suas revelações. Em vez disso, ela acreditava – e até mesmo ousou declarar – que suas revelações lhe davam autoridade para resistir ao julgamento da Igreja. O tribunal teria, portanto, de confiar na habilidade de Beaupère em obter provas de seu relutante testemunho para concluir se ela realmente ouvia mensagens do céu, ou se elas vinham do inferno.

A voz, perguntou ele, era de um anjo, de um santo, ou vinha diretamente de Deus? "A voz vem de Deus", ela declarou; mas, à medida que as perguntas continuavam, Joana resistia, hesitava, objetava. Poderia pedir que a voz levasse uma mensagem ao seu rei? Ela não sabia se a voz obedeceria, a menos que fosse a vontade de Deus. A voz lhe dizia se ela escaparia da prisão? "Tenho mesmo que dizer a vocês?" Você viu uma luz junto da voz nos últimos dias, e viu mais alguma coisa quando ela falou? A luz apareceu antes da voz; mas "eu não vou contar tudo a vocês; eu não tenho permissão para tal, e meu juramento não inclui isso. Essa voz é boa e digna, e eu não sou obrigada a responder sobre ela". A voz é capaz de ver, ela tem olhos? "Vocês ainda não vão descobrir isso." Como você sabia que estava na graça de Deus? Essa pergunta, pelo menos, era direta para qualquer paroquiano devoto que tivesse ouvido o sermão na igreja aos domingos. "Se eu não estou, Deus pode me colocar lá; e se estou, que Deus me mantenha nela. Eu seria a pessoa mais miserável do mundo se soubesse que não estava na graça de Deus."

O dia estava chegando ao fim e a sessão estava quase terminando. Beaupère voltou-se para seu dossiê de provas do vilarejo da jovem – um território armagnac, confirmou ela, mesmo que a aldeia vizinha fosse burgúndia. (A voz lhe disse que odiasse os burgúndios? Ela não os amava desde que compreendeu que suas vozes apoiavam o rei da França). Mas o interesse de Beaupère na sua vida em Domrémy se concentrava no vilarejo, não no estado do reino: em histórias, reunidas pelos investigadores do bispo, de uma grande faia perto de uma nascente. Os habitantes locais chamavam a faia de "árvore das fadas" e acreditavam que as águas da nascente tinham poderes de cura. Às vezes, as meninas jovens faziam guirlandas para pendurar na árvore e dançavam a seu pé. Beaupère sabia muito bem que fadas não existiam e que, se houvesse espíritos na árvore, eles só podiam ser demônios; então se Joana compartilhava das crenças dos velhos habitantes sobre as fadas, se dançava em volta da árvore e oferecia guirlandas a ela, isso demonstraria suas ideias errôneas e seu fracasso em distinguir uma presença diabólica do que ela realmente era. Mas Joana mostrou pouco interesse nas perguntas. Assumiu que havia feito guirlandas para a imagem da sagrada Virgem no vilarejo e que dançou *perto* da árvore, mas que nunca viu fadas nem ouviu suas vozes ali. Sua resposta dificilmente poderia ser considerada correta no que dizia respeito ao entendimento da doutrina – ela não sabia, ao que tudo indicava, que fadas, ao contrário de anjos e demônios, não eram reais – mas isso, os juízes sabiam, não era condenatório. Ela parecia cansada. Uma última pergunta: queria uma vestimenta de mulher? "Se isso os fará me dispensar, deem-me uma, que eu vou pegá-la e ir embora. Do contrário, não. Estou contente com esta roupa, já que agrada a Deus que eu a use".

Dessa vez, ela teve dois dias inteiros para esperar na sua cela antes de ser trazida de volta para o salão das becas. A assembleia era levemente menor – 54 eclesiásticos, sem contar os funcionários do tribunal – mas o dia começou, como sempre, com a familiar discussão do juramento: "Vocês deveriam estar contentes. Já jurei o bastante". Beaupère deu um passo para frente. Como tem passado? "Vocês veem muito bem como tenho passado. O melhor que posso." A voz que falava com ela continuava sendo o assunto ao qual ele queria retornar, e novamente Joana respondeu dando voltas e se desviando, sendo reticente, e então recomeçava a dança. As perguntas dele eram variações sobre um tema já abordado: o que a voz tinha dito a ela? Ela a proibiu de dizer o que sabia? Era a voz de um anjo, ou de um santo, ou vinda diretamente de Deus?

De repente, a sala ficou muda. O momento se arrastou. O que ela havia dito? Era a voz de Santa Catarina e de Santa Margarida. Suas figuras apareceram coroadas com diademas preciosos. "E eu tenho licença do Senhor para isso. Se duvidarem, escrevam a Poitiers, onde fui interrogada noutro momento." Agora, as perguntas choveram uma após a outra. Como ela sabia que havia duas santas? Como sabia quem eram elas? Estavam vestidas com o mesmo hábito? Tinham a mesma idade? Qual delas apareceu primeiro? Novamente, as respostas eram evasivas. Sabia muito bem quem eram elas, e haviam-lhe dito seus nomes. "Não vou dizer mais nada agora; não tenho permissão para revelar isso." E então ela disse que havia recebido conforto em primeiro lugar de São Miguel. Outro silêncio. Passou-se muito tempo desde que ouviu pela primeira vez a voz do arcanjo? "Eu não falei que ouvi a voz de São Miguel; em vez disso, falei que recebi um grande conforto." Mas, ainda assim, ela o vira cercado de anjos do céu. Tinha visto o Santo e os anjos corporalmente, e fisicamente? "Eu os vi com meus olhos corpóreos, assim como eu os vejo; e, quando me deixaram, chorei e desejei ardentemente que me tivessem levado consigo."

A mente de Beaupère era um turbilhão. Enfim, isso foi um progresso. Ele sabia, como todos os homens da sala que estudaram os escritos de duzentos anos do santo erudito Tomás de Aquino, que os anjos eram seres de espírito, capazes de assumir a forma corpórea quando apareciam diante dos humanos, mas não verdadeiramente física por natureza. Ficou claro que o guerreiro São Miguel poderia mostrar-se na terra e as mártires virgens, Catarina e Margarida, também poderiam fazer isso, mas, se Joana realmente os tivesse visto, ela precisaria prová-lo descrevendo a verdadeira essência de seu caráter angélico e santo – e os corpos "físicos" confirmariam a mentira de suas reivindicações. Não só isso, mas os santos certamente teriam dado a ela um sinal através do qual poderia convencer outras pessoas da verdade de suas revelações. Disse isso em voz alta: ela tinha um sinal? – "Já lhes disse muitas vezes que são Santa Catarina e Santa Margarida: acreditem em mim se quiserem."

Isso bastaria, por enquanto; havia muito mais a perguntar. Um bom inquisidor, Beaupère sabia, deveria expor as inverdades e as contradições nas respostas de um herege, mudando de tática, retrocedendo, fingindo e repetindo. Teria ela sido ordenada a usar roupas de homem? Era um assunto de menor importância, Joana rebateu, um dos menores. Em todo caso, "tudo o que fiz foi por ordem do Senhor". Por que o rei acreditou nela? Porque os clérigos de Poitiers haviam-na interrogado durante três semanas e, além disso, ele tinha um sinal. As armas: Beaupère sabia da história da espada que ela tinha enviado para a igreja de Santa Catarina de Fierbois e do estandarte feito de seda que ela carregava na batalha. As vozes haviam dito a ela que a espada poderia ser encontrada no altar da igreja, disse Joana, mas ela preferia o seu estandarte, que conduzia para evitar matar quem quer que fosse; nunca tirou a vida de ninguém. E as próprias batalhas? Sabia que iria levantar o cerco em Orléans, e sabia que seria ferida lá, quando uma flecha arranhou seu pescoço: Santa Catarina e Santa Margarida tinham-lhe prevenido disso. Feitiçaria e superstição eram as palavras que estavam na mente de Beaupère quando falou de armas especiais, talismãs e presciência do futuro. Feitiçaria e superstição: palavras que valeria a pena perseguir nos próximos dias.

De fato, quando o tribunal se reuniu novamente dois dias depois, perguntaram-lhe outra vez sobre a árvore das fadas e sobre raízes de mandrágora e mandalas de cura. Joana, porém, ignorou todas essas perguntas. Mais difíceis ainda – e aqui o silêncio da sala assumiu uma intensidade fora do normal – foram as perguntas sobre os santos. Em que forma ela os viu? Rostos, ricamente coroados. Como eles falavam se não tinham outras partes do corpo? "Eu deixo isso para Deus." Eles falavam francês, respondeu. Mas Santa Margarida não falava inglês? "Por que falaria inglês, se não está do lado inglês?" Responder às perguntas com outras perguntas ajudou-a durante algum tempo, mas a tática não poderia ser mantida para sempre, e quando chegaram ao assunto do sinal que ela tinha dado a seu rei para provar que fora enviada por Deus, Joana recorreu a uma recusa categórica. "Sempre lhes disse que não vão tirar isso de mim. Vão perguntar a ele."

O último dia do interrogatório público foi muito longo. Beaupère conduziu-a ao longo de sua viagem de Troyes a Reims e a Lagny, retomou seus encontros com o pregador Irmão Richard e a mulher Catherine de La Rochelle, que alegava ter visões mandadas por Deus. (Joana tinha permanecido acordada a noite toda à procura da "dama branca" que a mulher fingia ver, mas – como Santa Catarina e Santa Margarida já haviam lhe dito – isso era uma tolice absurda.) Beaupère falou dos santos, das roupas que Joana usava e de seu fracasso em entrar em La Charité apesar da ordem de Deus. ("Quem disse que Deus me ordenou isso?") E mencionou o fato de que ela saltou da torre em que fora aprisionada no castelo de Beaurevoir, de Jean de Luxemburgo. As vozes lhe haviam dito para não fazer isso, ela disse, mas preferiu se entregar a Deus a cair nas mãos dos ingleses, então encomendou sua alma a Deus e à Virgem e saltou.

Com isso, o bispo Cauchon declarou que o registro de suas respostas seria estudado, e seriam acrescentadas notas aos assuntos sobre os quais era necessário mais questionamento. Demorou uma semana; então Joana soube que seus inquisidores – ou um pequeno grupo deles, liderados pelo próprio bispo e pelo examinador Jean de La Fontaine – iriam visitá-la no espaço confinado de sua cela. Lá, como fizera Beaupère antes dele, De La Fontaine teceu teias com suas perguntas, movendo-se levemente de tópico em tópico, recuando e retornando enquanto procurava expor o que poderia ser errôneo no pensamento de Joana. No centro desse interrogatório, logo ficou claro, estava o sinal que havia convencido o rei da verdade de sua missão.

Sobre esse sinal, Joana sempre afirmava que lhe era proibido falar. Agora, fechada entre as quatro paredes de sua prisão, já não estava diante de uma audiência atenta de dezenas de clérigos. Ainda assim, respondeu corajosamente – como suas vozes a instruíram, ela sempre dissera – para os oito homens que agora a encaravam. No entanto, pouco a pouco, a pressão começou a se manifestar. Por que não revelaria o seu sinal, perguntou La Fontaine, já que ela mesma exigira conhecer o sinal de Catherine de La Rochelle? Não teria feito isso, Joana argumentou, se o sinal dela já tivesse sido mostrado, como o seu próprio sinal havia sido apresentado a muitos bispos e lordes – o arcebispo de Reims, o conde de Clermont, o lorde La Trémoille e o duque de Alençon entre eles. O sinal era uma marca física, então, se ele pôde ser mostrado aos nobres conselheiros do rei: será que ainda existia? Ele permaneceria, ela declarou, por mil anos e mais – e ainda estava no seu tesouro do rei. Então era ouro ou prata, uma pedra preciosa ou uma coroa? "Não vou dizer mais nada sobre isso. Ninguém poderia descrever algo tão rico quanto o sinal." Então, um lampejo da rebeldia conhecida. "E, em todo caso, o sinal de que vocês precisam é que Deus me livrará de suas mãos e esse, certamente, é um sinal que Ele poderia lhes enviar." Será que o seu sinal teria vindo de Deus? Um anjo de Deus o havia trazido para seu rei, Joana revelou, e ela agradeceu a Ele por isso muitas vezes.

Eles estavam chegando perto. Na próxima vez que entraram em sua cela, contou a eles que esse anjo – o mesmo, disse, que sempre se mostrou a ela, e que nunca falhou – tinha ordenado ao rei que a colocasse para trabalhar. Qual foi o sinal que o anjo trouxe? Esse era um assunto sobre o qual ela consultaria Santa Catarina. E então, no dia seguinte, eles a pressionaram mais uma vez e, finalmente, entremeando com explosões de impaciência incitadas pelas interrupções constantes de suas perguntas, Joana ofereceu sua história. Em Chinon, depois da

Páscoa de 1429, um anjo trouxe ao rei uma coroa de ouro puro, cuja riqueza era insondável, fundida tão finamente, que nenhum ourives do mundo poderia tê-la confeccionado. O ser celestial tinha se inclinado diante do rei, e Joana podia ver – embora os outros presentes não pudessem – que ele estava escoltado por uma miríade de outros anjos, alguns com asas, alguns com coroas, e entre eles estavam suas próprias santas amadas, Catarina e Margarida. "Majestade, aqui está o seu sinal; pegue-o"– contou Joana. E a coroa significava, declarou o anjo, que o rei obteria o seu reino da França com a ajuda de Deus se desse soldados a Joana e a colocasse para trabalhar. O anjo deu a coroa ao arcebispo de Reims, que a entregou ao rei. E por que tudo isso aconteceu com ela, em vez de outra pessoa? Porque agradou a Deus, ela disse, expulsar os inimigos do rei por meio de uma simples donzela.

Enfim, eles tinham o sinal dela: um anjo que podia subir escadas e passar através de uma porta para falar com a corte do rei e entregar uma coroa ao arcebispo. Seu rei tinha sabido que era um anjo porque seus instruídos clérigos o confirmaram, Joana alegou. Os sábios clérigos de Rouen tinham outras ideias; mas, por enquanto, manteriam suas conclusões para si mesmos enquanto suas perguntas continuassem. Durante três dos quatro dias seguintes, Joana enfrentou mais comitivas em sua cela. Ela tinha intenção de se matar quando saltou da torre de Beaurevoir? Não, ela se entregou a Deus; queria ajudar o povo desesperado da sitiada Compiègne, mas era verdade que preferiria ter morrido a cair nas mãos dos ingleses – contudo, as vozes lhe tinham dito para não pular. Enquanto se encontrava ferida, Santa Catarina lhe confortou e lhe disse para pedir o perdão de Deus pelo que havia feito. E, agora que estava numa prisão inglesa, Santa Catarina lhe reassegurou de que a ajuda viria. Talvez ela pudesse ser libertada de sua cela, ou talvez alguma perturbação interferisse no julgamento para garantir sua liberdade – uma coisa ou outra, supunha.

Ela acreditava, perguntaram, que havia cometido um pecado mortal por se jogar da torre, por consentir a execução do burgúndio Franquet d'Arras em Lagny, por usar roupas masculinas, por atacar Paris num dia de festa? Estava inteiramente comprometida com Deus, ela respondeu, mas sabia – porque suas vozes assim lhe disseram – que iria para o céu, no final. Nesse ponto, os clérigos estavam bastante cientes de que tinham o dever de agir como confessores e pastores, bem como inquisidores e estudiosos, com delicado cuidado para com a alma da prisioneira. Será que ela compreendia que a celestial Igreja triunfante – Deus, os santos, os anjos e os salvos – era representada na Terra pela Igreja militante, o papa, os cardeais, os prelados e clérigos e todos os bons cristãos, um corpo que, quando reunido, não poderia errar? E será que ela, por essa razão, se submeteria – eles lhe suplicaram, calorosamente – à decisão da Santa Madre Igreja? Mas foi da Igreja vitoriosa no céu – de Deus, da Santíssima Virgem e de todos os santos – que ela veio até o rei da França, rebateu, e era a essa Igreja que se submeteria. "Parece-me que Deus e a Igreja são um só e a mesma entidade, então não deve haver nenhuma dificuldade quanto a isso. Por que vocês fazem dificultam tanto?"

No Domingo da Paixão, 18 de março, o bispo Cauchon e o vice-inquisidor Jean le Maistre – que, finalmente, haviam sido persuadidos, apesar dos protestos do bispo, a assumir seu papel oficial – decidiram que os artigos formais da acusação baseados no testemunho de Joana deveriam ser redigidos para o próximo estágio do julgamento. Nove dias mais tarde, depois de muita discussão entre os instruídos assessores sobre a melhor e mais correta maneira de proceder, o promotor Jean d'Estivet apresentou setenta de tais artigos ao tribunal, cada um deles lido em voz alta e explicado ao prisioneiro. "Seja ela pronunciada e declarada feiticeira ou adivinha, vaticinadora, falsa profetisa, invocadora e conjuradora de espíritos malignos, supersticiosa, engajada e praticante de artes mágicas, com maus pensamentos na e sobre nossa fé católica, cismática, vacilante e inconstante no artigo 'Uma Igreja Santa', etc., e outros artigos da fé, sacrílegos, idólatras, apóstatas da fé, maledicentes e malfeitores, blasfemando a Deus e seus santos, escandalosos, sediciosos, perturbadores da paz e um obstáculo a ela, incitando guerras, cruel-mente sedentos de sangue humano e incentivando seu derramamento, abandonando inteiramente a decência e a circunspecção de seu sexo... uma herege," declarou d'Estiver, "ou, no mínimo, veementemente suspeita de heresia".

Mas setenta artigos eram muito e, no começo de abril, Cauchon e seus colegas passaram três dias quebrando a cabeça, refinando seu conteúdo em doze. E foi sobre esses doze artigos de acusação que, na semana seguinte, dezesseis dos teólogos que estiveram presentes no julgamento pronunciaram suas opiniões de especialistas: "[...] as aparições e revelações das quais ela se vangloria e as quais ela alega ter recebido de Deus, através de anjos e santos, não eram de Deus através de anjos e santos, mas, ao contrário, eram histórias humanamente fabricadas, ou procediam de um espírito do mal, e ela não possuía sinais suficientes para acreditar e saber disso". Os doze artigos mostravam que Joana, concluíram solene e tristemente, estava sob a mais grave suspeita de erros na fé, de blasfêmia e de heresia. O Conselho de advogados canônicos e civis foi procurado; eles, por sua vez, concordaram de forma esmagadora.

Por mais de três meses o bispo tinha conduzido um julgamento que era mais rigorosamente investigado e meticulosamente registrado do que qualquer outro que essa assembleia dos maiores estudiosos e clérigos da França inglesa podiam recordar. O caso tinha sido encerrado. O que restava era a tentativa de salvar uma alma, de convencer a prisioneira de sua culpa, de buscar seu arrependimento. Ninguém podia saber o que Deus, em Sua misericórdia, tinha reservado para a jovem. Mas o fim – qualquer que fosse – estava próximo.

X

Medo do fogo

Joana estava doente. Ela já era prisioneira havia dez meses. Durante os últimos dois meses, havia passado por um interrogatório, primeiro no intimidante teatro público do tribunal do bispo Cauchon e depois na claustrofóbica intimidade de sua própria cela. Havia se portado com a ousadia que era o seu lema, mas a pressão tinha sido implacável, e a recusa inicial de falar sobre suas revelações – as vozes que ouvia e o sinal que recebera – se revelara impossível de ser sustentada. Os teólogos armagnacs que ela havia enfrentado em Poitiers mostraram-se bem-intencionados em relação à sua missão; eles tinham se convencido de sua vida inocente, e então a colocaram à prova em Orléans. Mas os clérigos burgúndios jamais seriam convencidos por um sinal que tomou a forma de uma vitória armagnac. Como resultado, ela havia sido induzida a lhes dizer mais do que queria, a falar de anjos, santos e do presente da coroa de ouro. E ainda assim eles não acreditaram nela.

Ela viu o bispo pela última vez em 31 de março, quando ele a visitou na cela com sete outros teólogos numa tentativa de convencê-la a se submeter ao julgamento da Igreja de Deus na terra. Disse o que sempre havia dito: iria se submeter à Igreja desde que isso não exigisse que rejeitasse as ordens que vinham do próprio Deus. Que não faria isso por nada. E então eles haviam partido, fechando a porta de sua prisão atrás de si. Por mais de duas semanas, fora deixada para contemplar os grilhões a que estava atada. Agora ela não estava apenas cansada, mas doente.

Tinha certeza, é claro, de que a ajuda de Deus viria, mas às vezes a espera era difícil. "Deus ajuda aqueles que se ajudam", havia dito aos juízes, e sabia que o provérbio era verdadeiro. Havia tentado escapar de sua primeira prisão em Beaulieu, espremendo-se entre as tábuas no chão de sua cela, até que foi pega por um carcereiro, e estava tão angustiada durante seu segundo encarceramento em Beaurevoir – tão atenta à liberdade e tão desesperada para não se tornar prisioneira dos ingleses –, que tinha se arriscado à morte saltando da torre. Mas era a vontade de Deus que ela vivesse como prisioneira um pouco mais, então pediu Seu perdão e encontrou conforto no conselho da voz dela – a voz de Santa Catarina, a jovem e sagrada virgem que havia resistido aos interrogatórios de estudiosos pagãos com eloquência e coragem e que, em estátuas e vitrais, sempre carregava a espada de seu próprio martírio. Joana havia encontrado sua própria espada sagrada no altar da igreja de Santa Catarina em Fierbois, mas aqui em Rouen ela não tinha armas. Aqui, estava sozinha em uma fortaleza inglesa, vigiada por homens que a olhavam com cobiça e a apalpavam, e zombavam usando uma linguagem que ela não entendia.

Ao menos suas roupas – a túnica, o gibão e as meias, embora estivessem manchados e esfarrapados – proporcionaram-lhe alguma proteção contra as mãos sedentas. Elas tinham sido a armadura de sua missão desde o início, antes que tivesse uma armadura real para vestir, e não iria abrir mão delas por um vestido de mulher – nem mesmo em troca da oportunidade de ouvir a missa, algo que ela queria muito, e com o que o bispo tentara repetidas vezes seduzi-la. Agora, quando os ferrolhos foram puxados para trás e a chave girou na fechadura, ela sabia que ele estava aqui novamente. Os rostos ao redor dele mudaram – hoje, outros oito clérigos entraram atrás dele no pequeno espaço de sua cela –, mas ele permaneceu o mesmo, em trajes episcopais forrados de pele, um homem de cerca de 60 anos, bastante velho para ser seu avô, sorrindo gentilmente, porém de maneira fria.

Tinham vindo, ele disse, em amor e amizade, para oferecer a ela conforto e encorajamento em sua doença. Durante as últimas semanas,

Joana havia sido interrogada sobre grandes e difíceis matérias diante de muitos homens sábios e instruídos, que haviam estudado suas respostas e tinham encontrado nelas muitos perigos à fé. Entendiam, ele continuou num tom tranquilizador, que ela era uma mulher analfabeta e ignorante das escrituras, e que eles estavam prontos para lhe ensinar, pela salvação do seu corpo e da sua alma, exatamente como fariam para seus vizinhos ou para eles próprios. A Santa Madre Igreja não fecharia seu coração para qualquer pessoa desgarrada do rebanho que quisesse retornar a ela. Mas se Joana se recusasse – e aqui a voz do bispo se elevou sombria –, a Igreja não teria escolha senão abandoná-la. Esse era o destino do qual ele estava tentando protegê-la, com todo o seu poder e do fundo de seu amor cristão.

Joana olhou para cima. Estava grata pela preocupação deles, disse. "Parece-me, dada a doença que tenho, que estou em grande perigo de morte. E se é assim que Deus deseja fazer a Sua vontade para comigo, peço-lhes que eu possa ter a confissão e o sacramento da Eucaristia, e que eu seja sepultada em terra santa." A resposta veio novamente: era preciso a submissão à Igreja se quisesse receber os sacramentos. Ela disse, com gravidade: "Não sei mais o que dizer a vocês". Mas o bispo ainda tinha mais a dizer. Quanto mais ela temesse por sua vida, argumentou, mais precisaria mudá-la para melhor – e não poderia receber os ritos da Igreja se continuasse se recusando a se submeter à autoridade da Igreja. "Se meu corpo morrer na prisão, confio que vocês o enterrarão em solo santo. Se vocês não o enterrarem, confio em Deus." Joana não entendia por que o amor cristão do qual aquele homem falava não lhe permitia enxergar que obedecer às ordens do céu não podia ser um pecado, que a autoridade da Igreja terrena não poderia triunfar sobre aquela do próprio Deus. Mas ainda assim ele não tinha parado. A Sagrada Escritura, disse um dos seus assistentes, mostrando os versículos a ela, ensina a necessidade de obediência. Ela já havia respondido a isso inúmeras vezes. "O que quer que aconteça comigo, não farei ou direi nada que já não tenha dito antes no julgamento."

Eles a deixaram. Mais duas semanas se passaram, de lenta e amarga recuperação. Em 2 de maio, disseram-lhe para ficar pronta para encarar a corte mais uma vez, enquanto, no salão das becas, perto do grande saguão do castelo, o bispo Cauchon levantava-se para fazer um discurso preparatório para uma audiência atenta e lotada com 64 de seus companheiros clérigos. A mulher fora plenamente examinada, declarou, e suas confissões foram verificadas por doutores de teologia e de cânones e leis civis. Durante muito tempo ficou claro que ela parecia ter culpa, mas antes que uma decisão final pudesse ser tomada, era necessário adverti-la, com amor, das maneiras pelas quais ela se afastara da verdadeira fé e tentar, com toda a gentileza, assegurar seu arrependimento. Muitos peritos respeitáveis lhe haviam falado em particular, mas as artimanhas do diabo os haviam derrotado. Era sua esperança que o aviso público dessa assembleia solene, dado com amor e bondade, pudesse ter sucesso onde eles falharam.

Então Joana foi trazida: mais magra, mais pálida, uma presença mais silenciosa do que no início dessa longa provação. Para entregar a amorosa admoestação da corte, o bispo havia nomeado um arquidiácono de Évreux chamado Jean de Châtillon, um idoso teólogo que agora se punha de pé, rigidamente, para se dirigir a ela. Começou do início: ela compreendia que todos os fiéis em Cristo eram obrigados a manter os artigos da fé cristã? "Leia seu livro", ela disse, com um aceno para o manuscrito que estava na mão dele, contendo o horário das acusações sobre as quais ele estava prestes a comentar, "e então eu responderei. Eu espero em Deus, meu Criador, em tudo. Eu o amo com todo meu coração."

E assim De Châtillon iniciou a sua leitura. Explicou a infalível autoridade da Igreja militante; a perversão de usar roupas de homem sem ser guiada por necessidade, contrária à ordem de Deus no livro de *Deuteronômio*; a falsidade e a presunção de suas reivindicações em relação às suas revelações; e o grave perigo no qual ela permanecia por causa de sua obstinada recusa de se arrepender dos seus erros. Iria ela se submeter? Não estava mais doente, mas ainda estava esgotada e ainda esperava pelo resgate que justificaria tudo o que havia dito. Agora, suas respostas não eram reticentes nem evasivas. "De fato, creio que a Igreja militante não pode errar ou falhar; mas, quanto às minhas palavras e ações, eu as coloco diante de Deus e me reporto em todas as coisas a Ele, que me fez fazer o que fiz." Compreendia ela que, embora a Igreja não pudesse tirar uma vida, um herege condenado seria punido com fogo por outros juízes, aqueles do braço secular? "Não vou dizer mais nada sobre isso. E se visse o fogo, eu diria tudo o que estou dizendo a vocês agora e não agiria de maneira diferente". Ela se submeteria ao papa e aos cardeais se eles estivessem aqui? "Vocês não conseguirão mais nada de mim a esse respeito."

Sua resistência era impenetrável. Somente no final Joana ergueu a voz em desdenhoso desafio. Joana se submeteria, perguntou De Châtillon, aos clérigos do próprio partido dela, à Igreja de Poitiers, se suas aparições se referissem a eles? "Você acha que pode me pegar dessa maneira e me arrastar para você?" Ele a advertiu novamente: será que ela realmente entendia que, se não se submetesse, a Igreja não teria escolha senão abandoná-la, deixando sua alma para ser consumida pelo fogo eterno do inferno, e seu corpo, pelo fogo deste mundo? Dessa vez, toda a certeza de sua missão foi destilada em cada palavra de sua resposta. "Você não fará o que está dizendo contra mim", Joana disse calmamente, "sem que o mal se apodere de você, de corpo e alma". Outras vozes instruídas juntaram-se ao coro de advertência e súplica, até que finalmente o próprio bispo Cauchon falou, dizendo a ela quão cuidadosamente devia considerar o sábio conselho. "Dentro de quanto tempo devo decidir?", perguntou ela. Deve decidir-se agora, disse o bispo. Mas Joana não respondeu, e os guardas levaram-na de volta para a cela.

Mais uma semana se passou, mas quando ela viu seu juiz e ator-mentador novamente, tudo estava diferente. Em 9 de maio, quando Joana foi escoltada para dentro de uma sala que não lhe era familiar, na grande torre do castelo, o bispo estava lá para recebê-la, junto de dez de seus colegas, incluindo a velha figura de Jean de Châtillon. Com eles estavam outros homens, seus rostos inexpressivos, e ao redor deles, várias ferramentas de metal trabalhado com dentes e lâminas e tenazes. O bispo Cauchon ofereceu a melhor e mais magnânima demonstração de amor cristão que era capaz de coreografar, e ela se recusou a responder. Agora, parecia, ele tinha decidido tentar o oposto da bondade.

Muitas vezes lhe tinham mostrado a prova de seus erros, disse o bispo severamente, e em resposta ela mentiu e mentiu novamente e negou a verdade apesar dos esforços de muitos eruditos para ensiná-la e aconselhá-la. Ela não lhes deixou outra escolha além de submetê-la à tortura, a fim de levá-la de volta ao caminho da justiça pelo bem de sua alma e seu corpo, os quais ela havia exposto a tanto perigo. Joana olhou firmemente para tais instrumentos de piedosa violência e para os homens cuja tarefa era infligir dor em nome de Deus. "Na verdade", respondeu, afinal, "se tiverem que me despedaçar membro a membro e minha alma for separada do meu corpo, eu ainda não vou dizer mais nada. E se eu dissesse algo a mais sobre isso, sempre diria que vocês me obrigaram a falar à força".

Pôde perceber que isso não era o que o bispo queria ouvir. Medo, sim, e a autodúvida diante da implacável autoridade da Igreja militante. Mas não a certeza inabalável em troca. Então se pronunciou mais uma vez. Poucos dias antes, recebera grande conforto do arcanjo Gabriel; tinha certeza de que era São Gabriel porque suas vozes haviam dito que era ele. Perguntou às vozes se seria queimada, e elas tinham respondido que Deus iria ajudá-la. Cauchon estava quieto; depois, lançou um olhar aos seus associados e algumas palavras foram sussurradas. Se eles não podiam quebrar sua vontade, então quebrar seu corpo poderia fazer mais mal do que bem ao progresso e à reputação desse julgamento tão minuciosamente conduzido e tão publicamente investigado. Um aceno da mão episcopal, e a sessão terminou.

Dessa vez, ela teve três semanas de espera. Cada dia que passava, enquanto Cauchon e seus conselheiros deliberavam em algum lugar do castelo, tornava menos provável que ela fosse novamente chamada àquela câmara de horrores. Mas todos os dias que passavam eram também um dia em que a ajuda do céu ainda não havia trazido seu resgate. Finalmente, em 23 de maio, Joana foi tirada da cela, não para a sala da torre, nem para o salão das becas, onde as audiências do plenário eram feitas, mas para outra sala perto de sua prisão. Lá, o bispo estava sentado com toda a pompa, com o vice-inquisidor Jean le Maistre ao lado dele. Ao redor desses dois juízes estavam reunidos nove teólogos e advogados civis e canônicos, bem como sacerdotes pertencentes à catedral de Rouen. Esse não seria apenas mais um dia no julgamento; esse foi o clímax.

Muitas perguntas foram feitas a Joana e ela deu muitas respostas. Nessa base, o tribunal já podia continuar com o julgamento. Contudo, ao longo das últimas duas semanas, explicou o bispo Cauchon, ele julgara conveniente consultar outra autoridade eminente: a Universidade de Paris e, em particular, suas Faculdades de Teologia e de Direito Canônico. Agora, com o benefício de suas conclusões, o erudito teólogo Pierre Maurice explicaria mais uma vez a posição da Santa Madre Igreja. Maurice era um homem mais jovem, de quase 40 anos, que havia pouco desenvolvera brilhantes estudos na universidade, e seu discurso, logo ficou claro, tinha sido preparado com erudição e vigor.

Ponto por ponto, ele percorreu os doze artigos da acusação, demonstrando em cada caso a transgressão de Joana. Tanto as vozes quanto as visões eram histórias que ela tinha inventado, ou, se houvesse verdadeiramente as ouvido e visto, eram de origens diabólicas. Se fosse o último caso, então não somente ela tinha acreditado nelas de forma precipitada, como sua reverência por elas tornou-a uma idólatra e uma invocadora de demônios. O sinal que ela dizia ter recebido, do anjo que trazia ao rei uma coroa de ouro não era "plausível", declarou ele, "mas uma falsidade presunçosa, enganosa e perniciosa, uma matéria fabricada que diminui a dignidade dos anjos". Sua afirmação de saber de eventos que iriam acontecer era uma vanglória vazia, cheia de superstição e adivinhação. Sua insistência em vestir roupas de homem, contra a natureza, contra Deus, e a autoridade da Igreja a implicava blasfêmia, idolatria e transgressão da fé. Ela havia encorajado a tirania e o derramamento de sangue. Ao sair de casa sem a permissão de seus pais, havia quebrado o mandamento de Deus para honrar pai e mãe. Suas declarações sobre a inimizade de seus santos para com os ingleses e os burgúndios eram blasfêmias, e uma violação do mandamento de que ela deveria amar o próximo. Seu salto da torre de Beaurevoir mostrou seu pecado em arriscar o suicídio, e sua presunção foi exposta ao alegar saber que fora perdoada. E, acima de tudo, não podia haver dúvida de que ela era cismática e apóstata, pois, ao recusar se submeter ao julgamento da Igreja de Deus na Terra, ela própria se retirou da comunidade dos fiéis.

"Joana, querida amiga" – a voz do homem vinha cheia de pesar –, "agora é hora, no final de seu julgamento, de pensar cuidadosamente sobre o que foi dito." Seus juízes suplicavam a ela, disse, eles a instavam e a advertiam em nome de Cristo a voltar ao caminho da verdade, oferecendo-lhe obediência à Sua Igreja. "Ao fazer isso, você salvará sua alma e, creio eu, redimirá seu corpo da morte. Se você não o fizer, todavia, e se persistir, saiba que sua alma será completamente condenada, e receio pela destruição de seu corpo. De tal destino possa Jesus Cristo preservá-la." Por fim, Maurice retrocedeu. Todos os olhares se voltaram para Joana. Ela levantou a cabeça. O que mais poderia dizer? "Quanto às minhas palavras e ações de que falei no julgamento, recorro a elas e desejo mantê-las." A pergunta surgiu novamente: não vai se submeter? "Vou manter o que eu sempre disse durante o julgamento." Se ela visse o fogo queimando, com a madeira preparada para a pira, se ela visse o carrasco com a tocha em mãos, se ela mesma estivesse no fogo, ainda, ainda assim não diria nada mais, mesmo até a morte. Transcorreu um momento. Então o bispo Cauchon consultou o cronograma em suas mãos, e declarou o fim do julgamento. Amanhã, ela enfrentaria sua sentença.

Na manhã seguinte, Joana foi levada do castelo para a abadia de Saint-Ouen, no centro da cidade, onde uma plataforma havia sido construída no espaço aberto do cemitério, sobre o qual ela iria ficar de pé para ouvir sua sentença pronunciada publicamente. O bispo e o vice-inquisidor estavam lá, e com eles uma augusta figura envolvida nos mantos vermelhos de um cardeal: Henrique Beaufort, bispo de Winchester, cardeal da Inglaterra, tio-avô do rei-menino, e chefe do Conselho Real da França inglesa, um príncipe da Igreja e também do Estado. Um grande ajuntamento de homens da Igreja se aglomerava em torno deles; Joana podia ver o jovem orador Pierre Maurice, o venerável Jean de Châtillon e Jean Beaupère, que haviam-na interrogado no início do julgamento todas aquelas semanas atrás. Abaixo dela, ao pé da plataforma, parecia que toda a cidade se acotovelava e se empurrava em busca de uma visão melhor da infame prostituta armagnac. Mas Joana fixou o olhar nos pináculos de filigrana da igreja da abadia, alcançando o céu que ela mal tinha visto durante os doze meses de sua prisão.

Esperou a ajuda que lhe havia sido prometida e que ela sabia que viria. Então viu um dos clérigos se aproximando para pregar um sermão, esforçando-se para se fazer ouvir acima da agitada multidão. Ainda havia tempo. "O ramo não pode produzir fruto de si mesmo", entoou, "a não ser que permaneça na videira". Seu texto do evangelho falou sobre a verdadeira videira da Santa Mãe Igreja, plantada pela mão direita de Cristo, e da degeneração de quem – como Joana– corta a si mesmo de seu sustento divino. Agora ele estava falando diretamente com ela, implorando mais uma vez que ela se submetesse. Joana já havia respondido a isso tantas vezes, mas, aqui fora, na brisa do ar, ela precisava de mais tempo, então falou novamente. Tudo o que havia dito e feito tinha sido por ordem de Deus. E levantou a voz. Depois de Deus, ela se renderia ao Santo Padre em Roma. Deixem que tudo seja relatado a ele para julgamento; essa foi sua submissão.

Os juízes cochichavam, tampando a boca com as mãos. Em duas ocasiões anteriores, em alguns pontos do julgamento em que fora duramente pressionada sobre a questão da obediência à Igreja, ela explicitou que desejava que seu caso fosse ouvido pelo papa, mas então isso tinha sido parte de um jogo de gato e rato, de pergunta e resposta. (Será que ela se submeteria ao seu senhor, o papa? "Leve-me até ele e responderei a ele.") Agora, isso era uma evasiva de um tipo diferente: um apelo público a Roma como uma tentativa de interromper esse momento em sua marcha. Isso não podia ser permitido, não só porque, de uma só vez, destruiria a autoridade do tribunal que passara quase cinco meses ouvindo seu caso com toda a diligência possível, mas também – e aqui Cauchon estava totalmente ciente da imponente presença do cardeal Beaufort a seu lado – porque os ingleses nunca permitiriam que a prisioneira fosse removida da guarda deles. Após um momento, o bispo falou. A resposta dela não era uma submissão suficiente. O papa estava muito longe para ser consultado; seus juízes estavam aqui e ela devia aceitar a autoridade da Santa Madre Igreja que eles representavam. Por três vezes ele repetiu suas advertências. A Donzela não falou novamente. Cauchon misturou os documentos em suas mãos e começou a ler a sentença final.

Joana estava de pé, amarrada e imobilizada. Escutou quando o bispo declarou que sua obstinação não deixara à Igreja outra escolha senão abandoná-la ao poder secular – os guardas ingleses que a rodeavam e o carrasco com a carroça de prontidão – para ser queimada viva no fogo purificador. A ajuda do céu estava chegando, ela tinha certeza. Mas não havia mais tempo. Então ela falou. Cauchon hesitou, e um gesto pedindo silêncio acalmou a multidão. Ela falou de novo. Desejava obedecer à Igreja e aos seus juízes. Eles haviam dito que suas visões não mereciam crédito, então ela não as sustentaria. Disse isso com urgência, repetidas vezes. Queria se submeter.

Houve alvoroço. Enquanto a multidão uivava, o bispo ficou de pé por um momento, depois falou com o cardeal, que assentiu. Cauchon fez um gesto para Jean Massieu, o executor da corte, que deu um passo à frente com um documento em mãos, uma declaração de abjuração, que leu em voz alta. Ela confessava seus graves pecados – aqui detalhados novamente em toda a sua indignidade – e renunciava a seus crimes, para nunca mais recair neles? Joana concordou e, conforme o tribunal exigia, ela jurava por Deus todo-poderoso e Seus santos evangelhos. Massieu levou o texto até ela, uma pena em sua outra mão, e, hesitante, ela rubricou a página para assinar a sua submissão.

Era uma sentença diferente que o bispo Cauchon agora era chamado a cumprir. Ele tinha pensado que presidiria a condenação de uma herege, mas, na décima primeira hora, o aperto do diabo sobre a moça se afrouxara. Agora, gritando sobre a explosão de ruídos, ele descreveu novamente a maldade de seus crimes e o cuidado com que seu caso tinha sido considerado por seus juízes. Por fim, com a ajuda de Deus, ela havia se retratado de seu erro com um coração contrito e fé verdadeira. Seria acolhida de volta ao seio da Santa Madre Igreja e, de acordo com a sentença final do tribunal, viveria seus dias na penitência da prisão perpétua, comendo o pão de tristeza e bebendo a água da aflição enquanto chorava por seu pecado.

Joana foi levada embora. Algumas horas se passaram antes de o vice-inquisidor ir à sua cela, acompanhado, como sempre, de uma escolta de clérigos eruditos. Ela devia ser grata, disseram, pela graça de Deus e pelo perdão de Sua Igreja que a aceitaram de volta em seu seio. Devia se submeter à sentença de prisão com humilde obediência e nunca, por nenhuma razão, repetir as histórias que havia contado anteriormente. E agora, como a Igreja havia ordenado, ela devia deixar de lado as roupas vergonhosas que usava. Um vestido foi-lhe entregue; ela o colocou imediatamente, despindo-se do gibão, da túnica e das meias aos quais se aferrara por tanto tempo. Então, curvou o pescoço para raspar a cabeça. Enquanto os sacerdotes observavam, seus cabelos escuros – que, embora sujos e crescidos, ainda haviam sido, de modo reconhecível, cortados bem curtos ao longo das orelhas, à maneira de um jovem elegante – caíram no chão, mecha por mecha.

Pelo menos, estava acabado. O bispo Cauchon sabia que muitas pessoas estavam com muita raiva, com a ideia de que a vagabunda dos armagnacs tinha escapado ao fogo. Mas ele era um pastor para seu rebanho, e havia salvado uma alma para Cristo. Que ela era culpada, nunca tinha sido seriamente posto em dúvida, mas ele a expôs à vista do público, passo a passo, com todo o rigor de que era capaz. Muitos lordes ingleses – a quem ela havia insultado, ameaçado e desafiado, e cujo sangue de soldados tinha derramado – a queriam morta. Mas o bispo pôde refletir com satisfação sobre o fato de que o grande cardeal da Inglaterra tinha permanecido ao dele para ouvir a confissão da Donzela de que era uma fraude. Ela havia renunciado publicamente à sua perversa alegação do apoio de Deus ao suposto delfim e aos falsos franceses que ousaram segui-lo. Agora, a jovem que parecia fazer milagres iria apodrecer numa prisão inglesa pelo resto da vida, em abjeta contemplação dos pecados que tinha cometido.

Três dias depois, o bispo recebeu a notícia de que sua presença era, mais uma vez, exigida no castelo. Na manhã seguinte, 28 de maio, ele e Jean le Maistre, com uma escolta de clérigos e guardas foram conduzidos até a cela de Joana. O pelo eriçado do cabelo raspado estava áspero em seu couro cabeludo, e ela parecia agitada, mas, por um momento eles não viram nada além de suas roupas. Por que, perguntou Cauchon, ela estava vestida como um homem, quando tinha prometido e jurado nunca fazê-lo novamente? Quando Joana falou, suas respostas eram corridas e tropeçavam, escorregando e deslizando de uma para a outra. Ela preferia essas roupas, disse, ao vestido de uma mulher. Não tinha compreendido que estava prestando juramento de não usar essas roupas novamente. Disse que pensava que era mais apropriado vestir roupas masculinas, já que era forçada a viver entre homens. Ela as vestiu novamente porque não havia sido mantida a promessa de que ela poderia ir à missa e ser libertada de seus grilhões. Preferia morrer a ficar presa em ferros, mas se pudesse ir à missa, se seus grilhões fossem removidos e ela colocada em uma prisão mais agradável com companhia feminina, então seria boa e faria o que a Igreja queria.

Houve uma pausa. Será que ela, perguntaram os juízes, teria ouvido as vozes de Santa Catarina e Santa Margarida nesses quatro dias que se passaram desde sua abjuração no cemitério da abadia? Joana fez que sim com a cabeça. O que tinham dito? Dessa vez, sua angústia estava clara em cada fio que puxava do emaranhado de seus pensamentos. As vozes disseram que ela havia condenado sua alma para salvar a sua vida. Antes, disseram que ela deveria ter falado com coragem na plataforma. O pregador de Saint-Ouen a acusara falsamente. Se ela dissesse que Deus não a enviara, seria condenada, porque realmente havia sido enviada por Deus. Não tinha pretendido negar suas visões. Sua renúncia era totalmente falsa. Tudo o que fizera na plataforma foi por medo do fogo. Então, perguntou Cauchon, qual era a verdade sobre as vozes que ouvia, e sobre o anjo com a coroa de ouro? "Eu lhes disse a verdade sobre tudo no julgamento, da melhor forma que pude." Ela preferia morrer e pagar a penitência de uma vez por todas a ficar presa por mais tempo. Não tinha entendido nada das palavras de sua abjuração, e não tinha feito nada contra Deus. Vestiria roupas femininas se os juízes quisessem, mas não faria nada além disso.

Então eles a deixaram sozinha. No dia seguinte, Cauchon e Le Maistre solicitaram uma reunião com seus conselheiros e assessores – aproximadamente quarenta clérigos – na capela do palácio episcopal da cidade. Uma vez ali, o bispo explicou o que havia acontecido: a sentença, a renúncia e os eventos perturbadores do dia anterior. Uma por uma, as vozes dos eruditos se manifestaram. Todos ofereceram conselhos de um tipo ou de outro; alguns sugeriram que fosse feita uma tentativa final para redimir a alma imortal da Donzela. Mas todos os argumentos chegavam às mesmas conclusões: Joana era uma herege que recaía na mesma falta, e, como tal, deveria ser abandonada pela Igreja.

Logo cedo na manhã do dia seguinte, enquanto os toques finais eram feitos na pira e na plataforma na antiga praça do mercado da cidade, uma última comitiva entrou na cela da prisioneira. Foi Pierre Maurice quem assumiu a liderança. A vida dela já não tinha mais esperança, ele anunciou no dia da sua morte, mas a salvação de sua alma ainda estava ao alcance. Ele perguntaria, e ela devia responder. Tinha realmente ouvido vozes e tido visões? Hoje, a aflição de Joana estava menor, mais contida. Quando ela falou, foi sem provocação. Suas visões eram reais, ela reafirmou. "Sejam bons ou maus espíritos, eles apareceram para mim." Ela ouviu suas vozes sobretudo quando os sinos da igreja tocaram para as matinas na parte da manhã e para as completas* durante a noite. (Às vezes era o caso, interveio Maurice gentilmente, de as pessoas ouvirem o toque dos sinos e acreditar que eles tinham produzido palavras dentro dos sons.) E, verdadeiramente, ela teve visões: anjos vieram até ela em uma grande multidão, porém em dimensões diminutas, como os mais pequeninos seres. E quanto ao anjo que havia trazido uma coroa de ouro para o rei? Um breve silêncio. Não havia um anjo, ela admitiu. Ela própria era o anjo, e a coroa era a sua promessa de que iria conduzi-lo para a sua coroação.

A porta se abriu novamente: os juízes chegaram. Foi o bispo Cauchon quem falou. As vozes sempre haviam lhe prometido que seria libertada. Elas a enganaram, não enganaram? Outro momento. Sim, disse Joana. Havia sido enganada. Se essas vozes eram boas ou más, a Madre Igreja deveria decidir. Foi o bastante; o tempo estava correndo. Um monge chamado Irmão Martin deu um passo à frente, a um gesto do bispo, para ouvir a confissão da prisioneira – como ela tinha pedido por tanto tempo – e para administrar o sacramento da Eucaristia.

A hora estava próxima. Joana foi levada de sua cela para uma carroça que a aguardava e que saiu sacudindo pelas ruas lotadas até a praça do mercado. Havia um mar de pessoas, a luz da manhã refletindo em fivelas e lâminas de metal enquanto os soldados ingleses se moviam entre elas. Ela viu o bispo, o vice-inquisidor, o grande cardeal, os clérigos e os lordes, todos os rostos virados para ela, observando atentamente enquanto a ajudavam a subir no andaime. O Irmão Martin sussurrou ao lado dela, sua tarefa era ser seu último conselheiro e amigo, mas ela sabia que

---

* Completas: a última das sete horas canônicas; ocorrem à noite. (N.T.)

o condenado podia esperar pouca dignidade; em sua cabeça raspada, antes que ela tivesse saído do castelo, haviam enfiado um capuz com as palavras "herege recaída, apóstata, idólatra". Ela teve de suportar outro sermão, desta vez de um clérigo diferente, pregando um texto diferente. "Se um membro sofre, todos os membros sofrem com ele", escreveu São Paulo. Então, mais uma vez, o bispo Cauchon recitou a litania de seu pecado. Joana, conhecida como a Donzela, era culpada de cisma, idolatria, invocação de demônios e muitos outros crimes. Ela havia renunciado à sua heresia, e o seio da Santa Madre Igreja tinha-se aberto para ela mais uma vez, no entanto ela tinha voltado para o seu pecado, como um cão (dizia o livro de *Provérbios*) retorna ao seu vômito. Para conter sua infecção mortal, ela deveria ser cortada do corpo da Igreja. A partir daquele momento, Joana pertencia à justiça do poder secular.

O carrasco estava lá. Soldados ingleses seguraram sua frágil figura enquanto era amarrada à estaca de madeira, no alto, acima da multidão que esperava. Seus lábios se moveram em uma oração inquieta e incessante. Agora o ar estava mudando: um estalo nos ouvidos; um toque de fumaça na garganta. Sua voz era alta e urgente. "Jesus. Jesus. Jesus". O fogo queimou.

Parte Três

Depois

XI

Aqueles que chamavam a si
mesmos de franceses

O duque de Bedford não tinha ido a Rouen para ver a Donzela morrer. Sua esposa tinha supervisionado o exame formal da virgindade da jovem quando o julgamento começou em janeiro, mas poucos dias depois o duque e a duquesa saíram da cidade, deixando seu tio, o cardeal, para supervisionar o progresso do trabalho consciencioso do bispo Cauchon. No fim do mês Bedford tinha chegado a Paris para uma recepção de herói: trouxe consigo um comboio de cerca de setenta barcos e barcaças entulhados de suprimentos, tudo o que ele tinha transportado subindo o Sena desde Rouen, através de ventos fortes e chuva torrencial, esquivando-se das emboscadas armagnacs ao longo do caminho. No início de junho, em clima mais clemente, estava de volta ao campo fora da capital quando chegou a notícia de que a prostituta armagnac pagara por seus crimes com a vida.

O mensageiro sem fôlego foi seguido, nas semanas e meses seguintes, por um grande fluxo de documentos. Havia uma carta em latim dirigida, em nome do rei Henrique, de 9 anos, ao Sacro Imperador Romano e todos os outros reis, duques e príncipes cristãos da Europa, e outra carta, em francês, aos lordes espirituais e temporais da França e às cidades desse reino mais cristão. Ambas as missivas relatavam as escandalosas heresias da "mulher a quem o povo se referia como a Donzela" e descreviam os acontecimentos do julgamento que havia sido conduzido pela Santa Madre Igreja "com grande solenidade e dignidade confiável, para a honra de Deus e a sadia edificação do povo". Era a necessidade de tal edificação, de fato, que tinha movido o rei (ou, pelo menos, sua voz usada por meio de ventriloquia por seu nobre Conselho) a proclamar a notícia tão amplamente. Uma vez que os contos sobre as façanhas da mulher se espalharam "quase para o mundo inteiro", era necessário que seu justo castigo fosse publicado da mesma maneira, para alertar os fiéis dos perigos dos falsos profetas.

Os prelados, os nobres e as cidades da França inglesa foram obrigados por essa carta real a providenciar a pregação de sermões para que o povo comum soubesse a verdade – e em Paris, em 4 de julho, o próprio inquisidor Jean Graverent se dirigiu a uma grande multidão na abadia de Saint-Martin-des-Champs para falar do julgamento que ele tinha sido incapaz de presidir pessoalmente. Ele falou de maneira tão autoritária, que o autor do diário da cidade registrou a sua dramática narrativa sobre os três demônios que tinham aparecido para a mulher Joana nas formas de São Miguel, Santa Catarina e Santa Margarida e que a abandonaram completamente no final. Mas a história que Graverent contou já era familiar para os habitantes de Paris, completada com detalhes sombrios do destino da Donzela que já tinham percorrido o longo do caminho de Rouen até a capital. Depois que ela deu o último suspiro, relatou o escritor do diário, e que suas roupas foram todas queimadas, o carrasco diminuiu o fogo para expor o seu corpo calcinado e nu, ainda amarrado à estaca, para que o povo pudesse ver, além de qualquer dúvida, que ela era verdadeiramente uma mulher. Então, após olharem bastante para o corpo, ele ateou as chamas cada vez mais alto, até que carne e ossos não fossem nada mais que cinzas. Seus senhores, ele sabia, não lhe agradeceriam por deixar fragmentos do cadáver que pudessem ser recuperados como relíquias sagradas por tolos iludidos.

Na batalha para erradicar tal contágio espiritual, havia mais trabalho a ser feito. Assim que o julgamento terminou, o bispo Cauchon confiou uma tarefa vital ao notário Guillaume Manchon e a Thomas de Courcelles, um teólogo que havia participado de muitas das sessões. Os notários haviam registrado os interrogatórios, dia a dia, na língua francesa em que eles eram realizados. Agora, Manchon e De Courcelles deveriam produzir uma tradução latina dessa ata como transcrição oficial do processo. Com esse texto, eles deveriam reunir toda a correspondência do bispo, da Universidade de Paris e do rei, através da qual o processo de julgamento tinha sido estabelecido, e também deviam anexar declarações de testemunhos dos clérigos que haviam falado com a prisioneira na manhã da sua morte – uma visita pastoral após o final do julgamento formal, que por isso ficou sem documentação feita pelos notários –, bem como as cartas públicas em que o rei anunciou sua execução. Então, deveriam transcrever essa narrativa combinada em um registro e produzir cinco cópias oficiais que precisariam ser assinadas pelos notários e conter o selo dos juízes. E então esse registro detalhado do julgamento, escrito em latim, que era a *lingua franca* da Igreja e do Estado através da Europa, permaneceria como uma evidência aberta para a diligência dos juízes e a enormidade da heresia da jovem.

Manchon e De Courcelles trabalharam o mais rápido que puderam, mas não havia dúvidas sobre a urgência de sua tarefa. Era essencial que os rumores que varriam o continente fossem corrigidos na primeira oportunidade possível. Relatórios que chegaram a Veneza vindos de Bruges na primeira quinzena de julho, por exemplo, alegavam que Santa Catarina havia aparecido para a Donzela pouco antes de sua morte. "Filha de Deus", teria dito a santa, "esteja segura em sua fé, pois você será incluída entre as virgens na glória do Paraíso!". Enquanto isso, o rei armagnac, garantiam os venezianos, fora atingido pelo sofrimento e tinha jurado pôr em prática uma terrível vingança contra os ingleses.

Mas isso era boato que corria furiosamente sobre o assunto da corte em Chinon, bem como da corte do céu. Dos lábios do rei Carlos, não houve qualquer comentário sobre os acontecimentos em Rouen. Seus inimigos não tinham dignificado Joana com uma resposta pública enquanto ela estava ganhando batalhas contra eles; foi somente com sua captura e execução que, tendo sido confirmada a verdade evidente de que Deus não era um armagnac, uma torrente de suas palavras contaram ao mundo o que ela realmente era. E, entre as linhas de cada sermão, numa carta e transcrição, podia-se sentir o peso de outra conclusão: a mancha da heresia da Donzela estava pendurada pesadamente sobre o falso rei por quem ela havia lutado. É claro, o próprio rei Carlos sabia que a ideia era um malentendido ridículo. O arcebispo de Reims já havia deixado clara a posição da corte armagnac: o orgulho lamentável de Joana e sua obstinação haviam causado sua queda, mas suas falhas não podiam prejudicar a bênção de Deus sobre seu rei, encarnado no santo óleo que tinha ungido sua testa durante a cerimônia sagrada de sua coroação. Nada mais precisava ser dito; e foi tudo o que se ouviu de Chinon, o resto foi um eco de silêncio.

Em todo caso, conforme o arcebispo tinha dito aos súditos fiéis do rei, outro enviado de Deus estava cavalgando com as forças armagnacs. William, o Pastor, como o chamavam, era um menino que dificilmente poderia ser menos parecido com a Donzela: muito inocente, montava um silhão em seu cavalo, e sua santidade era manifestada pelos estigmas sangrentos em suas mãos, nos pés e na lateral do peito. Em agosto, o Pastor estava com o capitão Poton de Xaintrailles quando perseguiram alguns batedores ingleses que ousaram se aproximar das muralhas de Beauvais. Tarde demais, perceberam que era uma emboscada armada pelos condes de Arundel e Warwick. E, quando o soldado e o menino desapareceram sob a custódia inglesa, o silêncio de Chinon se aprofundou.

O verão não estava indo bem. O outono chegou e foi pior. Em outubro de 1431, a cidade de Louviers – um ponto de encontro vital no Sena, entre Rouen e Paris, que tinha sido capturada por La Hire enquanto Joana estava lutando na lama fora de La Charité – caiu sob o cerco inglês. O poderoso Château Gaillard já estava de volta nas mãos inglesas e, como resultado dessas duas perdas dos armagnacs, a rota ao longo do rio, desde a sede do governo inglês em Rouen até a capital do reino, agora estava novamente aberta. Para o duque de Bedford e seu tio, o Cardeal, não havia tempo a perder: finalmente, dezoito meses depois de sua chegada à França, o jovem rei Henrique poderia seguramente agraciar Paris com sua presença.

No Domingo de Advento, 2 de dezembro, o menino entrou na cidade e foi recebido com uma entusiasmada recepção. As guildas se revezaram em turnos para segurar um dossel azul-celeste com flores-delis douradas sobre sua cabeça – primeiro os alfaiates, depois os donos de mercearias, a seguir os cambistas, então os ourives, os mercadores de tecidos, os vendedores de peles e os açougueiros – enquanto os gritos de *"Noël!"* aqueciam o ar gelado. Cortejos bem organizados foram apresentados um de cada vez: a decapitação do glorioso mártir São Denis, a caça de um veado numa pequena mata, e depois, no Châtelet, um sósia do próprio rei enfeitado em escarlate e peles, cercado pelos lordes da Inglaterra e da França, com as duas coroas de seus reinos gêmeos brilhando acima dele. Na janela do Hôtel Saint-Pol, a rainha herdeira Isabel, com lágrimas nos olhos, curvou-se ante o neto real que nunca havia encontrado. E na parte de trás desse imponente desfile, miserável e amarrado com cordas como um ladrão comum, vinha o santo tolo William, o Pastor, agora, ao que parecia, abandonado por seu Deus. O simplório não voltou a ser visto; os rumores informavam que ele havia sido jogado no Sena e deixado lá para se afogar até as celebrações chegarem ao fim.

Duas semanas mais tarde, outra grande procissão foi montada na Île de la Cité para acompanhar o rei na curta caminhada entre seu palácio real e a catedral de Notre-Dame. No vasto esplendor da igreja, uma passagem de degraus largos o suficiente para que dez homens ficassem de pé elevava-se para uma plataforma recém-construída que conduzia ao coro. Lá, enquanto a música celestial subia para as abóbadas ao alto, o rei Henrique VI da Inglaterra foi ungido e coroado rei Henrique II da França. Notre-Dame não era Reims, e o bálsamo na cabeça real do menino não era o sagrado óleo de Clóvis – mas não havia o que fazer, uma vez que ambos estavam nas mãos dos usurpadores armagnacs. Entretanto, o antigo privilégio de rei do reino mais cristão havia sido trazido de Saint-Denis, e agora o jovem rei o recebia solenemente de seu tio-avô, o cardeal Beaufort, que pronunciou a bênção de Deus sobre o seu soberano. Após a cerimônia, a comitiva voltou para o palácio para uma festa, na qual os pratos do cardápio pontuados por delicadas esculturas elaboradamente feitas de açúcar, uma imagem da Virgem com o filho-rei do céu, outra uma flor-de-lis dourada levada por dois anjos e coberta com uma coroa brilhante. E lá, entre os lordes da Igreja e do Estado que beberam à saúde de seu recém-consagrado monarca, estava a gratificada figura de Pierre Cauchon, bispo de Beauvais.

Apesar disso, entre os sorrisos e as celebrações, havia sinais de que nem tudo estava muito correto como deveria estar no reino da França inglesa. O bispo de Paris não gostava de ser deixado de lado pelo cardeal inglês para uma coroação em sua própria catedral, e houve uma discussão entre os oficiais da casa do rei e os cânones de Notre-Dame sobre quem deveria guardar a taça dourada em que o vinho tinha sido oferecido na missa. Nesse meio-tempo, o autor do diário parisiense estava sendo mordaz sobre a incompetência com que os ingleses tinham organizado a festa e como a comida tinha sido terrível. "Francamente", escreveu ele, "ninguém seria capaz de encontrar uma boa palavra para falar a esse respeito"; e o desanimado torneio realizado no dia seguinte à cerimônia foi igualmente inexpressivo. "De fato, muitas vezes um cidadão de Paris que casou seu filho fez mais pelos comerciantes, ourives, artífices e todos os ofícios de luxo do que fez a consagração do rei ou seu torneio, ou do que todos seus ingleses fizeram agora. Mas provavelmente é porque não entendemos o que eles dizem e eles não nos entendem [...]."

Essa mútua incompreensão não foi aperfeiçoada nem mesmo quando o partido real se afastou apressadamente de Paris somente dez dias após a coroação, entre rajadas de neve e chuva gelada, a caminho de Rouen, depois Calais e então Inglaterra. E com a partida do rei para longe da França, todos os olhos se voltaram para o maior de seus assuntos. Filipe de Borgonha esteve presente em Paris representando como um ator, ajoelhando-se diante de seu soberano na cena do Châtelet, mas, durante a coroação, ele não foi visto em parte alguma. Era verdade que estivera muito ocupado durante os dezoito meses anteriores com os desafios práticos da guerra. Apesar do triunfo da captura da Donzela, Compiègne não havia caído diante dos burgúndios em 1430, um fracasso que o duque atribuiu furiosamente ao inadequado financiamento pelos ingleses. No outono, entretanto, estava claro que os interesses burgúndios nos Países Baixos – onde ele tinha acabado de adicionar o duque de Brabant ao seu controle de Hainaut, Holanda e Nova Zelândia – estavam reclamando a atenção do duque, e os observadores não podiam deixar de notar que sua ausência da capital francesa, em dezembro de 1431, significava que estava sendo convocado a não prestar nenhum juramento de fidelidade ao jovem rei. Não apenas isso, porém a mais de 160 quilômetros ao norte de sua cidade flamenga de Lille, ele, em vez disso, estava ocupado em negociar uma nova trégua de seis anos com o inimigo armagnac.

O momento meteórico da carreira da Donzela – sua fulgurante ascensão e sua queda mortal – tinha fortificado brevemente as divisões entre os dois reinos rivais da França, reforçando a posição armagnac enquanto conduziam o duque de Borgonha a relações mais próximas com os ingleses. Graças a Joana e ao ímpeto de sua missão, ambos os reis tinham sido ungidos e coroados; mas agora que ela havia partido, velhas imperfeições no terreno político estavam começando a surgir mais uma vez. A cada mês que passava, o olhar do duque de Borgonha estava mais claramente fixado no horizonte ao norte e a leste, onde seu novo estado burgúndio estava começando a ser independente. E a constatação de que sua política seria moldada pelo que melhor servisse aos interesses desse bloco de poder autônomo deixou os súditos franceses leais ao rei Henrique cada vez mais desconfortáveis sobre o que o futuro poderia reservar.

A fragilidade da França inglesa se tornou aparentemente inquietante depois de uma série de conspirações em 1432 que abalaram os ingleses em Rouen, Argentan e Pontoise e tiveram sucesso – pelo uso de um cavalo de Troia improvisado com soldados escondidos em barris por mercadores desertores – em entregar Chartres para os armagnacs. Naquele verão, a satisfação do duque de Bedford por recuperar as rédeas de poder do falecido cardeal Beaufort foi interrompida por sua incapacidade de tomar Lagny-sur-Marne, a leste da capital, onde a Donzela tinha lutado antes de seu movimento fatídico tentando defender Compiègne. O cerco de Bedford – conduzido durante uma onda de calor punitiva que tinha seguido o inverno penetrante – teve de ser interrompido em agosto, depois que o Bastardo de Orléans, Raoul de Gaucourt e Gilles de Rais conduziram suas tropas em uma manobra astuta para salvar a guarnição pressionada e assim manter a pressão militar em Paris. E o outono, quando chegou, trouxe para Bedford um revés que combinou tragédia pessoal com desastre político.

A peste estava se estendendo em Paris havia semanas, e o luxo espetacular da casa do duque na capital não provou ter defesa contra os estragos da doença. Nas primeiras horas da manhã de sexta-feira, 14 de novembro, sua esposa Anne sucumbiu à epidemia, com apenas 28 anos de idade. Ela era "a mais encantadora de todas as damas da França", lamentou o jornalista e "muito amada pelo povo de Paris". Bedford também a amava, assim como o irmão de Borgonha; e, uma vez que ela se foi, os laços restantes da lealdade que prendiam o duque de Borgonha dentro da comunidade da França inglesa começaram a se esgarçar e afrouxar. Ela foi enterrada na igreja dos Celestinos, na região leste da cidade, ao som das melodias dos cantores ingleses entoadas em assombroso contraponto enquanto seu corpo era descido para a sepultura "[...] e com ela morreu a maior parte da esperança que Paris tinha", disse o autor do diário, "embora isso precisasse ser tolerado".

A causa do desespero parisiense dificilmente poderia ter sido mais óbvia em uma reunião de cúpula em Auxerre naquele mesmo mês, com o cardeal Niccolò Albergati, um embaixador enviado de Roma, de acordo com o papa, seu superior, como um "anjo de paz". Os ingleses não estavam procurando apenas por uma trégua, uma vez que não podiam cogitar em nenhum assentamento permanente que seu rei-menino pudesse algum dia ver como uma traição de seus direitos dados por Deus. Mas os armagnacs declararam que uma trégua anglo-armagnac era impraticável e inexequível, e, além disso, não podiam decidir nada sem a participação dos príncipes de sangue – o duque de Orléans, entre eles – que ainda estavam cativos na Inglaterra. O duque de Borgonha já havia concluído uma trégua com os armagnacs que, pelo menos na teoria, o retirou da guerra; seus interesses, portanto, estavam concentrados em garantir sua própria posse do condado de Champanhe, com a qual o rei Carlos (disseram os embaixadores armagnacs) nunca concordaria. No final, tudo o que o cardeal Albergati pôde conseguir foi um compromisso de um novo encontro na primavera, "e eles não haviam feito nada", disse o autor do diário, de forma enfadonha, "exceto gastar uma grande quantidade de dinheiro e perder seu tempo".

E quando a primavera chegou, o significado potencial da conferência do cardeal novamente reunida foi completamente ofuscado por um casamento. No dia 20 de abril de 1433, na catedral de Thérouanne, a meio caminho entre Calais e Arras, o duque viúvo de Bedford tomou

Jacquetta de Luxemburgo, de 17 anos, como segunda esposa. A noiva não era apenas "animada, bonita e elegante", relatou o cronista Monstrelet, mas tinha ótimas conexões: seu pai, o conde de Saint-Pol, era irmão de Luís de Luxemburgo, bispo de Thérouanne e chanceler da França inglesa, e de Jean de Luxemburgo, o lorde burgúndio que havia capturado Joana, a Donzela, fora de Compiègne. Para Bedford, a combinação parecia prometer vantagem tanto política quanto militar, bem como a esperança de um herdeiro – algo que seu casamento sem filhos com Anne de Borgonha, apesar de afeiçoado, não pôde proporcionar. Mas ele não tinha considerado o ultraje que Filipe de Borgonha percebera em seu novo casamento apenas cinco meses após a morte de sua amada Anne. Também havia prejuízo: o conde de Saint-Pol era vassalo do duque Filipe, e a sé de Thérouanne formava um enclave dentro do condado burgúndio de Artois, contudo nem o conde nem o bispo tinham considerado cabível pedir a permissão do duque para o casamento que iria acontecer.

O cardeal Beaufort viu os perigos desse desacordo e procurou reunir Bedford e Borgonha em Saint-Omer, ao norte de Thérouanne, no final de maio. Os dois duques chegaram à cidade com muita pompa e circunstância. Só então transpareceu que nenhum dos dois cederia a precedência de concordar em visitar o outro. O cardeal – um homem com anos de experiência diplomática nos maiores tribunais da Europa – foi transportado entre as duas casas, mas nenhum deles cedeu. A perda da duquesa nunca havia sido sentida com tamanha intensidade. Então, quando ambos os duques deixaram a cidade em magnífico estilo sem se encontrarem, tornou-se claro que a relação pessoal entre esses pilares gêmeos da França inglesa tinha sido irreparavelmente arruinada.

Nesse meio-tempo, dentro da França armagnac, pontes estavam sendo construídas em vez de queimadas. A sogra do rei, Iolanda de Aragão, rainha da Sicília, havia se retirado da linha de frente da política, na época em que a missão de Joana, a Donzela, que ela tinha ajudado a desencadear, havia dirigido o curso da guerra. Agora que os austeros imperativos daqueles meses dramáticos haviam-se desvanecido, as sutilezas da política e da diplomacia voltaram a estar em primeiro plano e, graças a Iolanda, o estratagema de uma rainha já estava em jogo.

O primeiro movimento, em 1431, foi um tratado entre a própria Iolanda e o duque de Bretanha, e isso, por sua vez, preparou o caminho para um acordo selado em Rennes em março de 1432, pelo qual o irmão do duque bretão, Arthur de Richemont, o afastado condestável da França armagnac, foi restaurado ao favor real. Não só Iolanda convencera o rei a deixar de lado a sua profunda antipatia para com o condestável a fim de aproveitar o apoio de Richemont contra o inimigo, como ela tinha frustrado as esperanças do duque de Bedford de conseguir uma aliança duradoura com a Bretanha e o serviço de Richemont para a França inglesa. Agora, só restava o fim do jogo: retirar do tabuleiro a incômoda figura do favorito do rei, o adversário que havia precipitado o desacordo do condestável com seu soberano, Georges de La Trémoille.

O mês de junho de 1433 foi o momento escolhido para o golpe no palácio. Em Chinon, homens armados leais a Iolanda e Richemont dominaram La Trémoille no meio da noite. O favorito tentou resistir, mas foi rapidamente subjugado; na briga, foi esfaqueado com um punhal, mas sua vasta barriga absorveu o golpe e salvou-o de uma lesão mortal. O rei Carlos percebeu a confusão e começou a ficar assustado, mas, ao ter certeza de que tudo estava bem – que não estava em perigo, e que La Trémoille simplesmente estava sendo preso pelo bem de seu reino – voltou para a cama. La Trémoille desapareceu, sem que ninguém lamentasse, em exílio interno e, com apenas uma agitação na superfície apática da corte, seu lugar ao lado do rei foi tomado por um charmoso jovem de 18 anos, o filho mais novo de Iolanda, Charles de Anjou.

O volátil regime armagnac foi naturalmente reconfigurado pela mão experiente da rainha da Sicília, enquanto na França inglesa as tensões entre Bedford, seu beligerante irmão Gloucester no outro lado do Canal, e o tio deles, o cardeal, ameaçaram minar o governo carente de dinheiro. Os combates continuavam na Normandia e no Maine, em torno de Paris e – apesar da trégua armagnac-burgúndia – em Champanhe, Artois e nas margens do ducado da Borgonha, e, como resultado disso, o próprio duque de Borgonha decidiu voltar a ocupar o campo mais uma vez no verão de 1433. Nada estava certo, nada estava claro. Mas isso em si – comparado com os dias negros antes da vinda da Donzela, quando parecia que os ingleses podiam tomar

Orléans e irromper sobre o Loire no coração do reino de Bourges – era uma fonte de força para a França armagnac. O rei Carlos nunca seria uma fonte de inspiração para suas tropas no campo de batalha. Havia muito desistira dessa ideia. Mas agora ele era um soberano ungido, e seus capitães – o Bastardo de Orléans, o duque de Alençon, La Hire, Ambroise de Loré – tinham compartilhado as vitórias da Donzela; eles sabiam pelo menos o que significava ganhar. E essa era uma sensação que parecia perdida para o povo da Paris anglo-burgúndia. "A guerra ficava cada vez pior", relatou o escritor do diário em 1434; "aqueles que chamavam a si mesmo de franceses vinham todos os dias até os portões, saqueando e matando [...]". Embora a cidade esperasse, nem Bedford nem Borgonha vieram em seu resgate; "eles poderiam muito bem ter sido mortos", disse o parisiense amargamente.

Não serviu de consolo para ele saber que o duque Bedford se sentia igualmente frustrado. Uma das razões para a ausência do duque em Paris, foi uma visita a Londres com duração de um ano, impingida a ele pela necessidade de angariar mais dinheiro e tropas, além de combater as acusações perniciosas, articuladas por seu irmão egoísta Gloucester, de que ele tinha manejado mal a guerra. Em um documento repleto de argumentos passionais enviado ao Conselho do jovem rei pouco antes de seu retorno à França, no verão de 1434, Bedford falou dos sofrimentos pelos quais o escritor de Paris o havia culpado e a todos os nobres senhores que não tinham conseguido socorrer a cidade. Por causa da guerra, explicou Bedford, os bons habitantes do rei na cidade de Paris e seus outros súditos leais à França não podiam cultivar suas terras nem suas videiras ou manter seu gado e, como resultado, foram levados "a uma extrema pobreza, à qual não poderiam sobreviver por muito tempo". Era preciso mais ajuda, e Bedford não tinha dúvida em relação ao ponto em que o grande empreendimento da França inglesa tinha caído em incerteza: "[...] tudo lhe foi favorável", disse ao rei, "até o momento do cerco de Orléans, levado a cabo Deus sabe por qual conselho. Naquela ocasião, após a aventura ter caído sobre a pessoa de meu primo de Salisbury, cuja alma Deus perdoou, e que ali sucumbiu pela mão de Deus, ao que tudo indica, um grande golpe sobre seu povo que estava reunido ali em grande quantidade, causado em grande parte, como penso, pela falta de crença firme e dúvida errônea que tinham em relação a uma discípula e seguidora do demônio chamada a Donzela, que usou encantamento e feitiçaria falsos, cujo golpe e desconforto não só diminuiu em grande parte o número de seu povo ali, como também abateu a coragem do restante de forma assombrosa, e encorajou o seu partido adversário e inimigos a se agrupar em grande número [...]".

Bedford nunca havia falado em público antes a respeito da Donzela. Esse não foi o exercício cuidadosamente preparado dos meses após a morte de Joana, estabelecendo a retórica com o intuito de trabalhar para anunciar o veredito do céu sobre seu pecado. Em vez disso, estava dando voz à profunda frustração que sentia. O duque sabia que seu irmão, o grande rei Henrique, havia sido o próprio soldado de Deus, e que a reivindicação do seu sobrinho real à coroa da França era justa. No entanto, as manobras do diabo – encontrar uma posição segura no mundo na pessoa dessa jovem mal encaminhada – tinham sido um golpe extraordinário à justa causa à qual ele havia dedicado sua vida. Bedford tinha 45 anos e, embora seu compromisso com a França inglesa continuasse tão firme como sempre, nem mesmo a companhia de sua jovem e vivaz esposa podia aliviar o desgaste que agora dominava cada passo seu.

Quando ele finalmente retornou a Paris, o inverno mais frio de que podiam se lembrar não contribuiu em nada. Nevou, no mínimo, quarenta dias sem parar, observou o autor do diário, e ele não estava exagerando. De volta a Londres, o Tâmisa havia congelado e, na cidade de Arras, pertencente ao duque da Borgonha, a 160 quilômetros ao norte da capital francesa, os habitantes decoravam as ruas com elaboradas esculturas de neve. Os temas eram retirados de mitos e lendas; entre esses retratos congelados, entrelaçados pela excitação do sobrenatural, o único que fora inspirado na vida real era a figura de *la grande Pucelle*, a grande Donzela, à frente de seus soldados.

A população de Arras tinha visto Joana em carne e osso quatro anos antes, quando ela foi trazida à cidade como prisioneira em sua infeliz viagem a Rouen e à fogueira. Agora, essa representação gelada da Donzela era inteiramente inescrutável para tranquilizar o duque de Bedford e seus companheiros guardiões da França inglesa no que dizia respeito às lealdades dos assuntos burgúndios do rei Henrique. E dentro de poucas semanas tornou-se claro que Arras em breve seria anfitriã de uma reunião que lhes prometia ainda menos em matéria de socorro.

Em janeiro de 1435, com todos os participantes envoltos em peles para combater o frio congelante, um ilustre encontro foi realizado a 320 quilômetros ao sul de Arras, em Nevers, entre a cidade armagnac de Bourges e a cidade burgúndia de Dijon. O duque de Borgonha tinha vindo para encontrar o armagnac conde de Clermont – recém-elevado ao ducado de Bourbon depois da morte de seu pai, que jamais reconquistou a liberdade depois de Azincourt. Esses dois homens haviam passado a maior parte do ano de 1434 em uma batalha pelo controle das terras fronteiriças entre seus territórios na França oriental; agora, no entanto, eles haviam concordado com uma trégua. O fato de que o novo duque de Bourbon era cunhado do duque de Borgonha, graças ao seu casamento, anos antes, com Agnes, irmã do duque, não serviu em nada para acabar com a luta, mas agora que as relações diplomáticas haviam sido restauradas, Bourbon trouxe consigo para a reunião em Nevers outro cunhado, o condestável Richemont, marido de Margaret, também irmã do duque de Borgonha. Juntamente com esses dois príncipes de sangue armagnac, o rei Carlos enviara seu chanceler, o perspicaz e experiente arcebispo de Reims. Era uma reunião feliz: tão jubilosa, relatou um cronista, que parecia que esses lordes sempre estiveram em paz. (Que tolos, exclamou amargamente um cavaleiro burgúndio, eram todos aqueles homens inferiores que haviam se arriscado a morrer para lutar uma guerra tão facilmente esquecida pelos grandes.) Dessas negociações pessoais, surgiram propostas pelas quais parecia que uma paz geral poderia finalmente ser assegurada, e concordou-se que todos os três partidos – os burgúndios e os armagnacs, e também, naturalmente, os ingleses, que não estavam presentes em Nevers – deveriam se encontrar em Arras no primeiro dia de julho na esperança de conseguir tal acordo.

Filipe de Borgonha estava jogando um jogo complexo e implacavelmente exigente nos quinze anos que se passaram desde o assassinato de seu pai. Agora, finalmente, suas peças se alinharam. O inglês duque de Bedford não era mais seu cunhado. Não poderia haver dúvida sobre simplesmente abandonar seu compromisso, selado por juramento sagrado, com seus aliados ingleses; em vez disso, cabia a seus aliados ingleses mostrarem-se dispostos a estabelecer a paz nos termos inteiramente razoáveis a serem oferecidos em Arras por seus cunhados armagnacs em nome de seu rei, que, naturalmente, também ofereceria a indenização para a lamentável morte do pai do duque. A paz na França não só serviria aos interesses do povo sitiado do reino, como encontraria graça aos olhos da Igreja, além de permitir ao duque atender às necessidades de seus ricos territórios nos Países Baixos e se defender contra o Sacro Imperador Romano, cujo temor de longa data sobre a expansão do poder burgúndio no norte tinha se transformado em uma declaração de guerra apenas semanas antes.

Para Filipe, portanto, com suas múltiplas perspectivas e prioridades, Arras prometia muito. Para os ingleses, era uma possibilidade de gelar o sangue. Não poderia haver nenhum compromisso entre as reivindicações do rei Carlos e as do rei Henrique: somente uma cabeça poderia, com a bênção de Deus, usar a coroa francesa. Se o duque de Borgonha apresentasse agora como "razoável" uma série de propostas que exigiam o abandono do título inglês para o trono da França, então os ingleses não teriam outra escolha senão recusar. E se o duque de Borgonha estivesse determinado a ver tal recusa como "irracional", então ele já estaria empenhado em uma desarticulação construtiva da aliança anglo-burgúndia.

E foi o que aconteceu quando a primeira sessão plenária da nova reunião foi aberta no dia 5 de agosto – com um mês de atraso, graças ao tempo que demorou para reunir todos os participantes – num salão forrado com um tecido de ouro na abadia de Saint-Vaast. Arras estava cheia de gente; cada estalagem, cada hospedaria estava lotada. Com exceção das grandes delegações da Inglaterra, da Borgonha e da corte armagnac, havia observadores enviados pelos grandes lordes da França e de todas as cidades e territórios que deviam sua lealdade ao duque de Borgonha, e embaixadores de terras remotas, incluindo Espanha, Navarra, Noruega, Itália e Polônia. Os armagnacs eram, mais uma vez, liderados pelo duque de Bourbon e pelo condestável Richemont, com o apoio diplomático do arcebispo de Reims, enquanto o duque de Borgonha, como anfitrião desses nobres visitantes, mantinha magnífica dignidade; e o entusiasmo e a singeleza com que entretinha os seus cunhados armagnacs não escaparam ao olhar desesperador dos ingleses.

O rei Henrique era representado por lordes espirituais e temporais de seus Conselhos em Londres e em Rouen, inclusive o arcebispo de York, o conde de Suffolk (agora libertado de seu breve cativeiro depois da vitória da Donzela em Jargeau, apesar do custo de um resgate impeditivo), e o devotadamente leal bispo Cauchon. Mas a força motriz por trás de suas últimas tentativas de manter o duque de Borgonha na aliança que ele havia feito quase dezesseis anos antes era o cardeal Beaufort. Ele usou todos os seus poderes de persuasão, cada pitada do crédito pessoal que havia construído com o duque e a duquesa, para defender seu caso com tal intensidade que, durante uma longa conversa particular, os observadores notaram grandes gotas de suor em sua testa. Uma trégua – uma trégua de vinte anos, mesmo talvez reforçada por uma aliança de um casamento real anglo-armagnac – aliviaria os sofrimentos do povo francês e evitaria a espinhosa questão da soberania sem perturbar a amizade entre a Inglaterra e a Borgonha. Mas o cardeal desperdiçava seu fôlego. A reunião havia sido concebida desde o início para apresentar propostas de paz com as quais os ingleses possivelmente não poderiam concordar. Para eles, nada restava a fazer, exceto se retirar, e quando partiram na manhã do dia 6 de setembro sob uma chuva torrencial, cada homem da pródiga comitiva do cardeal exibia a palavra "honra" bordada – inutilmente – com orgulho na manga de sua libré vermelha.

Em Arras, as negociações continuaram sem a presença deles. Uma vez que a Inglaterra dera as costas a uma paz divina, o duque de Borgonha não podia, por direito ou por consciência – como o cardeal Albergati se apressou em confirmar em nome de seu mestre, o papa – ser retido por um tratado que agora prometia apenas a guerra. Ainda assim, o duque hesitou. No dia 10 de setembro, uma missa de réquiem foi rezada na ressoante igreja da abadia, dezesseis anos depois do assassinato de seu pai na ponte de Montereau – um assassinato que, é claro, o rei Carlos era muito jovem para impedir, embora ele agora fizesse tudo o que estava ao seu alcance para perseguir os responsáveis. O único homem que nunca permitiu ao duque Filipe esquecer o horror do crime armagnac não tinha vindo para Arras: o duque de Belford estava prostrado a 160 quilômetros de distância em Rouen, doente de corpo e alma. E então, em 16 de setembro, chegaram notícias inesperadas de que ele havia morrido. O regente da França inglesa – aquele sóbrio, culto e dedicado homem a quem o duque de Borgonha antigamente tinha sido tão intimamente ligado por laços de casamento, respeito e carinho – estava morto.

Era uma dádiva, talvez, Bedford ter sido poupado do conhecimento da solene cerimônia realizada na igreja de Saint-Vaast no dia 21 de setembro, exatamente uma semana após ele ter sucumbido à doença. O Tratado de Arras estava completo – concessões territoriais acordadas e a promessa de indenização pela devastadora morte do pai do duque. Agora, com as mãos tocando o anfitrião consagrado e uma cruz de ouro, o duque Filipe jurou que doravante viveria em paz com seu soberano senhor, o rei Carlos. Estimulado pelo amor de Deus, de uma vez por todas, perdoou seu legítimo rei pela morte de seu pai. E então o cardeal Albergati pôs as mãos sobre a cabeça do duque e o absolveu do juramento que havia feito para servir ao rei inglês da França – havia uma vida, parecia – noutra igreja, em Troyes.

Isso não era paz. Muitos homens e mulheres franceses, apesar de tudo, ainda eram governados pelos ingleses que proclamavam o direito do rei Henrique à coroa da França com tanta firmeza como sempre. Também não foram resolvidos repentina e miraculosamente, apesar dos sorrisos e abraços em Arras, os conflitos entre burgúndios e armagnacs que pululavam através do reino mais cristão. Mesmo assim, foi como um movimento de placas tectônicas que transformou completamente a paisagem da guerra. A necessidade que Iolanda de Aragão sempre vira, e que Joana, a Donzela, tinha tão fortemente exigido – de que todos os príncipes franceses de sangue reconhecessem o direito dado por Deus ao rei Carlos e rejeitassem as falsas alegações dos invasores ingleses – finalmente se concretizara. Em Bourges, Iolanda celebrou a notícia com sua filha grávida, a rainha Marie, e seu genro, o rei; e quando seu próximo neto real nasceu em Tours, em fevereiro de 1436, ele foi chamado Filipe, como seu amoroso padrinho Filipe de Borgonha.

A essa altura, os súditos da França inglesa encontraram-se sob uma pressão violentamente intensa. Uma vez que os diplomatas deixaram Arras, as forças armagnacs lançaram uma vertiginosa campanha na alta Normandia, atacando portos ao longo da costa do Dieppe até Harfleur, antes de prosseguirem para o interior em janeiro, na direção da fortaleza inglesa de Rouen. Os lordes ingleses Talbot e Scales – que, como Suffolk, tiveram de ser dispendiosamente recuperados da custódia francesa após serem derrotados pela Donzela – conseguiram repelir o ataque sobre a cidade; mas, nesse meio-tempo, o condestável Richemont e o Bastardo de Orléans estavam fechando o cerco em torno de Paris.

Para a população da capital, tudo estava uma desordem. Ao contrário da inglesa Rouen, Paris havia sido uma cidade burgúndia desde a sangrenta expulsão dos armagnacs pelos homens leais a João Sem Medo no remoto ano de 1418. Agora, o filho do homem morto tinha feito as pazes com os traidores e os assassinos. Os governadores burgúndios da cidade, que estavam profundamente implicados no regime inglês para reconsiderar sua obediência – principalmente o chanceler do rei Henrique, Luís de Luxemburgo, bispo de Thèrouanne, o valoroso legalista bispo Cauchon e o bispo de Paris – se esforçavam para reunir a população em torno de uma causa da qual o coração tinha ficado partido pela deserção do duque. Em março, no entanto, até eles foram forçados a admitir que qualquer um que quisesse poderia abandonar suas posses e partir. Aqueles que escolheram ficar, declararam, deveriam prestar um juramento de lealdade ao rei Henrique e usar a insígnia da cruz vermelha de São Jorge.

Mas, para o autor do diário que lá se encontrava, o desafio dos bispos era uma espécie de frenesi que servia apenas para prolongar ainda mais essa "guerra maldita e diabólica". Ele e seus concidadãos estavam tão desesperados pelo alívio do medo e da fome, e tão desorientados pela mudança abrupta do mundo político em seu eixo, que a própria guerra agora se tornou o inimigo, em vez dos armagnacs que haviam odiado por tanto tempo. Na sexta-feira, 13 de abril, quando Richemont, o Bastardo de Orléans e o lorde burgúndio de l'Isle-Adam apareceram com suas tropas do lado de fora dos portões, trazendo com eles uma promessa de proteção do duque de Borgonha e cartas de anistia do rei Carlos, houve apenas uma rápida demonstração de resistência, facilmente vencida, antes de a cidade se abrir para deixá-los entrar: "[...] o condestável e os demais lordes abriram caminho para Paris tão pacificamente como se nunca tivessem estado fora de Paris em suas vidas", registrou o escritor. E esse "verdadeiro milagre" – junto da declaração de amor e perdão do rei trazida por Richemont para os habitantes de sua capital – cumpriram seu papel de fazer as pessoas se lembrarem do que agora significava, novamente, ser francês: "os parisienses os amaram por isso, e antes de o dia terminar cada homem em Paris teria arriscado sua vida e seus bens para destruir os ingleses". As próprias páginas do diário mostravam os traços dessa mudança sísmica: em silêncio, sem comentários ou fanfarra, o nome do "rei" agora era Carlos, em vez de Henrique.

A euforia não poderia durar. Muito rapidamente ficou claro que o medo e a fome não estavam, apesar de tudo, chegando ao fim, e no outono o autor estava de volta ao seu familiar descontentamento com todos os homens de poder e posição, de qualquer tipo. "Não havia qualquer notícia sobre o rei nessa época, não mais do que se ele estivesse em Roma ou em Jerusalém. Nenhum dos capitães franceses fazia qualquer trabalho digno de menção desde a entrada em Paris, nada além de pilhagem e roubo dia e noite. Os ingleses estavam fazendo guerra em Flandres, na Normandia e antes, em Paris; ninguém se opunha a eles [...]." Essa última afirmação não era estritamente verdadeira; e quando, em novembro de 1437, o rei Carlos finalmente fez sua entrada real na cidade, pela primeira vez desde que fugira em 1418, ainda um menino de 15 anos vestido com um camisolão, ainda restava alívio suficiente e bastante prazer na desconhecida perspectiva de a capital francesa saudar seu rei francês, e para o povo de Paris dar a ele as boas-vindas dignas de um herói.

Era uma visão não habitual em mais de um aspecto: o rei, uma figura desajeitada como sempre, aos 34 anos, adentrando Paris vestido com a armadura brilhante que raramente usara para conduzir seus soldados. Esse, finalmente, era um triunfo, não uma batalha, mas ainda havia lembranças das batalhas passadas. Junto de Carlos e seu filho de 14 anos, o delfim Luís, estavam as princesas de sangue e os capitães que haviam lutado em suas guerras, entre eles o condestável

Richemont, o filho de Iolanda Carlos de Anjou, o Bastardo de Orléans e La Hire. Exatamente na frente do rei cavalgava Poton de Xaintrailles (que havia se libertado da custódia inglesa com mais sucesso do que o pobre pastor afogado), conduzindo o elmo real encaixado em um cetro de prata apoiado contra sua coxa; ao redor do elmo havia uma coroa dourada, com uma flor-de-lis dourada que refletia os raios de luz do sol. E, puxando as rédeas do cavalo de Xaintrailles, entre a multidão que aplaudia tão densamente comprimida que mal se podia se mover através das ruas, caminhava Jean d'Aulon, antigo escudeiro da Donzela, agora um cavalheiro da casa do rei.

Os oficiais da cidade seguravam um dossel de veludo azul salpicado de flores-de-lis douradas acima da cabeça do rei, suprimindo, com isso, qualquer lembrança do mesmo serviço prestado antes para um pequeno menino inglês seis anos antes. À medida que a cavalgada avançava para dentro do coração da cidade, o rei era recebido com representações de anjos cantores e uma reunião de santos, desde o patrono da França, São Denis, até Santa Margarida, brotando incólumes do ventre de um dragão artisticamente pintado, enquanto São Miguel, o jovem guerreiro do céu, pesava as almas dos pecadores em suas balanças douradas. Naquela noite, houve fogueiras nas ruas, com música, dança e bebidas ao redor das luzes tremeluzentes das chamas. Poucos dias depois, os restos do conde de armagnac, que havia morrido tão violentamente nas mãos da multidão burgúndia em 1418, foram reverentemente exumados e transportados para um lugar de descanso apropriado em seu patrimônio no sul. Com seus ossos, foi enterrado o nome de Armagnac como uma insígnia de divisão dentro do reino mais cristão da França.

O futuro não era simples, mas pelo menos havia começado. Ninguém mais falava sobre o reino de Bourges, mesmo que, pelo antigo costume, a corte ainda pudesse ser encontrada mais frequentemente em um dos castelos reais ao sul do Loire. Carlos, como seu pai antes dele, era um rei ungido da França, e agora tanto a ideia quanto a realidade da França inglesa começavam a desaparecer. Outros lordes ingleses se aproximaram do vazio deixado pela perda do regente Bedford, entre eles o feroz veterano Talbot, bem como o tenente-general de infantaria do rei Henrique, o duque de York, de 26 anos, e o sobrinho do cardeal, Edmund Beaufort. No entanto, apesar de alguns momentos de esperança militar – incluindo a recuperação de Harfleur em 1440 –, o efeito combinado da perda de Paris e da contínua pressão sobre a Normandia inglesa significava que os recursos e a vontade necessários para defender o reino francês do rei Henrique estavam diminuindo.

O rei Carlos, também, tinha seus problemas. A desagregadora figura de La Trémoille havia sido banida da corte, mas a divisão permanecia: o duque de Bourbon, em especial, ressentia-se de sua própria falta de influência em relação ao jovem Charles de Anjou, e encontrou um parceiro de insatisfação no empobrecido duque de Alençon, que ainda não podia gozar dos frutos do reino francês reunificado porque suas terras na Normandia ainda estavam em mãos inglesas. Ao procurarem se afirmar, Bourbon e Alençon poderiam acabar se inclinando para o apoio dos capitães mercenários, que, durante duas décadas, gozavam da liberdade conferida por um estado constante de emergência militar. O mais infame bando mercenário era conhecido como *écorcheurs*, "esfoladores", um nome apropriadamente conveniente à dupla ameaça de violência e extorsão que representavam. Desde o Tratado de Arras, suas atividades haviam se tornado claramente autônomas e, enquanto o rei podia soberbamente fechar os olhos para onde quer que suas depredações tivessem devastado territórios pertencentes ao seu novo aliado da Borgonha, ele dificilmente poderia fazer isso no coração de seu próprio reino. Os esforços reais para verificar seus piores excessos teriam, portanto, tornado os *écorcheurs* aliados naturais de um nobre descontente como Bourbon, mesmo que dois dos mais notórios capitães mercenários não fossem meio-irmãos bastardos de Bourbon e um terceiro, um castelhano chamado Rodrigo de Villandrando, marido de sua irmã ilegítima.

Já em 1437, Bourbon e Alençon haviam tentado exibir uma mostra de força para demonstrar sua infelicidade com o regime, mas uma resposta militar decisiva do rei Carlos levou De Villandrando e seus homens para fora do reino e os dois duques à fuga – uma desgraça que explicou a ausência de ambos na triunfal entrada real em Paris no mês de novembro. Em fevereiro de 1440, no entanto, as hostilidades começaram novamente. E, no final de 1439, Carlos havia posto em marcha um programa de reforma planejado para centralizar todos os poderes para recrutar tropas nas mãos do rei – um movimento que tinha a intenção de resultar em ordem para o reino, mas que acabou soando como uma provocação a príncipes e mercenários ressentidos. Dessa vez, Bourbon e Alençon angariaram para sua insatisfação o apoio de Luís, de 16 anos, o filho mais velho e herdeiro do rei. A origem da ruptura entre pai e filho – a razão pela qual o delfim foi tão facilmente subornado pelos lordes rebeldes – não se tornou pública, mas evidentemente se espalhou com intensidade e, ao proporcionar a autoridade imediata do herdeiro do rei à autoafirmação dos duques, ampliou muitas vezes a ameaça da revolta.

Durante cinco meses, o rei Carlos encontrou-se em guerra dentro das fronteiras de seu próprio reino. Porém, mais uma vez, com o competente apoio do condestável Richemont e de seus representantes, Raoul de Gaucourt e Poton de Xaintrailles, uma incisiva ação militar forçou os rebeldes a se renderem. Bourbon, Alençon e o filho pródigo do rei foram perdoados, em troca da "humildade e obediência" com as quais tinham se aproximado de seu soberano, e a paz foi restaurada. Mesmo assim, a próxima década foi marcada por contínuas tensões entre os lordes e a crescente alienação do delfim do seu real pai – conflito que não foi melhorado com a morte da *grande dame* da política francesa, Iolanda de Aragão, em 1442, ou pela rápida ascensão ao poder, a partir de 1444, da influente amante do rei, Agnès Sorel.

Ainda assim, nenhuma intriga rival na corte da França poderia se comparar com o pesadelo desconcertante que estava se desenrolando do outro lado do Canal. Os lordes da Inglaterra tinham procurado arcar com o pesado legado de Henrique V – o governo de seus próprios reinos e a guerra para assegurar a França inglesa – até que seu filho, Henrique VI, tivesse idade bastante para conduzi-los ele mesmo. Por volta de 1440, o jovem rei Henrique estava com 18 anos, bem mais velho que a maioria dos reis precedentes que tinham se livrado da tutela de seus conselheiros – ou até mesmo mais velho que a prostituta armagnac que tinha derrotado seus capitães em Orléans. Contudo, ele não mostrava qualquer indício de liderar nada nem ninguém. Era calmo e vago, e também generoso, no sentido de que respondia sim a qualquer pedido que lhe chegasse, mas em sua singela simplicidade começou a parecer – alarmantemente – que ele poderia se parecer mais com o avô materno, o frágil rei Carlos, o Bem-Amado, em vez de se assemelhar ao seu pai guerreiro. Como resultado, seus lordes concluíram que não tinham escolha a não ser continuar a administrar o reino e a guerra em nome de Henrique.

Já no início dos anos 1440, a infeliz realidade com a qual eles se confrontaram era a de que, em face do ressurgimento francês e da ausência de um rei que pudesse reunir suas tropas hesitantes, era a paz e não a guerra que apresentava a melhor chance de manter a Normandia, pelo menos, em mãos inglesas. Em 1444, o conde de Suffolk, que havia emergido como a figura líder nesse regime claudicante e improvisado, foi enviado para a França a fim de negociar uma trégua e trazer para casa uma noiva real. A posição inglesa, no entanto, era agora tão fraca que só permitiu a Suffolk garantir uma suspensão da guerra por apenas 22 meses, e a noiva que conseguiu não era uma das filhas do rei – Carlos não podia, afinal, permitir que uma de suas filhas se casasse com um rival que ainda negava seu direito ao próprio trono –, mas uma figura mais marginal, a sobrinha de 14 anos da rainha, Margaret, filha de René de Anjou, que era filho de Iolanda. Isso foi um começo, mas o que restava da França inglesa precisava de mais tempo para se fortificar e seria preciso mais recursos para isso. E assim, em 1445, foi selado um acordo secreto pelo qual o condado de Maine, que estava precariamente entre a Normandia inglesa e o Anjou francês, seria entregue ao rei Carlos em troca de uma trégua de vinte anos.

Se a oportunidade tivesse sido empregada para renovar as defesas exauridas da Normandia – se as fileiras do regime inglês tivessem tido a liderança arrebatadora de seu rei, ou o dinheiro necessário para aproveitar o momento –, talvez o plano pudesse ter funcionado. Em vez disso, reinou o caos. As crises na Inglaterra consumiram as energias dos lordes que poderiam ter assumido o comando na Normandia, enquanto os capitães que haviam lutado por tanto tempo para manter Maine sob o domínio do rei Henrique simplesmente se recusaram a entregar o seu território duramente conquistado para o rei Carlos. Os ingleses, isso se tornou dolorosamente aparente, não poderiam entregar o que prometeram nem defender o que detinham. Em fevereiro de

1448, após repetidas exigências de sua rendição, Carlos enviou tropas ao Maine para tomar à força o que era dele. Agora era apenas uma questão de tempo. Um exército sob o comando do Bastardo de Orléans se movimentou para dentro da Normandia em julho de 1449. Um ano depois, tudo o que restou das gloriosas conquistas de Henrique V foi a fortaleza de Cherbourg, empoleirada em um afloramento rochoso num mar tempestuoso. Em 12 de agosto de 1450, a maré francesa tinha varrido completamente os ingleses desmoralizados.

Nove anos antes, o Conselho do rei Henrique em Rouen havia escrito para seu rei a fim de implorar a sua ajuda. "Nosso soberano senhor", disseram eles, "[...] escrevemos mais uma vez em extrema necessidade, significando que nossa doença é semelhante à morte ou ao exílio e, quanto ao vosso poder soberano, muito próximo da ruína total... não sabemos como para o futuro é melhor para vós manterdes vosso povo, nem administrar vossos negócios neste vosso senhorio, que nós percebemos que está abandonado como o navio atirado sobre o mar por muitos ventos, sem capitão, sem timoneiro, sem leme, sem âncora, sem vela, flutuando, cambaleando e vagando no meio das ondas tempestuosas, cheias de vendavais de sorte violenta e de toda adversidade, longe do refúgio de segurança e de ajuda humana". Dos mais leais desses conselheiros, muitos agora haviam sido tragados pelo tempo: o bispo Cauchon tinha mais de 70 anos quando morreu repentinamente em 1442, e Luís de Luxemburgo seguiu-o para o túmulo em 1443. Mas seu veredito desesperador permaneceu. A Inglaterra se viu sem capitão, e a França inglesa foi perdida.

Em 10 de novembro de 1499, o capitão do reino mais cristão da França – que havia aprendido, de começos pouco promissores, a acreditar em sua soberania dada por Deus, bem como a levar a luta até seus inimigos e a reunir seu povo em torno de si – adentrou Rouen em seu cavalo. A cidade se entregara às suas forças apenas algumas semanas antes, e agora o Rei Carlos estava tomando posse do que tinha sido, por mais de trinta anos, a cidadela dos invasores ingleses. Primeiro veio sua guarda de arqueiros, trajando uniformes vermelhos, brancos e verdes, depois os trombeteiros em fardas vermelhas com mangas douradas, o som de suas trombetas de prata enchendo o céu pálido. Pouco antes do próprio Carlos, vinha Poton de Xaintrailles em um grande cavalo de guerra carregando a poderosa espada do Estado, a Joyeuse de Carlos Magno; e, finalmente, o rei, de armadura completa, montado em seu cavalo drapejado em veludo azul salpicado de flores-de-lis douradas. O estandarte de São Miguel tremulou sobre a procissão quando ela passava pelo portão da cidade. Ali juntaram-se ao rei Raoul de Gaucourt, que havia passado tantos de seus 74 anos lutando para defender o reino, e ao Bastardo de Orléans, agora elevado às fileiras da nobreza por seu próprio direito como conde de Dunois, em reconhecimento por seu bravo e leal serviço à coroa.

Carlos da França parou na grande catedral de Notre-Dame para agradecer pela vitória que Deus lhe dera. Ele não estava muito longe do rio no qual as cinzas de uma jovem de 19 anos haviam sido jogadas vinte anos antes. Ele rezou; e as calmas águas do Sena continuaram fluindo.

XII

Ela era toda inocência

Joana não tinha sido esquecida. Na deslumbrante cidade de Constantinopla, quase dois anos após a sua morte, um criado do imperador bizantino perguntou a um visitante burgúndio se era verdade que a Donzela havia sido capturada. "Isso parecia algo impossível para os gregos", registrou o burgúndio, e quando disse a eles o que havia acontecido com ela, ficaram "muito surpresos".

Perto de casa, a população de Orléans, cuja gratidão por sua libertação não havia se apagado, mantiveram viva a memória da Donzela. Todos os anos eram realizadas celebrações na cidade para comemorar o miraculoso evento de 8 de maio de 1435, quando ela forçou os ingleses a uma ignominiosa retirada. Em 1435, graças a Gilles de Rais, o nobre bretão que havia sido um dos companheiros de armas de Joana naquele dia glorioso, o aniversário foi marcado com uma performance em escala e ambição de tirar o fôlego: uma peça intitulada *O mistério do cerco de Orléans*. Uma vez que "mistério" era uma palavra que usualmente significava a representação de histórias da Bíblia ou da vida dos santos, a carga do drama ficou clara antes mesmo de o elenco de centenas de atores aparecer no palco, declamando vinte mil falas em verso em que, em meio a cenários engenhosamente construídos, a Donzela revivia seu triunfo de inspiração divina. Em sua honra, nenhuma despesa foi poupada – e, pelo menos, parte da despesa extravagante foi deliberadamente contraída, uma vez que De Rais tinha especificamente ordenado que os atores deveriam ser vestidos apenas com os melhores tecidos, e que as multidões deviam comer e beber até se fartar enquanto assistiam à peça. Foi um espetáculo épico, mas sua grandeza foi passageira. Os gastos frenéticos de De Rais provaram ser parte de um mergulho vertiginoso na ruína financeira. Então, cinco anos depois, ele foi julgado e enforcado pela agressão sexual e assassinato de mais de uma centena de crianças. Sua peça não foi vista no palco novamente.

Mas na época em que De Rais morreu, com o nome manchado indelevelmente pelo horror de seus crimes, havia esperanças de que Joana pudesse voltar ao mundo. Em maio de 1436 – pouco mais de um mês após a queda de Paris para as tropas do rei Carlos, exatamente como a Donzela sempre disse que aconteceria – uma mulher de cabelos escuros havia aparecido em Metz, uma cidade a oitenta quilômetros de Domrémy, fora das fronteiras a nordeste do reino. Ela se parecia tanto com Joana – ou isso, ou era tão grande o desejo de acreditar que Joana tinha escapado do fogo de alguma forma –, que muitas pessoas alegaram terem-na reconhecido, incluindo dois dos próprios irmãos da Donzela. Vestia roupas de homem e montava um cavalo com facilidade e habilidade, e seu breve momento de celebridade lhe propiciou um marido rico, um cavaleiro de Metz chamado Robert des Armoises. Dizia-se que essa falsa Donzela tinha dado à luz dois filhos, quando se mudou para Orléans no verão de 1439. Lá, ela foi recebida em jantares regados a vinho e ganhou bolsas de ouro "pelo bem que fez à cidade durante o cerco". Mas quando apareceu em Paris em 1440, foi denunciada publicamente como fraude pelo *parlement* e pela universidade e, depois disso, com poucas perspectivas de lucros adicionais de seu embuste, a mulher sumiu da vista pública.

Em Paris, à medida que os anos passaram, o espectro da própria Joana – um espectro que vagava assombrando as lembranças da guerra do reino – foi uma presença provocativa. Ela havia conduzido o rei Carlos para sua coroação e proclamado seu direito divino ao trono, mas também apareceu como comandante de um exército fora das muralhas da capital, e morreu como uma herege condenada pelo experiente julgamento teológico dos eruditos da sua universidade. Em tais circunstâncias, o silêncio do rei sobre o assunto da Donzela satisfazia inteiramente os principais habitantes de sua principal cidade. Se os infelizes nomes dos armagnacs e burgúndios fossem agora registrados nas páginas da história, então certamente eles seriam ligados àquele da jovem que reivindicara o mandato do céu ao definir o armagnac como "francês" e o "burgúndio" como "traidor".

Mas um problema persistia. Se o veredito de heresia ainda fosse mantido contra a Donzela, cuja vitória em Orléans tinha sido considerada o sinal da bênção do céu sobre seu rei, então uma sombra ainda caía sobre o monarca mais cristão? Não havia nada a ser feito enquanto Rouen e o arquivo da corte que a havia julgado continuassem fazendo parte da França inglesa, e, em todo caso, o argumento para deixar que as divisões passadas terminassem era poderoso. Porém, em fevereiro de 1450, quatro meses depois que os ingleses tinham finalmente sido expulsos de Rouen, e três desde que o rei entrou na cidade em majestade, Carlos, finalmente, se pronunciou sobre Joana. "Há muito tempo atrás, Joana, a Donzela, foi levada e aprisionada por nossos velhos inimigos e adversários, os ingleses, e trazida para a cidade de Rouen. Ela foi julgada por pessoas que haviam sido escolhidas por eles e recebido deles essa tarefa, e durante o julgamento vários erros e abusos foram cometidos, de tal modo que, por meio desse julgamento e pelo grande ódio que nosso inimigo tinha contra ela, fizeram-na morrer muito cruelmente, iniquamente e contra a razão". Era óbvio, apenas um julgamento pervertido pelo ódio poderia ter condenado a Donzela, e o propósito dessa carta real, endereçada a um teólogo chamado Guillaume Bouillé, era descobrir exatamente que forma aquela perversão havia assumido. "Porque nós queremos saber a verdade sobre esse julgamento", continuou o rei, "e a maneira como ele foi realizado, nós ordenamos, instruímos e vos encarregamos expressamente de questionar e diligentemente perguntar sobre isso e o que foi dito. E trazei, para nós e para os homens de nosso grande Conselho, as informações que encontrardes a respeito, ou enviai-as fielmente numa carta lacrada".

Bouillé era, como muitos juízes da Donzela, um professor da Universidade de Paris, mas sua carreira estava na fase inicial quando ela foi julgada, dezenove anos antes, e sua posição como um leal servo do rei Carlos era inquestionável. Ele agora estava posicionado em condições ideais para rever as tecnicalidades do processo que o bispo Cauchon havia presidido, e não perdeu tempo em iniciar sua investigação. No início de março, questionou sete testemunhas que participaram do julgamento, incluindo o notário Guillaume Manchon, o executor, Jean Massieu, e Martin Lavenu, o frade que estivera ao lado de Joana em suas últimas horas. Todos tinham-se sentado entre as fileiras de clérigos franceses que condenaram a Donzela, num momento em que o devido processo da lei de Deus parecia totalmente compatível com a rejeição de suas reivindicações. Desde então, indubitavelmente, tinha ficado claro que Carlos era de fato o verdadeiro herdeiro da França, exatamente como Joana dissera, e agora esses homens de Deus estavam motivados a concordar com seu rei que a influência determinante do julgamento tinha sido o preconceito de seus inimigos, os ingleses, em cujo castelo as audiências haviam ocorrido.

Dois deles – os monges Isambard de la Pierre, que esteve muito envolvido nas deliberações dos juízes, e Guillaume Duval, que esteve lá por pouco tempo – insistiram que o conde de Warwick, governador do jovem rei Henrique e comandante da guarnição inglesa em Rouen, tinha ameaçado jogar De la Pierre no Sena se ele tentasse oferecer qualquer ajuda à prisioneira. Cauchon foi controlado pelos ingleses durante todo o julgamento, todas as testemunhas concordavam. Foi a pressão inglesa que impediu qualquer apelo ao papa, ou qualquer possibilidade de que Joana pudesse ser mantida sob custódia eclesiástica, em vez de ser guardada por soldados em uma cela do castelo. Guillaume Manchon explicou: um bispo da catedral de Rouen, chamado Nicolas Loiseleur, a visitou para oferecer-se como confessor e conselheiro, ganhou sua confiança e extraiu informações enquanto Manchon e outros tomavam notas do que ouviram através de um buraco secreto em uma cela vizinha. E Martin Lavenu lembrou-se de que, no dia da recaída de Joana na heresia, quando Cauchon saiu de sua cela, Warwick e seus acompanhantes o cumprimentaram do lado de fora com aplausos e celebrações. "Adeus! Está feito", declarou o bispo.

Para várias das testemunhas, a visível manifestação daquela recaída – a decisão de Joana de vestir novamente as roupas de homem – foi fonte de particular ansiedade. Afinal, uma vez que ela havia se submetido ao julgamento do tribunal e colocado o modesto vestido de mulher, como e por que ela veio a mudar de ideia? De la Pierre e Jean Toutmouillé (um monge que, como um homem jovem, tinha acompanhado o Irmão Martin para atender Joana no seu último dia) descreveram a intensa agonia em que a encontraram; Joana lhes contou, eles relataram, que, uma vez que ela vestiu as saias em vez das meias amarradas com laços ao seu gibão, ela tinha sido violentamente atacada por seus guardas. Martin Lavenu acredita que foi um lorde inglês que tentou estuprá-la. O executor, Jean Massieu, por enquanto, não estava convencido de que sua retomada das roupas de homem foi por escolha própria, mesmo que alguém a forçasse usando de tal brutalidade. Dormia todas as noites, explicou, com os pés presos a ferros acorrentados a um grande pedaço de madeira, enquanto três soldados ingleses ficavam de vigia em sua cela e mais dois do lado de fora. Lembrou-se de Joana dizendo que, quando acordou na terceira manhã depois de sua submissão, seus guardas tinham levado embora as roupas femininas que ela agora estava usando e, então, esvaziaram a bolsa na qual a túnica e as meias tinham sido guardadas em um canto da cela. Durante horas, Joana discutiu com eles, insistindo que era proibida de vestir aquelas roupas, mas eles não cederam, até que, ao meio-dia, ela estava tão desesperada para se aliviar, que não teve outra opção senão vestir as roupas proibidas.

Sempre esteve claro quão fisicamente vulnerável Joana estava, uma mulher sozinha prisioneira num castelo cheio de homens. A maior verdade dessa vulnerabilidade e a angústia que era sua consequência ressoavam por meio dessas histórias divergentes, assim como tinha acontecido com a própria incoerência de Joana no registro do julgamento daquele dia fatídico. Igualmente aparente, por meio de narrativas que também eram tão divergentes, foi a experiência esmagadora de assistir à Donzela morrer. De la Pierre, Manchon e Massieu, todos concordaram que, no meio das chamas, ela chamou constantemente por Cristo e Seus santos com uma devoção tão pia que quase todas as pessoas que estavam lá, francesas ou inglesas – até mesmo, disse De la Pierre, o próprio cardeal Beaufort – foram levadas às lágrimas. Alguém (foi De la Pierre ou Massieu? Ambos reivindicaram a honra) correu a pedido dela até uma igreja próxima para trazer um crucifixo e segurá-lo diante de seus olhos, até que ele não pôde mais ser visto por causa do fogo. Martin Lavenu contou sobre a miséria do executor, que foi incapaz de apressar o fim da agonia de Joana porque a plataforma sobre a qual ela queimava era muito alta. De la Pierre – cujo testemunho inteiro estava contaminado pelo drama – descreveu o remorso insuportável do homem por ter participado na morte de uma mulher tão santa. Embora ele tenha alimentado a pira repetidas vezes, o coração da Donzela permaneceu ileso e intacto, o que o deixou estupefato (De la Pierre relatou), como se isso fosse claramente um milagre.

Somente uma testemunha – o veterano teólogo Jean Beaupère, que tinha assumido um papel proeminente no interrogatório de Joana durante os primeiros dias do julgamento – foi menos reverente ao falar do que lembrava. Ela possuía as astúcias de uma mulher, declarou, e ele acreditava que suas visões derivavam da invenção humana e não de uma causa sobrenatural. Ninguém mais tinha mencionado ainda a complicada questão das vozes, mas Bouillé dominava o assunto e redigiu um longo tratado no qual reunia minuciosamente os detalhes da transcrição do julgamento com a qual poderia refutar as conclusões de seus juízes, enquanto reativava o que, uma vez, havia muito tempo, tinha sido a defesa armagnac de suas reivindicações.

Havia muitos dados para encorajar aqueles que, como Bouillé, desejavam inocentar Joana das calúnias que o bispo Cauchon tinha reunido contra ela – ou, como a carta do rei havia originalmente instruído, simplesmente demonstrar que o julgamento tinha sido repleto de erros e guiado pelo ódio. Por enquanto, porém, tudo foi em vão. Depois de apenas dois dias de testemunho, o inquérito interrompido repentinamente, seja por causa das exigências prementes da luta para expulsar os ingleses do resto da Normandia, seja porque o chocalhar de esqueletos provara ser perturbador para os homens poderosos. O arcebispo de Rouen – o homem que havia sucedido o chanceler real Luís de Luxemburgo depois de sua morte em 1443 – era um advogado canônico chamado Raoul Roussel. Ele havia liderado as augustas comitivas que receberam o rei Carlos na cidade em novembro de 1449. Também tinha sido um dos mais assíduos juízes de Joana. Depois de mais de trinta anos de governo inglês, as feridas estavam abertas na

Normandia em 1450 e os nervos, à flor da pele. O silêncio, ficou claro, ainda tinha suas virtudes.

Essa não era, no entanto, a opinião de um novo ator no complexo mundo da Igreja francesa. Guillaume D'Estouteville era um nobre normando com credenciais impecavelmente armagnacs, um primo em segundo grau do rei e agora um cardeal, enviado pelo papa na primavera de 1452 como um legado para o reino da França. Suas principais tarefas eram estabelecer a paz entre ingleses e franceses – cujos soldados ainda estavam lutando, agora que a Normandia havia caído, no que restava do ducado inglês da Gasconha no sudoeste do reino – na esperança de que os esforços militares de ambos os reinos pudessem ser dirigidos contra a ameaça dos turcos otomanos e pressionar pela restituição completa dos poderes papais dentro da França, depois que eles tinham sido limitados pelo édito real catorze anos antes. Mas logo se espalhou que D'Estouveille tinha outro objetivo em mente. Seja por se tratar de um tema querido por seu próprio coração, ou porque achou que havia descoberto uma chance de acumular valioso capital político, o cardeal reabriu a questão do julgamento de Joana, assunto que, disse ao rei, "preocupa grandemente a sua honra e seu Estado".

Não estava claro se o rei Carlos estava feliz em receber instruções, por mais bem-intencionadas que fossem, em relação à sua honra e propriedade, e ainda menos para ver o representante do papa reviver um processo ao qual parecia sagaz renunciar apenas dois anos antes. Mas, tecnicamente, não se podia negar que, sendo um veredito entregue pela Igreja, cabia à Igreja rescindi-lo, se assim o desejasse. Em maio de 1452, D'Estouteville recrutou o recém-nomeado inquisidor da França, um monge chamado Jean Bréhal, para presidir uma nova investigação em Rouen. Vinte e um anos antes, a Donzela tinha sido julgada na cidade; agora, o acusado era o próprio julgamento.

Juntos, D'Estouteville e Bréhal estudaram a transcrição das audiências do bispo Cauchon e redigiram uma lista de artigos pelos quais o processo poderia ser condenado. Não era verdade que os ingleses haviam procurado a morte de Joana por todos os meios que podiam, por causa de seu ódio mortal por ela? Os juízes, assessores e notários não foram intimidados pelas ameaças inglesas, de modo que o julgamento e seu registro não foram nem livres, nem justos? Poder-se-ia negar que Joana, uma menina simples e ignorante, tinha sido deixada sem conselho ou ajuda, e confundida com interrogatórios de tal tamanho e dificuldade que ela não podia se defender? Não teria dito muitas vezes que se submetia ao julgamento da Igreja e do seu Santo Padre, o papa – e, se alguma vez tivesse dito que não se submeteria à Igreja, não estaria se referindo apenas aos clérigos que estavam diante dela, que tinham abraçado a causa inglesa? Joana não morreu de maneira tão santa e devotada que todos os que a viram choraram? E não eram todos esses fatos comumente divulgados e conhecidos por serem verdade?

Durante as semanas seguintes, essas questões foram colocadas para alguns dos clérigos que haviam participado do julgamento, inclusive, mais uma vez, Guillaume Manchon, Martin Lavenu, Jean Massieu e Isambard de la Pierre, cujo testemunho tinha adquirido um caráter ainda mais surpreendente desde então. (Um soldado inglês que odiava Joana com veemência, contou De la Pierre, ficou totalmente devastado por testemunhar sua morte. Depois de um trago restaurador numa taverna próxima, o homem declarou que tinha visto uma pomba branca agitando-se das chamas quando o último suspiro da Donzela deixou seu corpo.) Dos outros treze com quem D'Estouteville e Bréhal falavam agora, alguns concordaram entusiasticamente com os artigos, e alguns resistiram fortemente. Muitos, de ambas as opiniões, estavam bem preparados para defender a exatidão do registro do julgamento, e registrar que Joana teria respondido bem às perguntas, mesmo se fosse uma menina simples entre doutores instruídos. Alguns estavam convencidos de que o bispo Cauchon fora um lacaio dos ingleses; outros lembraram que, quando foi repreendido por um clérigo inglês por ter aceitado a abjuração de Joana no cemitério de Saint-Ouen, ele ficou zangado e disse que era seu dever buscar a salvação do prisioneiro, não sua morte. E parecia que alguns – como o advogado civil Nicolas Caval, que tinha participado de muitas sessões do julgamento – lembravam-se de muito pouco. "Os ingleses não tinham um grande amor pela Donzela", foi sua lacônica observação, e ele sabia, disse, que ela havia sido queimada. Mas se isso era justo ou injusto, ele não podia afirmar, uma vez que essa era uma questão do tribunal.

Houve outros, é claro, que não compareceram de modo algum diante do cardeal e do inquisidor, entre eles a influente e comprometedora figura do arcebispo Roussel. Ainda assim, quando o exame de testemunhas chegou ao fim, Jean Bréhal descobriu que tinha amplo material para enviar aos estudiosos de teologia e direito canônico para sua exímia avaliação. Durante os meses seguintes, muitas horas de esforço intelectual foram gastas na tarefa de elaborar todas as formas para mostrar que os outros especialistas – aqueles que tinham aconselhado o julgamento do bispo Cauchon duas décadas atrás – estavam errados. Nesse meio-tempo, o cardeal D'Estouteville voltou para Roma. Ele havia fracassado em estabelecer a paz entre a Inglaterra e a França: em vez disso, em julho de 1453, o velho comandante inglês Talbot e milhares de seus homens foram abatidos pelas tropas do rei Carlos em Castillon, quarenta quilômetros a leste de Bordeaux. Por volta do fim do ano, a Gasconha, bem como a Normandia, eram francesas, e – com a única exceção da guarnição que se mantinha incansavelmente dentro do limite fortificado de Calais, no extremo norte – os ingleses haviam sido expulsos de toda a França, exatamente como a Donzela havia dito uma vez a Talbot e seus companheiros comandantes que aconteceria.

Essa foi a retratação final para o rei, e para a jovem que tinha sido fugazmente sua campeã. E isso era uma boa notícia, ao que parecia, para aqueles que procuravam revogar a sentença do bispo Cauchon contra ela. E também o foi o fato de que, quando Raoul Roussel morreu no último dia de 1452, o cardeal D'Estouteville foi nomeado para sucedê-lo como arcebispo de Rouen. Ainda assim, a engrenagem se movia lentamente. O próprio Carlos – agora *le roi très-victorieux*, o mais vitorioso, bem como o rei mais cristão – não mostrou maior inclinação para revisitar esse momento problemático em seu passado do que havia mostrado desde o abandono do inquérito de Bouillé em 1450, embora o papa Nicolau V tivesse questões mais prementes em sua mente, dado que os turcos tinham saqueado e conquistado a poderosa cidade de Constantinopla, o baluarte da cristandade no leste, na primavera de 1453. Em 1454, o inquisidor Bréhal fez uma longa viagem a Roma para perseguir seu caso, mas foi somente em junho de 1455 que ele teve êxito em obter do sucessor de Nicolau, Calixto III, uma carta de autorização para um novo julgamento, no qual – seguindo a sugestão de um dos advogados canônicos que Bréhal havia consultado – os sobreviventes da família de Joana, sua mãe e dois irmãos, deveriam agir como queixosos. Três representantes papais supervisionaram o processo em nome do Santo Padre, todos eles leais servos da França: o bispo de Coutances, o bispo de Paris e o arcebispo de Reims, Jean Juvénal des Ursins, um talentoso escritor e historiador que havia sido o sucessor armagnac de Pierre Cauchon como bispo de Beauvais.

E então, em 7 de novembro de 1455, uma extraordinária cerimônia foi promovida na grandiosidade sagrada de Notre-Dame, no coração de Paris. Caso Joana estivesse viva, ela teria, nesse momento, atingido os seus 40 anos. De certo modo, sua mãe, Isabelle, administrara em silêncio o seu luto e sofrimento durante quase 25 anos; e agora ela aparecia na catedral diante do arcebispo de Reims, do bispo de Paris e do inquisidor Bréhal. Ao lado dela estava um de seus filhos, Pierre, e partidários de Orléans, uma cidade que tinha demonstrado sua inabalável devoção à Donzela ao proporcionar à sua mãe, que se viu empobrecida em sua viuvez, uma casa confortável. Enquanto ela se ajoelhava diante dos comissários para oferecer o mandato papal, sua petição foi explicada em nome da senhora idosa: sua devota e virtuosa filha, que ela havia criado na verdadeira fé, havia sido falsamente acusada de heresia, uma acusação que não foi provocada por nenhum defeito nela, mas por ódio e hostilidade. Apesar de sua inocência, Joana foi injustamente condenada e cruelmente queimada porque seu julgamento foi afetado por injustiça e erro. Sua família tinha sido incapaz de retificar essa injustiça enquanto o reino estava devastado pela guerra, mas agora que, pela graça de Deus, Rouen e Normandia haviam sido devolvidas para a França – e, com isso, a tarefa que tinha começado, na época de Joana, em Orléans e em Reims, fora cumprida – voltaram à Santa Sé em busca de ajuda, como Joana tinha feito. Além dessas frases concisas, não havia menção da missão da Donzela, de suas vozes ou de suas vitórias. Em vez disso, a tarefa dos comissários foi descrita com precisão digna de advogado: para demonstrar que o processo pelo qual a jovem tinha sido declarada uma herege era falho, e para expurgar esse veredito do registro público.

Uma multidão curiosa começou a se reunir na catedral, enquanto outros, entre os apoiadores de Isabelle, se aproximavam para falar, ansiosos por detalhar todas as muitas maneiras pelas quais Joana fora oprimida pela parcialidade e pelo preconceito de seus juízes e guardas. Sua simplicidade, sua devoção e suas ações para o bem do reino, tudo isso, disseram eles, eram méritos, não crimes, piedade, não maldade – isto é, se tivessem sido interpretados corretamente. A pressão do povo se tornou tão grande que os comissários foram forçados a conduzir Isabelle e seus companheiros para longe, para dentro da quietude da sacristia. Ali eles explicaram, com cuidado e preocupação, que receberiam sua petição e garantiriam uma investigação, mas que aquele processo seria longo e complexo, e seu resultado, incerto. O julgamento solene da Igreja, preveniram, não poderia ser levianamente subvertido. A mãe da Donzela e seus amigos deveriam procurar se aconselhar consigo mesmos e voltar à presença dos comissários no tribunal episcopal de Paris dez dias depois. Havia muito trabalho pela frente, mas, finalmente, o caso tinha começado.

Passo a passo, o inquisidor Bréhal se viu espelhando os meticulosos estágios através dos quais o bispo Cauchon havia se movido havia um quarto de século. Uma distinta assembleia de teólogos e advogados civis e canônicos considerou os fundamentos em que o veredito do julgamento de Joana tinha sido posto em questão. A infâmia desses processos e a percepção pública da inocência de Joana, concordaram eles, dificilmente poderiam ter sido maiores; era, portanto, dever dos membros da comissão proceder com a investigação. Um promotor e notários foram nomeados. Guillaume Manchon apresentou suas transcrições francesas originais do julgamento, para que fossem comparadas com a transcrição original em latim; e os registros da investigação do cardeal D'Estouteville em 1452 foram examinados pelo tribunal. O sábio Conselho nomeado para a mãe e os irmãos de Joana fez exaustivas representações detalhando as manifestas virtudes da Donzela e as patentes injustiças do processo contra ela, que foram destacadas em um total de 101 artigos para os comissários – ou juízes, como eles eram agora – considerarem. E, no começo de 1456, os juízes despacharam oficiais para coletar testemunho sobre os quais eles formariam suas conclusões. Vinte e cinco anos antes, tinha havido uma única testemunha, interrogada sobre muitos assuntos. Agora, as testemunhas eram muitas e os assuntos, poucos: na região do nascimento de Joana, as questões da corte diziam respeito à sua infância, seu caráter e o início de sua missão; em Orléans e Paris, suas façanhas na guerra, e em Paris e Rouen, seu julgamento e morte.

Em Domrémy, os aldeões que tinham conhecido Joana disseram aos oficiais o que puderam, mas não havia sinal, nesse pequeno lugarejo distante das cenas das suas extraordinárias façanhas, de que as memórias tivessem sido intensificadas pela passagem do tempo. Parecia que em casa ela era chamada de "Jeannette" em vez de "Jeanne". Os aldeões mais velhos, seus padrinhos entre eles, lembravam-se de uma respeitável família e de uma criança dócil, bem comportada, piedosa e modesta, que trabalhava arduamente – ela fiava com a mãe, relembraram, e guiava o arado e cuidava dos animais para seu pai – e gostava de ir à igreja. Também era bem instruída na fé, observou um de seus padrinhos, como as outras meninas em Domrémy. Isso era tranquilizador, embora não muito específico. As reminiscências da geração mais jovem, que havia crescido com a Donzela, quase não eram mais específicas. Uma mulher chamada Hauviette disse que havia chorado quando Joana deixou a vila, porque ela era boa e gentil e tinha sido sua amiga. Algumas vezes, os meninos locais a provocavam por causa de suas exibições de devoção a Deus: quando Joana ouvia os sinos da igreja, explicou um deles, ela se ajoelhava nos campos e rezava. E foram os sinos que levaram a uma das poucas lembranças em que a Joana, viva e respirando, de repente podia ser sentida. Perrin Drappier tinha sido o sacristão da aldeia, e quando, à noite, ele se esquecia de soar a chamada para a última das sete horas canônicas, ela costumava repreendê-lo, disse ele, e prometia lhe trazer bolos se fosse mais diligente.

Mesmo se a Donzela fosse uma presença estranhamente sem subs-tância no testemunho deles, os aldeões tinham feito seu trabalho em demonstrar ao tribunal a inocência de sua vida precoce. Mas a própria Joana passou a ser um foco vívido assim que a investigação se mudou para Vaucouleurs, a cidade onde ela tinha convencido o capitão Robert de Baudricourt a enviá-la para Chinon para ter com o rei. Foi Durand Laxart, marido de uma de suas primas, que tinha sido instigado a levá-la para lá; vários dos habitantes mais jovens de Domrémy se lembraram dele explicando que, por insistência de Joana, havia dito ao pai dela que a jovem ficaria em sua casa na aldeia vizinha de Burey-le-Petit para ajudar sua esposa, que estava em repouso com um novo bebê.

O próprio Laxart não mencionou esse subterfúgio. Em vez disso, seu foco foi a cristalina clareza do propósito de Joana e a irresistível força de sua vontade. Ela havia anunciado, disse ele, que deveria ir até o delfim e guiá-lo para a sua coroação. E ela conhecia uma profecia que falava de sua missão: "Uma vez não havia sido predito que a França seria devastada por uma mulher e depois restaurada por uma virgem?" Quem poderia ter sido essa primeira mulher não estava claro, a menos que fosse a esposa muito maligna do rei louco, a rainha Isabel, mas os ecos dos papéis bíblicos de Eva e Maria e a parte que Joana acreditava que estava destinada a desempenhar na história do reino mais cristão eram inconfundíveis. O casal com quem se hospedou em Vaucouleurs lembrou-se de pronunciamentos igualmente ousados e resolutos. Ela havia sido enviada pelo rei do céu para o delfim, Joana asseverou a Henri le Royer, e, se fosse preciso, iria até lá de joelhos. Ela não temia a jornada, porque Deus abriria o caminho diante dela; havia nascido para fazer isso. E estava bastante impaciente, lembrou-se a esposa de Henri, Catherine, com o tempo pesando sobre ela, como se fosse uma mulher grávida esperando para dar à luz.

Era essa certeza que tinha impressionado os homens que a acompanhavam quando finalmente partiu para Chinon. Jean de Metz e Bertrand de Poulengy eram os soldados que, com seus servos Julien e Jean, o mensageiro real Colet de Vienne e mais um homem chamado Richard l'Archier, tinham guiado Joana por onze dias, através de um país inimigo, em seu caminho para a corte. Agora Jean de Metz era um nobre, recompensado pelo rei por seus leais serviços, e Bertrand de Poulengy, um escudeiro da família real, mas 25 anos depois, eles ainda estavam impressionados com as lembranças da Donzela. Foi porque acreditavam que ela havia sido enviada por Deus para salvar a França, eles disseram, que se ofereceram para escoltá-la. Apesar dos perigos de sua rota, Joana lhes garantiu, calmamente, que não havia nada a temer. Ela era jovem e eles também, mas nos raros momentos em que podiam se permitir pegar no sono, deitando-se lado a lado com Joana completamente vestida com o gibão e as meias que ela havia adotado em vez do tosco vestido vermelho, nenhum deles sentia qualquer desejo por alguém tão santo.

Essa afirmação repercutiu entre os homens que lutaram ao lado dela durante a guerra, quando foi recebido o depoimento das testemunhas em Orléans e em Paris. Quando estava com ela, atestou o Bastardo de Orléans, não tinha impulsos carnais de nenhum tipo, voltados para ela ou qualquer outra mulher. Era difícil ter privacidade no campo, e quando ela se vestia e se armava em campanha, o duque de Alençon tinha visto seus seios – que eram lindos, ele admitiu – enquanto seu escudeiro Jean d'Aulon tinha vislumbrado seus seios e suas pernas nuas, mas nenhum deles se sentiu estimulado sexualmente. Se houvesse a mínima chance de que tenham ficado minimamente excitados, nenhum desses nobres cavaleiros estava disposto a admitir. Mas Marguerite la Touroulde, viúva de René de Bouligny, conselheiro do rei, em cuja casa Joana se hospedara em Bourges – uma testemunha que estava igualmente convencida da santidade da Donzela, embora menos perturbada por sua presença física – lembrou-se de Jean de Metz e Bertrand de Poulengy dizendo que a princípio haviam-na cobiçado, mas ficavam tão envergonhados com sua pureza, que nunca ousaram dizer uma palavra a Joana. Esse sentimento de integridade corporal era tão forte, que ia além de sua evidente castidade. D'Aulon acreditava que ela não menstruava: disseram-lhe que Joana nunca experimentara "o mal secreto das mulheres". E, de acordo com a observação eufemística de um criado real chamado Simon Charles, seus soldados ficaram maravilhados com o tempo que ela era capaz de permanecer em seu cavalo sem responder aos chamados da natureza.

É claro, a virtude física da Donzela era a expressão visível de seu mérito moral e espiritual. Todas as testemunhas concordam que ela era boa e devota, simples e humilde. Ela era toda inocência, declarou a sofisticada fidalga Marguerite la Touroulde, e não sabia nada de coisa alguma a não ser travar uma guerra. No campo de batalha, ela se conduzia com notável confiança, como se já fosse capitão por vinte ou trinta anos, declarou o duque de Alençon. Mas mesmo em campo ela também exigia um comportamento pio. Não tolerava palavrões e blasfêmias: particularmente de La Hire e de Alençon, que tinham o hábito de praguejar muito e tinham que conter a língua na presença dela. Tampouco aceitava a presença de prostitutas entre seus homens; se encontrasse uma mulher no acampamento, a perseguiria furiosamente com a superfície lisa de sua espada, a menos que o soldado viesse a se casar com ela. Comia com moderação, e recusava comida que tinha sido roubada em vez de comprada; proibia a pilhagem e o saque, e dava às igrejas sua proteção especial. Exigia que suas tropas confessassem seus pecados e pranteassem os homens que morreram sem absolvição, fossem eles franceses ou inimigos ingleses. Não poderia haver dúvida de que, como Simon Charles foi levado a concluir, "ela fez o trabalho de Deus".

Mas quanto à sua missão: como uma testemunha podia ter certeza de que ela havia sido enviada por Deus para salvar o rei e seu reino? A resposta, todos concordam, eram suas vitórias, que ela sabia que seriam obtidas, e que só podiam ser explicadas pela intervenção divina. Não havia necessidade de falar de Paris, La Charité ou Compiègne. Foram Patay, Jargeau, Meung e, acima de todas, Orléans que demonstraram a verdade das reivindicações da Donzela. O Bastardo se lembra que, quando Joana chegou pela primeira vez com suprimentos para a cidade sitiada, o vento estava soprando na direção contrária para que os barcos conseguissem levar as provisões para a outra margem do rio. Ela disse a ele que havia trazido ajuda do rei dos céus, a pedido dos santos reais Luís e Carlos Magno, e num instante os ventos mudaram e as velas se inflaram. A lembrança do capelão de Joana, Jean Pasquerel, era um pouco diferente: o rio estava muito lento para os barcos navegarem, mas repentinamente, quando a Donzela se aproximou, as águas subiram e a pequena frota começou a se mover. Para o duque de Alençon, por enquanto, que não havia estado em Orléans, as miraculosas lembranças eram mais pessoais. O pai do duque havia morrido em Azincourt, e ele foi capturado na sangrenta batalha em Verneuil quando tinha apenas 17 anos; parece que, durante a época em que lutou ao lado de Joana em Jargeau, o medo havia se tornado seu inimigo tanto quanto os ingleses. Mas ela estava lá para incentivá-lo. "Nobre duque, você está com medo? Não sabe que eu prometi à sua mulher trazê-lo de volta são e salvo?" Então ela apontou para um canhão nas muralhas da cidade e disse que ele que devia se movimentar antes que o canhão o matasse; pouco tempo depois, viu outro homem morrer exatamente no mesmo lugar onde ele estava.

Alençon tinha agora 50 anos, sofria de dores constantes por causa de uma doença em seus rins e estava amargamente ressentido porque nunca tinha recuperado a riqueza e o poder que eram seus por direito de nascimento. Mas estava claro que, na primeira metade de sua vida, a Donzela o impressionara, e a breve parceria que tiveram foi um presente de Deus em um momento dourado em que tudo parecia possível. Naquele momento, outros também a viam como o cumprimento de uma promessa celestial feita muito tempo antes. Jean Barbin, um advogado que então morava em Poitiers, lembrava-se de Jean Érault, um dos teólogos armagnacs que havia examinado Joana naquele lugar, falar de uma profecia que fazia referência à Donzela. Segundo Érault, Marie Robine, a mulher camponesa que teve visões divinamente inspiradas em Avignon nos últimos anos do décimo quarto século, recebeu muitas revelações a respeito das calamidades que afligiriam o reino da França. Ela fora aterrorizada pela visão de uma grande quantidade de armaduras, temendo que fosse obrigada a vestir-se e lutar, mas disseram-lhe que não eram para ela. Em vez disso, viria depois dela uma Donzela que iria carregar essas armas e livrar a França de seus inimigos. Érault tinha certeza de que essa Donzela era Joana.

Mas se a vinda da Donzela tinha sido anunciada em visões, então o que seria de suas próprias visões? O Bastardo se lembrava da frequência com que ela rezava; todo dia, asseverou, ela ia à igreja ao anoitecer e pedia que os sinos fossem tocados por meia hora. E ele estava com o rei em Loches quando o confessor real indagou se Joana queria explicar como seu consultor divino falava com ela. Ela corou, e disse que quando estava infeliz porque as pessoas não acreditavam em suas mensagens provenientes de Deus, ela se retirava para rezar; então ouvia uma voz dizendo, "Filha de Deus, vá, vá, vá, eu a ajudarei, vá!" E então ela era tomada por uma alegria maravilhosa e ansiava permanecer nesse estado para sempre. Seu escudeiro Jean d'Aulon se lembrava de que, ao lhe perguntar sobre suas revelações, Joana lhe explicou que tinha três conselheiros – um que estava sempre com ela, outro que ia e vinha, e um terceiro a quem os outros dois consultavam. Mas quando suplicou que lhe fosse permitido vê-los, ela disse que ele não era merecedor ou virtuoso o bastante. Ele não pediu novamente.

As perguntas que ela foi obrigada a responder, no entanto, eram aquelas dos teólogos de Poitiers, um dos quais, um monge chamado Seguin que agora prestava seu depoimento ao tribunal. A Donzela disse a eles, Seguin informou, que estava observando os animais no campo quando uma voz chegou até ela dizendo que Deus tinha grande misericórdia para com as pessoas da França e que ela deveria ir até o rei. Então, acrescentou, ela começou a chorar e a voz disse que ela não deveria duvidar de sua missão. Mas se Deus quisesse salvar o povo da França, alegou um dos eruditos doutores, certamente Ele não precisaria de soldados. "Em nome de Deus", respondeu Joana, "os soldados lutarão e a vontade de Deus dará a vitória". Foi uma boa resposta, pensaram eles. Então o próprio monge perguntou em que língua eles falavam. Uma língua melhor que a de vocês, ela deu o troco. (A própria língua de Seguin, explicou ele, era um dialeto de Limousin.) Acreditava em Deus? Sim, ela afirmou, mais do que vocês. Por que eles deveriam acreditar nela, perguntou Seguin, sem um sinal que sustentasse tais reivindicações? "Em nome de Deus", foi a impaciente resposta. "Não vim a Poitiers para fornecer sinais; mas levem-me a Orléans e eu lhes mostrarei sinais a propósito dos quais fui enviada."

Impaciência e a segurança de seu tiro rápido eram qualidades que haviam ajudado a montar o caso dela com os teólogos em Poitiers, para quem a ideia de que Deus poderia querer ajudar os armagnacs não exigia mais justificação. Mas elas não serviram de nada quando enfrentou os teólogos em Rouen, para quem aquela proposição mais fundamental era obviamente falsa. Vinte e cinco anos depois, no entanto, seus papéis foram invertidos: nas sessões mais incômodas e desafiadoras do inquérito, aqueles estudiosos – ou os sobreviventes entre eles – tinham de decidir até onde deveriam ir para defender o que agora era indefensável, na França de Carlos *le très-victorieux*.

Alguns elementos da história da Donzela foram estabelecidos para além do debate. A infelicidade e a piedade de sua morte foram descritas em detalhe desgastante por aqueles que estavam lá, chorando, disseram eles, na praça do mercado velho, enquanto ela queimava – e também, como uma questão de fama comum, por aqueles que não estavam. Ela tinha sido uma jovem simples, isso era muito claro, e os juízes tentaram confundi-la, incomodá-la e esgotá-la, mas ela ainda respondia às perguntas deles com sabedoria que estava além de sua idade. E foram os ingleses, instigados pelo ódio e pelo medo, e com o apoio entusiástico do bispo Cauchon, que tinham controlado e financiado o julgamento, e insistido nele até sua trágica conclusão.

Mas outras partes da história se revelaram mais difíceis de recontar. Algumas testemunhas se mostraram simplesmente incapazes de se lembrar de suas próprias ações durante o processo. O interessante é que a declaração do lacônico Nicolas Caval foi ainda mais lacônica do que antes, e o bispo de Noyon, um influente diplomata chamado Jean de Mailly, não conseguia se lembrar de nada, além de Joana declarando que, se ela tinha feito algo de errado, era por sua própria culpa e não do rei. Thomas de Courcelles – um eloquente erudito que esteve presente durante todo o julgamento antes de traduzir os apontamentos dos notários franceses para a transcrição oficial latina – teceu seu testemunho com palavras evasivas enquanto tentava explicar seu envolvimento. Não havia argumentado que Joana era uma herege, defendeu-se, exceto no caso em que ela pudesse, obstinadamente, se recusar a aceitar seu dever de se submeter à Igreja. Quando se chegou nas deliberações finais dos juízes, ele acreditava ter dito que Joana permanecera como sempre fora antes – isto é, se ela já era herege antes, permanecia assim, mas ele mesmo nunca tinha afirmado que ela *era* uma herege.

Não era de admirar – dado o peso do escrutínio que o registro do julgamento agora exigia sustentar – que o notário Guillaume Manchon parecesse pouco à vontade em sua própria afirmação distorcida. Tinha participado no julgamento somente sob imposição, alegou, porque não ousou resistir a uma ordem do Conselho Real, e queixou-se amargamente da pressão que tinha sofrido por parte do bispo Cauchon e dos ingleses. Mas, ao mesmo tempo, insistia em sua própria integridade e na da transcrição que tinha produzido. Foi particularmente forçado pelo papel do espião na cela de Joana, Nicolas Loiseleur, que tinha ganhado a sua confiança, disse ele, fingindo ser seu compatriota do ducado de Lorena, e por compartilhar suas lealdades armagnacs. Este foi um fio que, ao longo dos anos, evidentemente ficou solto: outra testemunha atestou – embora não conseguisse se lembrar de que lhe havia dito isso – que Loiseleur havia se disfarçado como Santa Catarina a fim de curvar Joana à sua vontade.

Porém, mesmo no próprio relato de Manchon sobre esse engano traiçoeiro, Loiseleur tinha tentado salvar a vida de Joana, instando-a a se submeter a seus juízes em Saint-Ouen. Aqui residia o cerne da dificuldade para as testemunhas que agora reclamavam, escrupulosamente, que apenas seguiam ordens. O que estava certo em 1431 na Rouen inglesa – para garantir a salvação da jovem persuadindo-a a abjurar sua heresia e aceitar o conselho amoroso da Igreja – estava errado 25 anos depois, num reino do qual Deus havia expulsado os ingleses com os rabos entre as pernas. Tudo se resumia ao dom da visão: não nas revelações como as de Joana – uma vez que, como o inquisidor Bréhal e seus colegas observavam agora com sabedoria, "é muito difícil se chegar a um julgamento firme nesses assuntos" – mas na capacidade de ver quais fatos se conformavam com o plano de Deus para o mundo.

Isso, é claro, era onde o bispo Cauchon e seus colegas juízes haviam permitido que seu preconceito os conduzisse com tanta gravidade ao erro. E, assim, reunidos em 7 de julho de 1456 na grande sala do palácio episcopal de Rouen, os juízes nomeados para rever o trabalho de Cauchon declararam que os doze artigos pelos quais a Donzela havia sido condenada tinham sido redigidos de maneira "corrupta, enganosa, caluniosa, fraudulenta e maliciosa". A verdade, disseram eles, tinha sido omitida, e a falsificação, colocada em seu lugar. Informações que agravavam as acusações contra ela tinham sido admitidas sem razão, e foram ignoradas circunstâncias que teriam servido para justificar o que ela tinha dito e feito. Como resultado, o registro do julgamento e a sentença contra ela eram totalmente nulos, inválidos e descartáveis. Joana foi inocentada e absolvida; os juízes decretaram que uma cruz fosse construída na antiga praça do mercado onde ela morrera tão cruelmente, para preservar sua memória para sempre.

Estava feito. Carlos *le bien-servi*, o bem servido, assim como a maioria dos vitoriosos, recebeu as notícias na região central do seu país, ao sul do Loire, onde passavam os meses de verão. A Donzela não era uma herege, uma apóstata, uma idólatra. Agora ela podia descansar em paz, e seu imaculado nome seria lembrado onde quer que a gloriosa história de suas vitórias fosse contada. O rei mais cristão, entretanto, ainda tinha desafios a enfrentar. Sua saúde estava debilitada, e seu filho, o ingrato delfim, continuava a desprezar sua autoridade. Lamentavelmente, nas semanas anteriores, também havia sido necessário enviar seu leal servo, o Bastardo de Orléans, para prender o descontente duque de Alençon sob acusação de traição e conspiração com o inimigo inglês. Ainda assim, ele podia reconhecer com prazer o reino dado por Deus que ele governava, como seu pai real governara antes dele. E podia contemplar com satisfação a Inglaterra do outro lado do estreito mar, onde seu sobrinho, o frágil rei Henrique VI, reinava distraidamente enquanto os príncipes de sangue real, herdeiros das grandes casas de York e Lancaster, rasgavam o reino em pedaços entre si.

"Santa Joana"

Em 16 de maio de 1920, enquanto uma silenciosa multidão de milhares de pessoas esperava do lado fora da basílica de São Pedro, Joana d'Arc foi reconhecida como uma santa da Igreja Católica Romana. A declaração tinha sido elaborada durante meio século: foi em 1869 que Félix Dupanloup, então bispo de Orléans, pediu pela primeira vez que a Santa Sé examinasse seu caso. A cidade de Orléans jamais se esqueceu dela, mas foi a história, e não a memória, que animou a campanha do bispo Dupanloup. Ele leu as transcrições de seus julgamentos quando os manuscritos foram publicados pelo erudito pioneiro Jules Quicherat na década de 1840, e sua conclusão era clara. "Ela é uma santa", declarou, "Deus estava nela".

Na verdade, sob vários aspectos Joana era uma candidata improvável à canonização. Não muitos santos foram condenados à morte pelo julgamento da mesma Igreja que foi solicitada a reconhecer a sua santidade. Isso, é claro – disse o promotor da fé, ou advogado do diabo, designado para examinar seu caso em 1892 –, era um reflexo do fato de que ela não havia sido martirizada por sua fé, mas morta por motivos políticos, pela inimizade daqueles a quem derrotou na batalha. Ela foi merecidamente admirada por seus feitos militares, admitiu ele, mas assim como Cristóvão Colombo, cuja canonização tinha sido pedida com ruidosa pressão sem êxito na década de 1870, sua excepcional virtude espiritual não foi comprovada. Durante sua vida, demonstrou raiva, arrogância e fraqueza pelo luxo mundano, e não aceitou seu sofrimento com paciência e fortaleza heroica; em vez disso renunciou a suas visões por medo e encontrou sua morte com lamentação e angústia.

Em 1892, e novamente em 1901 e 1903, as muitas páginas dos argumentos do promotor foram completadas com centenas de réplicas do defensor, que pressionou o caso de Joana com base em suas revelações divinas e sugeriu contrapropostas para demonstrar que ela tinha realmente exibido todas as virtudes em um grau heroico. Em 6 de janeiro de 1904, foi o argumento do defensor que levou à concordância do papa Pio X. Quatro anos mais tarde, ele reconheceu três milagres que ocorreram por sua intercessão: três freiras foram curadas de doença grave depois de invocar sua ajuda em suas orações. A necessidade de um quarto milagre, o Santo Padre aceitou, foi atenuada pela salvação da França durante a própria vida. "Joana d'Arc", declarou ele, "brilhou como uma nova estrela destinada a ser a glória não só da França, mas também da Igreja universal". Em 18 de abril de 1909 ela foi beatificada e em 1920 – após a agonizante intervenção da Grande Guerra – veio a sua canonização, como uma virgem que tinha vivido uma vida de virtude santa. A festa de Santa Joana, a Donzela de Orléans, foi inscrita no calendário da Igreja em 30 de maio, data do aniversário de sua execução quase quinhentos anos antes.

Ao longo de meio milênio, desde os julgamentos de 1431 e 1456 até as audiências de canonização na Roma do século XX, os acontecimentos da vida breve e extraordinária de Joana foram objeto de processos legais destinados a designá-la em uma categoria: herege ou santa. Em cada caso, as provas foram analisadas, apreendidas e descartadas, uma investigação ditada por princípios teológicos que, para os peritos assessores, são supremos e onipresentes. E, no entanto, tanto na teologia quanto na história, as respostas alcançadas são moldadas por questões colocadas e por fatos admitidos. Para todos os avisos dos membros da comissão à mãe da Donzela sobre uma imprevisibilidade do resultado, não havia nenhuma possibilidade de que as audiências de 1456 sustentassem a sentença de 1431: a informação que eles buscavam e o propósito pelo qual a procuravam não permitiriam essa conclusão, assim como não havia nenhuma probabilidade de que o julgamento de 1431 exonerasse Joana das acusações de heresia que definiu cada momento dessa investigação anterior. Ambos os lados tinham certeza de que o propósito de Deus estava em ação no mundo, mas sua certeza mútua assegurava entendimentos diametralmente opostos de certo e errado, verdade e falsidade. E nisso reside a essência da fé: o rei de Joana ganhou a guerra porque ela veio de Deus, ou ela veio de Deus porque ele ganhou a guerra?

Para aqueles em busca da própria Joana, os documentos remanescentes produzidos por esses tribunais apresentam um duplo desafio. Embora seu propósito possa ser claro, suas regras de compromisso – artigos de investigação, por exemplo, vislumbrados apenas através das respostas que eles suscitam – podem ser desconcertantemente evasivas. E a dificuldade de interpretar as informações que elas contêm são complicadas pela presença chocantemente vívida de uma jovem que, através do efeito imprevisível de sua própria convicção inflexível, tinha conseguido o que deveria ter sido impossível para alguém de seu sexo e de sua classe. Seu poderoso carisma é palpável na transcrição do julgamento que a condenou à morte como herege. Quando ele foi maravilhosamente exibido ao longo do julgamento não partidário que anulou esse veredito, transformou a Donzela em uma lenda, em um ícone e em uma santa.

Ao ganhar um santo, porém, perdemos um ser humano. Essa feroz vitoriosa de um lado de uma guerra complexa e sangrenta foi roubada de seu contexto e de sua voz vibrante. Em 2011, o papa Bento XVI declarou, sobre o que ele chamou de "sua missão entre as forças militares francesas", que "ela procurou negociar uma paz cristã justa entre os ingleses e franceses". É difícil não acreditar que a própria Joana – que disse ao rei inglês que "onde quer que encontre seus homens na França, eu os farei sair, quer queiram ou não, e se eles não obedecerem, eu os farei todos mortos" – poderia ter colocado isso em termos marcadamente diferentes. Um dos mais eminentes historiadores da Donzela sugere que "Joana é acima de tudo a santa da reconciliação – aquela que, sejam quais forem nossas convicções pessoais, admiramos e amamos porque, superando todos os pontos de vista partidários, cada um de nós pode encontrar em si mesmo uma razão para amá-la". Mas, ao tornar-se tudo para todas as pessoas, a própria mulher corre o risco de desaparecer completamente.

Ainda há o que descobrir sobre Joana. Se lermos os extraordinários registros de uma vida totalmente excepcional com o conhecimento de como esses documentos vieram a ser feitos, se mergulharmos em seu mundo civilizado, brutal e terrivelmente incerto, garantido por nada além da força suprema da vontade de Deus, então talvez possamos começar a entender a própria Joana: o que ela pensava que estava fazendo; por que as pessoas ao seu redor reagiram da forma como o fizeram; como ela se arriscou e obteve um resultado milagroso; e o que aconteceu, no final, quando os milagres pararam.

E, ainda, nas páginas muito gastas de seus julgamentos há momentos inesperados que capturam a humanidade, a violência e a transcendência de sua história. Em 7 de maio de 1456, um nobre chamado Aimon de Macy forneceu provas em Paris, na presença do arcebispo de Reims. De Macy tinha agora 50 anos, mas encontrou a Donzela quando era um jovem, amigo de seu captor Jean de Luxemburgo. Seu testemunho era feio: ele admitiu ter ido visitar Joana em sua cela em Rouen, na companhia de Luxemburgo e dos lordes ingleses Warwick e Stafford, para zombar dela com falsas ofertas de resgate, e podia confirmar que ela era virtuosa, disse, por causa da força com que lutou contra ele cada vez que agarrou os seios dela ou colocou as mãos dentro de suas roupas. Depois ele esteve em Saint-Ouen para testemunhar sua abjuração, com o clérigo segurando uma pena na mão dela para colocar sua marca no papel. A última sentença de seu relato parecia uma reflexão tardia, quase como se ele voltasse para falar quando já tivesse se levantado para sair. "E ele acredita que ela está no paraíso".

Notas

ABREVIAÇÕES USADAS NAS NOTAS

BEAUCOURT, *Charles VII* BEAUCOURT, G. du Fresne de. *Histoire de Charles VII*. Paris: [s.n.], 1881-91. 6 v.

DUPARC, *Nullité* DUPARC, P. (Ed. e trad.). *Procès en nullité de la condamnation de Jeanne d'Arc*. Paris: [s.n.], 1977-88. 5 v.

HOBBINS, *Trial* HOBBINS, D. (Ed. e trad.). *The Trial of Joan of Arc*. Cambridge; Londres: [s.n.], 2005.

Journal TUETEY, A. (Ed.). *Journal d'un bourgeois de Paris, 1405-1449*. Paris: [s.n.], 1881.

MONSTRELET, *Chronique* DOUËT-D'ARCQ, L. (Ed.). *La chronique d'Enguerran de Monstrelet*. Paris: [s.n.], 1857-62. 6 v.

ODNB MATTHEW, H. C. G.; HARRISON, B. (Eds.). *Oxford Dictionary of National Biography*. Oxford: [s.n.], 2004. GOLDMAN, L. (Ed.). 2010. Disponível em: <http://www.history.ac.uk/makinghistory/resources/articles/ODNB.html>. Acesso em: 28 jul. 2017.

Parisian Journal SHIRLEY, J. (Ed. e trad.). *A Parisian Journal, 1405–1449*. Oxford: [s.n.], 1968.

QUICHERAT, *Procès* QUICHERAT, J. (Ed.). *Procès de condamnation et de réhabilitation de Jeanne d'Arc*. Paris: [s.n.], 1841-9. 5 v.

TAYLOR, *Joan of Arc* TAYLOR, C. (Ed. e trad.). *Joan of Arc: La Pucelle*. Manchester: [s.n.], 2006.

TISSET, *Condamnation* TISSET, P.; LANHERS, Y. (Ed. e trad.). *Procès de condamnation de Jeanne d'Arc*. Paris: [s.n.], 1960-71. 3 v.

INTRODUÇÃO

Para Joana como um ícone multiforme, ver: WARNER, M. *Joan of Arc: The Image of Female Heroism*. Londres: [s.n.], 1981.

Qualquer um que estude Joana d'Arc tem razão para ser grato a Jules Quicherat, o extraordinário acadêmico que, nos anos 1840, editou as transcrições dos julgamentos de 1431 e 1456 e os reuniu em cinco volumes com um vasto conjunto de outros materiais relativos à vida de Joana, incluindo crônicas, poemas, cartas e documentos administrativos. Desde então, os julgamentos têm sido editados e transcritos muitas vezes. As minutas do julgamento de 1431 foram feitas em francês pelos notários, mas aqueles documentos originais não sobreviveram. Em vez disso, temos duas cópias parciais, uma do final do século XV e outra do século XVI. Pouco depois de o julgamento terminar, as minutas francesas foram traduzidas para o latim e cotejadas com outros documentos relevantes em uma transcrição oficial, sendo que três das cinco cópias feitas e assinadas pelos notários ainda existem. Usei a edição do julgamento produzida por Pierre Tisset e Yvonne Lanhers entre 1960 e 1971, que apresenta a transcrição latina e a minuta francesa em paralelo no seu primeiro volume, e uma moderna tradução francesa no seu segundo volume. Desde então, o principal conteúdo das audiências foi traduzido para o inglês por Daniel Hobbins, e os extratos traduzidos por Craig Taylor, em sua edição de fontes selecionadas para a vida de Joana. Os registros do julgamento de anulação de 1456 estão inteiramente em latim, excetuando um único relato de testemunho em francês, aquele do escudeiro de Joana, Jean d'Aulon. Usei a edição de Pierre Duparc, publicada nos anos 1970 e 1980, que fornece o texto completo em latim do julgamento nos seus dois primeiros volumes, e uma moderna tradução francesa nos dois volumes seguintes. Não há nenhuma tradução completa em inglês do julgamento de anulação, porém, mais uma vez Craig Taylor oferece excertos traduzidos. Contei com todos esses textos (cujos detalhes completos podem ser encontrados na Lista de Abreviações, p. 259) e tenho um grande débito com seus editores e tradutores; procurei nessas notas finais fazer referências cruzadas entre os vários volumes, de modo que qualquer um que queira se aprofundar na investigação possa mais facilmente encontrar um texto relevante na linguagem apropriada. A tradução é o coração da presença histórica de Joana, devido às múltiplas camadas de texto através das quais sua vida é transmitida, e eu não poderia ter esperança de calibrar minhas próprias leituras dos textos que citei aqui sem a inteligência e a erudição linguística de meus pais, Grahame e Gwyneth Castor.

"*Joana d'Arc*": os sobrenomes ainda não estavam firmemente estabelecidos na Europa do século XV. O nome do pai de Joana – que foi fornecido de diversas maneiras nos documentos contemporâneos como *Darc, Tarc, Day, Dars* – parece ter sido baseado em um topônimo. A mãe de Joana, Isabelle, às vezes era conhecida como Vouthon – o nome de um lugar perto de Domrémy onde morava sua família – e às vezes como Rommée, talvez porque ela fez uma peregrinação para Roma. Em seu julgamento em 1431, Joana inicialmente disse que não sabia seu sobrenome; mais tarde ela mencionou o nome de seus pais e disse que as garotas de sua região normalmente tomavam o nome das mães. Ver: PERNOUD, R.; CLIN, M.-V. *Joan of Arc: Her Story*. Tradução e revisão de J. DuQuesnay Adams. New York: [s.n.], 1998. p. 220-1. Ver também: TISSET, *Condamnation*, v. II, p. 39-40ss.

PRÓLOGO

Em vez de fazer uma narrativa muito minuciosa de um combate militar sobre o qual ainda se debate, procurei evocar a experiência da batalha de Agincourt a partir da perspectiva francesa. Para os detalhes da campanha e batalha e as complexidades da evidência, ver: CURRY, A. *Agincourt: A New Story*. Stroud: [s.n.], 2005. [2010]. Uma inestimável edição de extratos de fontes primárias é: CURRY, A. *The Battle of Agincourt: Sources and Interpretations*. Woodbridge: [s.n.], 2000. Para uma narrativa da batalha, ver: BARKER, J. *Agincourt: The King, the Campaign, the Battle*. Londres:

[s.n.], 2005; e para discussão das dificuldades em compreender a experiência dos soldados, ver: KEEGAN, J. *The Face of Battle: A Study of Agincourt, Waterloo and the Somme*. Londres: [s.n.], 1976. p. 87-107.

Para as crenças populares na França colocando os santos (provavelmente romanos) Crispim e Crispiano em Soissons – embora na Inglaterra se acreditasse que tinham vivido na cidade de Faversham em Kent – ver: FARMER, D. H. (Ed.). *The Oxford Dictionary of Saints*. Oxford: [s.n.], 2003. p. 124-5.

Para a França como a "filha mais velha da Igreja" e o rei como *le roi très-chrétien*, ver: BEAUNE, C. *Birth of an Ideology: Myths and Symbols of Nation in Late-Medieval France*. Berkeley: [s.n.], 1991. p. 172-80.

Para a vida e a carreira militar de Henrique V, ver: ALLMAND, C. T. Henry V (1386-1422). In: *ODNB*, e também: *Henry V*. Londres: [s.n.], 1992; HARRISS, G. L. *Shaping the Nation: England, 1360–1461*. Oxford: [s.n.], 2005. p. 588-94; e com particular ênfase em sua religiosidade, ver: MORTIMER, I. *1415: Henry V's Year of Glory* Londres: [s.n.], 2009.

Para a lesão facial de Henrique recebida na batalha de Shrewsbury em 1403, ver: LANG, S. J. Bradmore, John (d. 1412). In: *ODNB*; BARKER, *Agincourt*, p. 29-30.

Para a captura do rei francês João II na batalha de Poitiers em 1356, e a decisão de seu filho, Carlos V, de evitar o campo de batalha, ver: VAUGHAN, R. *Philip the Bold: The Formation of the Burgundian State*. Londres: [s.n.], 1962. [2002, p. 2, 7].

Para a doença de Carlos VI, ver: AUTRAND, F. *Charles VI*. Paris: [s.n.], 1986. p. 290-5, 304-17; GIBBONS, R. C. *The Active Queenship of Isabeau of Bavaria, 1392-1417*. Tese (Doutorado) – Universidade de Reading, Reading, 1997. p. 24-40.

Para comentários contemporâneos sobre a aparência de Carlos VI (inclusive sua preocupação sobre a calvície), e retrato de busto, ver: TABURET-DELAHAYE, E. (Ed.). *Paris 1400: Les Arts sous Charles VI*. Paris: [s.n.], 2004. p. 29.

Carlos VI como *le bien-aimé*: BEAUCOURT, *Charles VII*, v. I, p. 55.

Para a descrição do delfim, Luís de Guienne, ver: *Journal de Nicolas de Baye, greffier du parlement de Paris, 1400–1417*. Paris: [s.n.], 1885-8. v. II, p. 231. 2 v.; ver também: VAUGHAN, R. *John the Fearless: The Growth of Burgundian Power*. Londres: [s.n.], 1966. [2002, p. 209].

O duque João de Borgonha era conhecido como "João Sem Medo" por causa de sua bravura e audácia em assegurar a vitória burgúndia contra Lièges na batalha de Othée em 1408. Ver: VAUGHAN, *John the Fearless*, p. 63; MONSTRELET, *Chronique*, v. I, p. 371, 389.

Para o papel dos duques de Borgonha no governo francês, e conflito entre João de Borgonha e Luís de Orléans, ver: VAUGHAN, *Philip the Bold*, p. 40-5, 56-8, e *John the Fearless*, p. 30-44.

Insígnias de superfície plana e guildas: VAUGHAN, *John the Fearless*, p. 234-5; TABURET-DELAHAYE, *Paris 1400*, p. 140.

Para narrativas contemporâneas do assassinato de Luís de Orléans (incluindo testemunhas oculares), ver: VAUGHAN, *John the Fearless*, p. 45-6, e para o conflito dos anos posteriores, p. 67-102.

Para a torre do duque de sua casa em Paris, o Hotel d'Artois, ver VAUGHAN, *John the Fearless*, p. 85; TABURET-DELAHAYE, *Paris 1400*, p. 138.

"todos os grandes se odiavam", *Journal*: p. 43 (trad. *Parisian Journal*, p. 80).

Para a ausência do duque de Borgonha na batalha e a chegada tardia do duque de Orléans, e a possibilidade de que isso fosse a decisão do Conselho real, ver: CURRY, *Agincourt: A New History*, p. 150-1, 218-20.

Fazendo a paz dentro das linhas francesas, ver as narrativas de: WAURIN; LE FÉVRE. In: CURRY, *Battle of Agincourt: Sources and Interpretations*, p. 157.

Para a ideia de humilde (em vez de "feliz" de Shakespeare) dos poucos ingleses, ver o discurso de Henrique V antes da batalha em *Gesta Henrici Quinti*, tradução e edição. TAYLOR, F.; ROSKELL, J. S. Oxford: [s.n.], 1975. p. 78-9: "'[...] pelo Deus do Céu sobre Cuja graça eu confiei e em Quem está a minha firme esperança de vitória, eu não teria, mesmo se pudesse, um único homem mais do que tenho. Porque estes que eu tenho aqui comigo são o povo de Deus, que Ele se digna a me deixar ter neste momento. Você não acredita", perguntou ele, "que o Todo-Poderoso, com estes seus poucos humildes, seja capaz de vencer a arrogância opositora dos franceses que se gabam do seu grande número e de sua própria força?'"

Para o duque de Brabant, ver: CURRY, *Agincourt: A New History*, p. 221, 276-7.

O dia desditoso − *la mauvaise journée or la malheureuse journée* − foi aquele que os contemporâneos franceses logo chamaram de a batalha: CURRY, *Battle of Agincourt: Sources and Interpretations*, p. 279, 345.

O campo de sangue (*agrum sanguinis*) é do *Gesta Henrici Quinti*, p. 92-3.

I − Essa guerra, amaldiçoada por Deus

Para a interpretação inglesa da batalha, ver: *Gesta Henrici Quinti*: David and Goliath, p. 110-11; os poucos contra os muitos e a disparidade nas baixas, p. 94–7; a "milícia clerical", p. 88-9; "naquele montículo de piedade e sangue" e "que seja longe [...]", p. 98-9; lutando uma guerra justa, p. 14-15; a obstinada recusa de Herfleur de deixar Henrique entrar, p. 34-7; o "verdadeiro eleito de Deus", p. 2-3; "nosso gracioso rei, Seu próprio soldado", p. 88-9; severidade das restrições de Henrique sobre o comportamento das suas tropas, p. 60-1, 68-9. Outro clérigo com ligações reais, Thomas Elmham, escreveu que o próprio São Jorge havia sido reconhecido no campo de batalha, lutando do lado inglês: CURRY, *Battle of Agincourt: Sources and Interpretations*, p. 48, e para a carreira de Elmham, p. 40-2.

Para teorias medievais sobre a guerra justa, ver: CONTAMINE, P. La Théologie de la guerre à la fin du Moyen Age: La Guerre de Cent Ans fut-elle une guerre juste? In: *Jeanne d'Arc: une époque, un rayonnement. Colloque d'Histoire Médiévale, Orléans Octobre 1979*. Paris: [s.n.], 1982. p. 9-21; PINZINO, J. M. Just War, Joan of Arc, and the Politics of Salvation. In: VILLALON, L. J. A.; KAGAY, D. J. (Eds.). *The Hundred Years War: A Wider Focus*. Leiden; Boston: [s.n.], 2005. p. 365-96. Para a reivindicação de Henrique do trono francês, ver a árvore da família e nota na p. 14-15.

Para os objetivos e audiência da *Gesta*, ver: *Gesta Henrici Quinti*, p. XXIII–XXVIII.

Para a narrativa do capelão real sobre o discurso do bispo de Winchester no Parlamento, e "O God [...]", ver: *Gesta Henrici Quinti*, p. 124-5.

Para a narrativa de Thomas Basin sobre a batalha, ver: BASIN, T. *Histoire de Charles VII*. In: SAMARAN, C. (Ed. e trad.). Paris: [s.n.], 1933-44. v. I, p. 42-7 2. 2 v.; CURRY, *Battle of Agincourt: Sources and Interpretations*, p. 190.

Para o monge de Saint-Denis, ver: BELLAGUET, M. L. (Ed. e trad.). *Chronique du religieux de Saint-Denys*. Paris: [s.n.], 1839-52. v. V, p. 578-81. 6 v. [1994]; CURRY, *Battle of Agincourt: Sources and Interpretations*, p. 340.

Para o contato burgúndio com Henrique V antes de 1415, ver: VAUGHAN, *John the Fearless*, p. 205-7.

Para a *Histoire de Charles VI* de Jean Juvénal des Ursins, ver: BUCHON, J. A. C. (Ed.). *Choix de chroniques et mémoires relatifs à l'histoire de France*. Orléans: [s.n.], 1875), p.

519; CURRY, *Battle of Agincourt: Sources and Interpretations*, p. 131.

Para Fenin: ver: FENIN, P. de (Ed.). *Mémoires*. In: DUPONT, E. Paris: [s.n.], 1837. p. 67; CURRY, *Battle of Agincourt: Sources and Interpretations*, p. 119.

Para a visão burgúndia sobre a covardia armagnac na batalha, ver, por exemplo, *Le pastoralet*, uma feroz acusação sobre os crimes armagnacs na forma de um poema alegórico. Seu autor não hesita em caracterizar os burgúndios como os corajosos "Léonois", que "prefeririam desistir de suas almas do que fugir", enquanto os ferozes "Lupalois", os armagnacs vorazes e enganadores, viraram as costas sem pensar duas vezes: CURRY, *Battle of Agincourt: Sources and Interpretations*, p. 352-3.

Para a aparência de João de Borgonha, ver seu retrato no Real Museu de Belas Artes de Antuérpia: seção da gravura; também disponível em: <http://vlaamseprimitieven. vlaamsekunstcollectie.be/en/collection/john-the-fearless-duke-of-burgundy>. Acesso em: 27 jul. 2017.

Terras de João de Borgonha: VAUGHAN, *John the Fearless*, p. 5-8, 237-8.

Para o planejado ataque sobre Calais em 1406 (que, afinal, não aconteceu), ver: VAUGHAN, *John the Fearless*, p. 38-41.

"meu senhor ficou e está tão entristecido [...]": carta do tesoureiro do duque, Jean Chousat, ver: VAUGHAN, *John the Fearless*, p. 40, e para a carreira de Chousat, p. 121–4.

"muito angustiado pelas mortes [...]" *Journal*, p. 66 (trad. *Parisian Journal*, p. 96-8).

Para o caráter do delfim Luís (inclusive sua tendência de dormir o dia inteiro e farrear à noite), e sua morte, ver: *Journal de Nicolas de Baye*, v. II, p. 231-2; *Journal*, p. 66-7 (trad. *Parisian Journal*, p. 97); *Chronique du religieux*, v. V, p. 586-9.

"a utilização em ambos os lados de termos injuriosos ou caluniosos": VAUGHAN, *John the Fearless*, p. 200.

A sabedoria e a presciência do conde de Armagnac: *Chronique du religieux*, v. V, p. 584–5.

O conde de Armagnac, o único responsável pelo reino, e tão cruel como Nero: *Journal*, p. 69, 92 (trad. *Parisian Journal*, p. 98-9, 115).

Para o gabinete de curiosidade de Hesdin, ver: VAUGHAN, R. *Philip the Good: The Apogee of Burgundy*. Londres: [s.n.], 1970. p. 137-9. [2002].

Para o Concílio de Constança, e Gerson e Cauchon, ver: VAUGHAN, *John the Fearless*, p. 210-12.

Para o duque de Gloucester como um refém e "Qual o tipo de conclusão [...]", ver: *Gesta Henrici Quinti*, p. 169-75.

Para Borgonha e Hainaut, ver: VAUGHAN, *John the Fearless*, p. 212-13; SCHNERB, B. *Armagnacs et Bourguignons: La Maudite Guerre*, 1407-1435. Paris: [s.n.],1988. p. 225-6. [2009].

Para a morte do delfim Jean e do conde William de Hainaut (que era casado com a irmã de João de Borgonha), e para a presença do novo delfim de 13 anos, Carlos, em Paris desde 1416, ver: SCHNERB, *Armagnacs et Bourguignons*, p. 226-8; VAUGHAN, *John the Fearless*, p. 212-13; Juvénal des Ursins. In: BUCHON (Ed.), *Choix de chroniques*, p. 533; *Chronique du religieux*, v. VI, p. 58-61.

Para a ruptura entre os duques de Borgonha e de Anjou, ver: VAUGHAN, *John the Fearless*, p. 247-8.

Para a carta aberta de João de Borgonha, ver: VAUGHAN, *John the Fearless*, p. 215-16; SCHNERB, *Armagnacs et Bourguignons*, p. 234.

"Paris sofria demais agora", *Journal*, p. 80 (trad. *Parisian Journal*, p. 105).

Insinuação sobre Isabel: ver, por exemplo: *Chronique du religieux*, v. III, p. 266-7.

Para a discussão dos rumores sobre a rainha, ver: GIBBONS, R. Isabeau of Bavaria,

Queen of France: The Creation of a Historical Villainess. In: *Transactions of the Royal Historical Society*, 1997. v. VI, p. 51-73; e para difamação sexual de mulheres poderosas, ver: CASTOR, H. *She-Wolves: The Women Who Ruled England Before Elizabeth*. Londres: [s.n.], 2010. p. 31-3.

Para Isabel, ver: GIBBONS, *Active Queenship*, cap. 5, 6; VAUGHAN, *John the Fearless*, p. 221; SCHNERB, *Armagnacs et Bourguignons*, p. 239-41.

Para as conquistas de Henrique V na Normandia, ver: BARKER, J. *Conquest: The English Kingdom of France in the Hundred Years War*. Londres: [s.n.], 2009. p. 8-18.

"Algumas pessoas que tinham vindo para Paris [...]": *Journal*, p. 83 (trad. *Parisian Journal*, p. 107).

Para os enviados de Martinho V, ver: SCHNERB, *Armagnacs et Bourguignons*, p. 247; VAUGHAN, *John the Fearless*, p. 221-2.

Para os eventos de 29 de maio e 12 de junho, inclusive o terrível clima, ver: *Journal*, p. 87-98 (trad. *Parisian Journal*, p. 111-19); *Chronique du religieux*, v. VI, p. 230-7, 242-51. Parisienses usando cruzes burgúndias de Santo André: *Journal*, p. 90 (trad. *Parisian Journal*, p. 113).

"Deus salve o rei [...]": *Journal*, p. 89 (trad. *Parisian Journal*, p. 112).

"Paris estava em alvoroço [...]": *Journal*, p. 90-1 (trad. *Parisian Journal*, p. 113).

Para a descrição do conde de Armagnac e outros capitães do Hemisfério Sul como "estrangeiros": *Journal*, p. 67 (trad. *Parisian Journal*, p. 98).

"como fatias de bacon [...]": *Journal*, p. 91 (trad. *Parisian Journal*, p. 114).

Para o bando da carne, ver: SCHNERB, *Armagnacs et Bourguignons*, p. 252; BEAUNE, *Birth of an Ideology*, p. 141.

Para a entrada em Paris do duque de Borgonha e da rainha Isabel, ver: *Journal*, p. 104 (trad. *Parisian Journal*, p. 123); *Chronique du religieux*, v. VI, p. 252-5; e uma carta contemporânea anônima citada em: VAUGHAN, *John the Fearless*, p. 226-7.

Para a chegada de Henrique do lado de fora de Rouen, ver: BARKER, *Conquest*, p. 20-1.

Para os conselheiros e partidários do delfim, ver: BEAUCOURT, *Charles VII*, v. I, p. 60-7, 113-18; VALE, M. G. A *Charles VII*. Londres: [s.n.], 1974. p. 23-4; SCHNERB, *Armagnacs et Bourguignons*, p. 257-8.

"um dos piores cristãos do mundo": *Journal*, p. 89-90 (trad. *Parisian Journal*, p. 113).

Para o delfim como "regente da França": BEAUCOURT, *Charles VII*, v. I, p. 120.

Para a corte do delfim e a divisão da França, ver: VAUGHAN, *John the Fearless*, p. 263-5; VALE, *Charles VII*, p. 22-7.

Para a queda de Rouen e o avanço inglês, ver: BARKER, *Conquest*, p. 22-5.

"Ninguém fez nada a respeito", *Journal*, p. 121 (trad. *Parisian Journal*, p. 135). "Então o reino da França foi de mal a pior [...], *Journal*, p. 113 (trad. *Parisian Journal*, p. 129-30). A França se dividiu em pedaços; ver, por exemplo: *Chronique du religieux*, v. VI, p. 202-3, 322-5.

Para as negociações tripartidas e seu fracasso: *Chronique du religieux*, v. VI, p. 314-17, 324-48 (inclusive a trégua entre o delfim e o duque de Borgonha, p. 334-45).

João de Borgonha como um servo de Lúcifer, ver: VAUGHAN, *John the Fearless*, p. 230-1.

Para os distúrbios do verão de 1419 e suas interpretações, ver: *Chronique du religieux*, v. VI, p. 332-3.

Para a queda de Pontoise e a chegada dos refugiados da cidade de Paris, ver: *Journal*, p. 126-8 (trad. *Parisian Journal*, p. 139-40).

Para eventos em Montereau, ver a competente análise de: VAUGHAN, *John the Fearless*, p. 274-86, e documentos contemporâneos em: *Mémoires pour servir à l'histoire de*

France et de Bourgogne. Paris: [s.n.], 1729. p. 271-91 (incluindo detalhes do papel de Tanguy du Châtel em estabelecer o encontro, p. 272-3, o chapéu de veludo negro do duque, p. 273, e o espadachim ajoelhado diante do duque, p. 274-5). Os relatos dos sobreviventes que foram testemunhas oculares do assassinato (dos quais o mais detalhado é o do secretário do duque, Jean Seguinat) diferem significativamente: por exemplo, alguns dizem que o duque de Borgonha ficou de pé ao lado do delfim antes de o ataque começar, e outros relatam a intervenção de um lorde chamado Archambaud de Foix, que morreu como resultado de feridas na cabeça recebidas na peleja. Como não é possível conciliar esse testemunho em uma única narrativa coerente, procurei, em vez disso, oferecer uma evocação do assassinato. A evidência circunstancial apoia o caso burgúndio de que o delfim estava principalmente envolvido no plano armagnac.

Para a falta de graça do delfim, ver: VALE, *Charles VII*, p. 195, 203, 229.

Para a narrativa do delfim sobre a morte do duque, ver: *Mémoires pour servir à l'histoire de France*, p. 298-9 (sua primeira carta endereçada às cidades da França); ver também: BEAUCOURT, G. du Fresne de. Le Meurtre de Montereau. *Revue des questions historiques*, Paris, v. V, p. 220-2, 1868 (carta para Filipe de Borgonha, incluindo a sugestão de que Filipe deveria permanecer calmo), p. 224-9.

Para uma leitura delfinista da evidência, ver: BEAUCOURT, *Charles VII*, v. I, p. 173-8.

Angústia de Filipe de Borgonha, ver: VAUGHAN, *Philip the Good*, p. 2.

Para a comparação da duquesa de Borgonha do assassinato com a traição de Judas a Cristo, ver: *Mémoires pour servir à l'histoire de France*, p. 292 (carta à duquesa de Bourbon).

Para a resposta burgúndia à sua percepção da culpa do delfim, ver, por exemplo: *Chronique du religieux*, v. VI, p. 376-9.

"onde estão com os seus pobres seguidores [...]", *Journal*, p. 135 (trad. *Parisian Journal*, p. 147).

Para as atividades de Filipe de Borgonha e da duquesa viúva Margaret no outono de 1419, ver: VAUGHAN, *Philip the Good*, p. 3-4; MONSTRELET, *Chronique*, v. III, p. 358-62.

Para o inverno rigoroso, ver: *Journal*, p. 129-32 (trad. *Parisian Journal*, p. 142-4).

A declaração do delfim sobre seu compromisso com a paz: SCHNERB, *Armagnacs et Bourguignons*, p. 282-3.

Os ingleses como o menor de dois males: *Journal*, p. 139 (trad. *Parisian Journal*, p. 150); *Chronique du religieux*, v. VI, p. 376-9.

Para as negociações e reunião em Troyes, ver: MONSTRELET, *Chronique*, v. III, p. 363-4, 378-80, 388-9.

Para a história da arquitetura da Catedral de Troyes, ver: MURRAY, *Building Troyes Cathedral: The Late Gothic Campaigns.* Bloomington; Indianapolis: [s.n.], 1987. p. 35; BALCON, S. *La Cathédrale Saint-Pierre-et-Saint-Paul de Troyes.* Paris: [s.n.], 2001. p. 10.

Para os termos do Tratado de Troyes, ver: MONSTRELET, *Chronique*, v. III, p. 390-402; *Chronique du religieux*, v. VI, p. 410-31 (*"notre très-cher fils"*, p. 424-5; o "suposto" delfim e seus crimes, p. 428-9; Henrique para trazer os rebeldes de volta à linha, p. 416-17).

II – COMO OUTRO MESSIAS

Para a história sagrada da França, ver: BEAUNE, *Birth of an Ideology: Clovis*, p. 70-89; a Sagrada Ampulla, p. 78; o *oriflamme* (que ocupava o espaço de um fato histórico, e não de um fato mítico, levado pela primeira vez à batalha por Luís VI no século XII),

p. 53-5, 78-9, 217. Os três São Denis possíveis que foram confundidos em diferentes momentos históricos em combinações diferentes, eram Denis, o Areopagita, que se tornou bispo de Atenas depois de ser convertido ao cristianismo por São Paulo, no primeiro século d.C.; um Denis do século III, bispo de Corinto; e um Denis que foi enviado para evangelizar a Gália no primeiro ou talvez no terceiro século e que se tornou bispo de Paris. A confusão sobre a identidade do santo significava que as relíquias de São Denis mantidas com reverência dentro do reino da França incluíam dois corpos e um crânio separado, ver: p. 21-32. Para São Luís, p. 90-104; as origens troianas de Paris, p. 226-44, 333-45; Paris como uma nova Atenas, Roma e Jerusalém, p. 51; o francês como o "povo escolhido" de uma terra santa, p. 172-81.

O emblema de Henrique V de uma rabo de raposa: *Journal*, p. 139 (trad. *Parisian Journal*, p. 151).

Para o tratado anglo-burgúndio, confirmado por Henrique V em 25 de dezembro de 1419, ver: RYMER, T. (Ed.). Rymer's Foedera with Syllabus: December 1419. *Rymer's Foedera*, v. IX. British History Online. Disponível em: <http://www.british-history.ac.uk/report.aspx?compid=115251>. Acesso em: 27 jul. 2017.

Cartas patente declarando a culpa do delfim: *Chronique du religieux*, v. VI, p. 384-5.

O panfleto armagnac é "La réponse d'un bon et loyal françois au peuple de France", ver: GRÉVY-PONS, N. (Ed.). L'Honneur de la couronne de France: Quatre libelles contre les Anglais. *Société de l'Histoire de France*. Paris: [s.n.], 1990. p. 123, 132.

Para a flor-de-lis, ver: BEAUNE, *Birth of an Ideology*, p. 197-8, 200-19; para São Miguel, p. 152-8.

Para os estandartes, bandeiras e armaduras do delfim, ver: BEAUCOURT, *Charles VII*, v. I, p. 199.

A fraqueza física do delfim: CHASTELLAIN, G. *Oeuvres*. LETTENHOVE, K. de (Ed.). Bruxelas: [s.n.], 1863-6. v. II, p. 178, 18. 8 v.; VALE, *Charles VII*, p. 34, 229.

"podemos todos combater e lutar [...]": *Journal*, p. 140 (trad. *Parisian Journal*, p. 151).

Para a exumação de João Sem Medo, ver: MONSTRELET, *Chronique*, v. III, p. 404-5; LE FÉVRE, J. *Chronique*. MORAND, F. (Ed.). Paris: [s.n.], 1876-81. v. II, p. 44. 2 v.

Para o avanço inglês para Melun, ver: BARKER, *Conquest*, p. 31-2.

Para armadura e exército do delfim, seu palácio de Mehun-sur-Yèvre e o conde de Vertus, ver: BEAUCOURT, *Charles VII*, v. I, p. 210-12, 215.

Para a entrada de "nossos soberanos franceses" em Paris, fome na cidade e vinho fluindo nos canais, ver: *Journal*, p. 144, 146 (trad. *Parisian Journal*, p. 153, 155); MONSTRELET, *Chronique*, v. IV, p. 16-17.

Músicos tocando para Catarina em Melun: MONSTRELET, *Chronique*, v. III, p. 412-13.

Para a sentença judicial contra o delfim, ver: BEAUCOURT, *Charles VII*, v. I, p. 217-18; MONSTRELET, *Chronique*, v. IV, p. 17-20.

Partida de Catarina e Henrique para a Inglaterra: BARKER, *Conquest*, p. 37.

Para o delfim enviando peregrinos para o Mont-Saint-Michel, ver: BEAUCOURT, *Charles VII*, v. I, p. 219.

Para os escoceses na França, ver: CHEVALIER, B. Les Écossais dans les armées de Charles VII jusqu'à la bataille de Verneuil. In: *Jeanne d'Arc: une époque, un rayonnement*, p. 85-6.

Para James I como prisioneiro de Henrique, ver: BALFOUR-MELVILLE, E. W. M. *James I, King of Scots, 1406–1437*. Londres: [s.n.], 1936. p. 28-32, 80-3; CHEVALIER, Les Écossais, p. 88-9.

Para Clarence e Baugé, ver: ALLMAND, *Henry V*, p. 158-9; HARRISS, G. L. *Cardinal Beaufort: A Study of Lancastrian Ascendancy and Decline*. Oxford: [s.n.], 1988. p. 103-4;

HARRISS, G. L. Thomas, duke of Clarence (1387–1421). In: *ODNB*; BARKER, *Conquest*, p. 37-9; BOWER, Walter. *Scotichronicon*. WATT, D. E. R. *et al.* (Eds.). Aberdeen: [s.n.], 1987-98. v. VIII, p. 118-19. 9 v.

Para a carta dos condes escoceses para o delfim, ver: BEAUCOURT, *Charles VII*, v. I, p. 220-1.

"bêbados, idiotas que comem carne de carneiro", e "como outro Messias": BOWER, *Scotichronicon*, v. VIII, p. 112-15.

Para Buchan como condestável, ver: BEAUCOURT, *Charles VII*, v. I, p. 222-3, e para a armadura do delfim e estandarte com a imagem de São Miguel, p. 223.

Para o avanço e a retirada do delfim, ver: BEAUCOURT, *Charles VII*, v. I, p. 226-30, e para sua carta ao povo de Lyon explicando as dificuldades que seu exército enfrentava, p. 461; WYLIE, J. H.; WAUGH, W. T. *The Reign of Henry V*. Cambridge: [s.n.], 1929. v. III, p. 330-2.

Para os efeitos do mau tempo e volta de Henrique para a França, *Journal*, p. 153-6 (trad. *Parisian Journal*, p. 160-2).

Gravidez de Catarina: JONES, M. Catherine (1401–1437). In: *ODNB*.

Para as dificuldades do cerco em Meaux, ver: *Journal*, p. 160 (trad. *Parisian Journal*, p. 164-5); ALLMAND, *Henry V*, p. 164.

Para o sagrado prepúcio de Cristo, ver: *Journal*, p. 376ss; *Parisian Journal*, p. 356ss; VINCENT, N. *Holy Blood: King Henry III and the Westminster Blood Relic*. Cambridge: [s.n.], 2001. p. 170ss.

Para o nascimento do futuro Henrique VI, e o desespero do jornalista parisiense, ver: *Journal*, p. 163-4 (trad. *Parisian Journal*, p. 166-7); ALLMAND, *Henry V*, p. 167.

A queda de Meaux: BARKER, *Conquest*, p. 42-3.

Para o eremita Jean de Gand, ver: JACQUIN, R. Un précurseur de Jeanne d'Arc. *Revue des deux mondes*, p. 222-6, 1967.

Para o casamento do delfim e Marie de Anjou, ver: BEAUCOURT, *Charles VII*, v. I, p. 235-6.

Para Henrique e Catarina em Paris, ver: MONSTRELET, *Chronique*, v. IV, p. 99-101. Para o Hotel Saint-Pol, ver: *Parisian Journal*, p. 11.

Para o incomum verão quente, ver: *Journal*, p. 175 (trad. *Parisian Journal*, p. 177).

Para a doença e morte de Henrique, ver: ALLMAND, *Henry V*, p. 170-1, 173; MONSTRELET, *Chronique*, v. IV, p. 109-12.

Para o testamento de Henrique de 1421 e alterações no testamento em 1422, ver: STRONG, P.; STRONG, F. The Last Will and Codicils of Henry V. *English Historical Review*, v. 96, n. 378, p. 89, 98-9, 1981.

Para a última viagem do corpo do rei e seu funeral, ver: ALLMAND, *Henry V*, p. 174-8; HOPE, W. H. St John. The Funeral, Monument, and Chantry Chapel of King Henry the Fifth. *Archaeologia*, v. 65, p. 129-45, 184-5, 1914; COCHON, P. *Chronique normande*. In: BEAUREPAIRE, C. de Robillard de (Ed.). Rouen: [s.n.], 1870. p. 288-90; MONSTRELET, *Chronique*, v. IV, p. 112-16. Monstrelet diz que o corpo foi levado para Notre-Dame em Paris, mas o autor do diário parisiense diz que ele ultrapassou Paris e, em vez disso, foi levado para Saint-Denis fora das muralhas da cidade: *Journal*, p. 176 (trad. *Parisian Journal*, p. 178).

Para a morte e funeral de Carlos VI: *Journal*, p. 177-80 (trad. *Parisian Journal*, p. 179-82); *Chronique du religieux*, v. VI, p. 486-99.

Henrique temia e Carlos amava, ver, por exemplo: *Chronique du religieux*, v. VI, p. 480-3, 486-7.

Para o duque de Gloucester como protetor na Inglaterra, ver: GRIFFITHS, R. A. *The*

Reign of King Henry VI. Berkeley; Los Angeles: [s.n.], 1981. p. 19-24, 28-9.

Para Bedford como regente na França e inquietação popular por esse acontecimento e a ausência do duque de Borgonha de Paris, ver: *Journal*, p. 180 (trad. *Parisian Journal*, p. 183); Juvénal des Ursins em: BUCHON (Ed.), *Choix de chroniques*, p. 572. Para a espada Joyeuse, e a possibilidade de Bedford também tomar o *oriflamme*, ver: THOMPSON, G. "Monseigneur Saint Denis", His Abbey, and His Town, under English Occupation, 1420–1436. In: ALLMAND, C. (Ed.). *Power, Culture and Religion in France, c.1350–c.1550*. Woodbridge: [s.n.], 1989. p. 26.

Para o duque de Borgonha e o casamento de Henrique e Catarina em veludo negro, ver: WYLIE; WAUGH. *Reign of Henry V*, v. III, p. 206, 224-5. Para os interesses e prioridades burgúndios nesses anos, ver: VAUGHAN, *Philip the Good*, p. 6-8, 16-17, 27-8, 31-5; "a serviço do rei da França", p. 17.

Para Anna de Borgonha e o tratado de Amiens, ver: VAUGHAN, *Philip the Good*, p. 9. Para a nova condessa indo a todos os lugares com Bedford, ver: *Journal*, p. 200, 230 (trad. *Parisian Journal*, p. 201, 227). O comentário de que Anne e suas irmãs eram tão "simples como corujas" (*"laides comme des chouettes"*) é citado por Ernest Petit a partir de manuscritos anônimos, incluindo narrativas e recibos de multas judiciais, para demonstrar a impopularidade de João Sem Medo e sua família na própria Borgonha; portanto, é possível que isso possa não ter sido uma visão universal e objetiva sobre a aparência de Anne: PETIT, E. Les Tonnerrois sous Charles VI et la Bourgogne sous Jean Sans Peur (épisodes inédits de la Guerre de Cent Ans). *Bulletin de la Société des Sciences Historiques et Naturelles de l'Yonne*, xlv, p. 314, 1891. A irmã de Anne, Margaret, havia sido casada anteriormente com o irmão mais velho do delfim, Luís de Guienne: ver acima, p. 17. Para Richemont, ver abaixo, p. 17.

Para o elogio armagnac de Henrique V e a verdadeira história de São Fiacre, ver Juvénal des Ursins em: BUCHON. (Ed.), *Choix de chroniques*, p. 571, adaptada e adotada a partir da menos partidária *Chronique du religieux*, v. VI, p. 480-3. O cronista escocês Walter Bower não hesitava em chamar o irlandês São Fiacre de escocês e de colocar na boca do rei moribundo um reconhecimento de seu pecado: "Em todo lugar eu persigo os escoceses vivos ou mortos", o Henrique de Bower observa severamente, "eu os encontro em minha barba [...]": BOWER, *Scotichronicon*, v. VIII, p. 122-3, 205n.

Para a piedade do delfim, ver: VALE, *Charles VII*, p. 43, e por seu duradouro interesse em astrologia, p. 43-4; ver também: BEAUCOURT, *Charles VII*, v. VI, p. 399-400.

Para Germain de Thibouville, ver: *Le "Recueil des plus célèbres astrologues" de Simon de Phares*. BOUDET, J.-P. (Ed.). Paris: [s.n.], 1997. v. I, p. 552-3. BEAUCOURT, (*Charles VII*, v. I, p. 222-3) erroneamente diz que foi John Stewart de Darnley, não o conde de Buchan, quem recebeu seus serviços.

Para Carlos chamando a si próprio de rei da França no início de 1423, ver: *Journal*, p. 183 (trad. *Parisian Journal*, p. 185); e para a proclamação do seu título em Mehun-sur-Yèvre, ver: BEAUCOURT, *Charles VII*, v. II, p. 55.

Para os territórios controlados por Carlos em 1423, e as guarnições armagnacs isoladas em Champanhe, ver: BEAUCOURT, *Charles VII*, v. II, p. 8-9.

Para o acidente em La Rochelle, ver: BEAUCOURT, *Charles VII*, v. I, p. 240-1, e para a concessão a Mont-Saint-Michel em abril de 1423 com referência explícita ao acidente, ver: LUCE, S. *Jeanne d'Arc à Domrémy: Recherches critiques sur les origines de la mission de la Pucelle*. Paris: [s.n.], 1886. p. 87-93.

Para a cruz branca como distintivo do rei da França (pelo menos a partir do século XIV), ver: CONTAMINE, P. *Guerre, état et société à la fin du Moyen Age: Études sur les armées des rois de France, 1337–1494*. Paris: [s.n.], 1972. p. 668-9.

Para São Miguel adotado como santo patrono por Carlos, em vez de São Jorge da Inglaterra, e a cruz branca como seu emblema ver: BEAUNE, *Birth of an Ideology*, p. 163-6.

A batalha de Cravant, e a tentativa de Carlos de minimizá-la: BEAUCOURT, *Charles VII*, v. II, p. 58, e o texto completo da carta do rei em: BEAUCOURT, *Charles VII*, v. III, p. 493-4; DITCHAM, B. G. H. "Mutton-Guzzlers and Wine Bags": Foreign Soldiers and Native Reactions in Fifteenth-Century France. In: ALLMAND. (Ed.), *Culture and Religion*, v. I, p. 1; VALE, *Charles VII*, p. 33. Como seria de se esperar, há uma enorme confusão histórica entre John Stewart, conde de Buchan, o condestável da França, e John Stewart de Darnley (começando com Monstrelet, *Chronique*, IV, p. 161-2). Buchan era o condestável, e não em Cravant; Darnley era quem estava em Cravant, e que perdeu um olho e sua liberdade.

A viagem de Buchan e Wigtown para a Escócia: BEAUCOURT, *Charles VII*, v. II, p. 59-60; CHEVALIER, Les Écossais, p. 88.

A carta de Carlos para Tournai sobre o retorno de Buchan: BEAUCOURT, *Charles VII*, v. II, p. 59-60.

Carta anunciando o nascimento do delfim Luís: BEAUCOURT, *Charles VII*, v. II, p. 60.

Para os escoceses chegando na França, e discussão de seus números, ver: CHEVALIER, Les Écossais, p. 88; BEAUCOURT, *Charles VII*, v. II, p. 63. Para o passado militar do conde de Douglas, ver: BROWN, M. H. Douglas, Archibald, fourth earl of Douglas, and duke of Touraine in the French nobility (*c*.1369–1424). In: *ODNB*; BROWN, M. *The Black Douglases: War and Lordship in Late Medieval Scotland, 1300–1455*. Edimburgo: [s.n.], 1998. p. 105-6; FRASER, W. *The Douglas Book*. Edimburgo: [s.n.], 1885. p. 368, 372-3. Para Douglas na França, e seu tratamento de Tours, ver: BROWN, *The Black Douglases*, p. 220-2; CHEVALIER, Les Écossais, p. 91.

Para a decisão de que Carlos não deveria tomar parte na campanha, ver: BEAUCOURT, *Charles VII*, v. II, p. 70-1, e para o prévio sucesso de Aumâle na Normandia, p. 5-9. Para todos os outros detalhes do exército armagnac, a estrada de Verneuil e a própria batalha, ver: JONES, M. K. The Battle of Verneuil (17 August 1424): Towards a History of Courage. *War in History*, v. 9, p. 375-411, 2002.

Para a observação de que ninguém podia dizer quem estava ganhando, ver: *Journal*, p 197-8 (trad. *Parisian Journal*, p. 198).

O cronista burgúndio com o exército inglês era Jean Waurin, que notou a importância da túnica de Bedford em Ivry: J. de Waurin, *Anchiennes cronicques d'Angleterre*. DUPONT, E. (Ed.). Paris: [s.n.], 1858-63. v. I, p. 255. 3 v.; e para a perícia de Bedford, p. 267 (cf. WAURIN, J. de *A Collection of the Chronicles and Ancient Histories of Great Britain, now called England, from ad 1422 to ad 1431*. Tradução de E. L. C. P. Hardy, 1891, p. 68, 76-7.

Para o retorno de Bedford a Paris e a vindima do ano, ver: *Journal*, p. 200 (trad. *Parisian Journal*, p. 201).

Para o funeral dos condes de Douglas e Buchan, e o bloqueio da guarnição escocesa em Tours, ver: BOWER, *Scotichronicon*, v. VIII, p. 126-7; DITCHAM, Mutton Guzzlers and Wine Bags, p. 6-7; BROWN, *The Black Douglases*, p. 223.

III – Desolada e dividida

Para os duques de Bedford e Borgonha em Paris, no outono e no inverno de 1424, e o retorno do Borgonha para "seu próprio país", ver: *Journal*, p. 201-2 (trad. *Parisian Journal*,

p. 202-3); ver também: MONSTRELET, *Chronique*, v. IV, p. 208- 9; BEAUCOURT, *Charles VII*, v. II, p. 364.

Para a aparência de Filipe de Borgonha e sua insígnia, ver: VAUGHAN, *Philip the Good*, p. 127, 143.

"uma cidade que o amava muito bem": *Journal*, p. 165 (trad. *Parisian Journal*, p. 168).

Multas para chamar o delfim de "rei" ou o armagnac "francês" de French: ROWE, B. J. H. Discipline in the Norman Garrisons under Bedford, 1422–35. *English Historical Review*, v. 46, p. 205, 1931; BARKER, *Conquest*, p. 74. Os criminosos reincidentes, segundo Bedford, poderiam esperar que suas línguas fossem perfuradas, suas testas marcadas e, se persistissem, todos os seus pertences seriam confiscados. A França inglesa também incluiu o ducado da Gasconha no sudoeste, que esteve em mãos inglesas (embora agora em tamanho reduzido) desde o século XII.

Para os vários pronunciamentos de Carlos em suas futuras vitórias em 1423-4, ver: BEAUCOURT, *Charles VII*, v. II, p. 58-64.

"Naquela época os ingleses [...]": *Journal*, p. 190 (trad. *Parisian Journal*, p. 191).

Para Gloucester e Jacqueline, ver: HARRISS, G. L. Humphrey, duke of Gloucester (1390–1447). In: *ODNB*, e ATKINS, M. Jacqueline, suo jure countess of Hainault, suo jure countess of Holland, and suo jure countess of Zeeland (1401–1436). In: *ODNB*; e para o curso dos eventos nos Países Baixos, VAUGHAN, *Philip the Good*, p. 34-7.

Para debates diplomáticos entre Bourges e Dijon em 1424, ver: VAUGHAN, *Philip the Good*, p. 20; BEAUCOURT, *Charles VII*, v. II, p. 357-8.

Para Bedford e o duque de Borgonha em Verneuil, ver: JONES, The Battle of Verneuil, p. 403-5.

Para o texto da trégua de setembro de 1424, ver: PLANCHER, U. *Histoire générale et particulière de Bourgogne*. Dijon: [s.n.], 1739-81. v. IV, p. Xliv-xlv. 4 v.

Para o conflito entre Gloucester e o duque de Borgonha, ver: VAUGHAN, *Philip the Good*, p. 37-9. O desafio do duque de Borgonha para a aceitação de Gloucester, pode ser encontrado em: MONSTRELET, *Chronique*, v. IV, p. 216-22. Para a descrição dos preparativos de Filipe por Jean Le Févre, o arauto do duque, ver: LE FÉVRE, *Chronique*, v. II, p. 106-7; para um extrato das contas detalhando os gastos de Filipe de Borgonha, ver: LABORDE, L. de *Les Ducs de Bourgogne*. Paris: [s.n.], 1849-52. v. I, p. 201-4. 3 v.

Para a captura e fuga de Jacqueline, e a guerra a seguir, ver: VAUGHAN, *Philip the Good*, p. 39-42 ss.

Os duques de Bretanha por vezes retinham o condado de Richmond, no sentido das terras na Inglaterra, mas seu uso do título – por mais contestado que fosse pelos ingleses – não dependia da posse dessas propriedades. Para Richemont em Agincourt, ver: GRUEL, G. *Chronique d'Arthur de Richemont*. In: VAVASSEUR, A. Le. (Ed.). Paris: [s.n.], 1890. p. 18; para todos os outros detalhes aqui, ver: COSNEAU, E. *Le Connétable de Richemont, Artur de Bretagne, 1393–1458*. Paris: [s.n.], 1886. p. 1-74.

Para a aproximação de Richemont com os armagnacs, ver: COSNEAU, *Connétable*, p. 84-92; BEAUCOURT, *Charles VII*, v. II, p. 77-87.

Para Iolanda, sua família e seus planos, ver: SENNEVILLE, G. de *Yolande d'Aragon: La Reine qui a gagné la Guerre de Cent Ans*. Paris: [s.n.], 2008. p. 67-70, 104-10, 123, 127-43.

Correspondência privada de Iolanda com Filipe de Borgonha: BEAUCOURT, *Charles VII*, v. II, p. 353.

Retorno de Iolanda da Provença e visitas a Bretanha em 1414–5: BEAUCOURT, *Charles VII*, v. II, p. 61, 64, 71-3, 352-3; SENNEVILLE, *Yolande*, p. 172-9.

Para a remoção da corte armagnac de Louvet e Du Châtel, ver: BEAUCOURT, *Charles VII*, v. II, p. 84-104.

"os bons conselhos e recomendações de nossa querida e muito amada mãe":
COSNEAU, *Connétable*, p. 508.

Para o cisma, ver: BLACK, A. Popes and Councils. In: ALLMAND, C. (Ed.). *The New Cambridge Medieval History, c.1415–c.1500*. Cambridge: [s.n.], 1998. v. VII, p. 65-9.

Para Marie Robine, ver: TOBIN, M. Le Livre des révélations de Marie Robine (+1399): Étude et edition. *Mélanges de l'École Française de Rome, Moyen-Age, Temps Modernes*, v. 98, n. 1, p. 229-64, 1986; VAUCHEZ, A. Jeanne d'Arc et le prophétisme féminin des XIVe et XVe siècles. In: *Jeanne d'Arc: une époque, un rayonnement*, p. 163-4; BLUMENFELD-KOSINSKI, R. *Poets, Saints and Visionaries of the Great Schism*. Pensilvânia: Pennsylvania State University, 2006. p. 81-6, e para o jovem cardeal Pierre de Luxemburgo, p. 75-8. Marie Robine fez sua viagem para Avignon depois da morte do papa Urbano IV e outubro de 1389, então 1388 é a data mais provável.

Para Jeanne-Marie de Maille, ver: Jeanne d'Arc et le prophétisme feminine, p. 1623; Blumenfeld-Kosinski, *Poets, Saints and Visionaries*, p. 91-3.

Para a convocação às armas pelos Armagnacs, e Iolanda e a contenção financeira do Conselho Real, ver: BEAUCOURT, *Charles VII*, v. II, p. 121-3.

Para concessões a Darnley, ver: VALE, *Charles VII*, p. 33; BEAUCOURT, *Charles VII*, v. II, p. 131, e v. III, p. 511.

Para o retorno de Bedford à Inglaterra, e seus tenentes na França, ver: BARKER, *Conquest*, p. 87-8.

Para dificuldades em se livrar de Jean Louvet, ver: BEAUCOURT, *Charles VII*, v. II, p. 90-101.

Para Pierre de Giac, ver: BEAUCOURT, *Charles VII*, v. II, p. 103, 123-5, 132-7 (com a carta de Richemont, p. 134-5). Guillaume Gruel diz que Giac foi removido por Conselho de Iolanda de Aragão: GRUEL, *Chronique d'Arthur de Richemont*, p. 48.

Para La Camus de Beaulieu, ver: BEAUCOURT, *Charles VII*, v. II, p. 140-2.

Para La Trémoille, ver: BEAUCOURT, *Charles VII*, v. II, p. 146.

A batalha dos cegos, o poste escorregadio e a *Danse Macabre*: *Journal*, p. 203-5 (trad. *Parisian Journal*, p. 204-6, e para a etimologia do nome "*Danse Macabré*", p. 204ss).

Retorno de Bedford a Paris e tempo terrível na primavera de 1427: *Journal*, p. 213-14 (trad. *Parisian Journal*, p. 212-13).

Para o tratado anglo-bretão e a batalha em Montargis e Sainte-Suzanne, ver: BARKER, *Conquest*, p. 89; BEAUCOURT, *Charles VII*, v. II, p. 28-9, 389; CHARTIER, J. *Chronique de Charles VII*. In: VIRIVILLE, V. de (Ed.). Paris: [s.n.], 1858. v. I, p. 54-6. 3 v.

A rebelião de Richemont e a resposta de Carlos: BEAUCOURT, *Charles VII*, v. II, p. 149-73.

Para a campanha que levou ao cerco de Orléans, ver: BARKER, *Conquest*, p. 96-8; JONES, M. K. "Gardez mon corps, sauvez ma terre" – Immunity from War and the Lands of a Captive Knight: The Siege of Orléans (1428–29) Revisited. In: ARN, M.-J. (Ed.). *Charles d'Orléans in England*. Cambridge: [s.n.], 2000. p. 9-26.

"um soldado perfeito [...]": *Journal*, p. 212 (trad. *Parisian Journal*, p. 211).

Para topografia e defesas de Orléans, ver: DEVRIES, K. *Joan of Arc: A Military Leader*. Stroud: [s.n.], 1999. p. 27, 54-5. [2011].

Relatório de Salisbury sobre a campanha, em uma carta ao prefeito e a vereadores de Londres, 5 de setembro de 1428: DELPIT, J. (Ed.). Paris: [s.n.], 1847. *Collection générale des documents français*. v. I. p. 236-7.

Para o bombardeio inglês e a morte de Salisbury, ver o *Journal du siège d'Orléans* em: QUICHERAT, *Procès*, v. IV, p. 96-100; MONSTRELET, *Chronique*, v. V, p. 298-300; BOWER, *Scotichronicon*, v. VIII, p. 128-9; DEVRIES, K. Military Surgical Practice and the Advent of Gunpowder Weaponry. *Canadian Bulletin of Medical History*, v. 7, p. 136, 139, 1990.

Para o fortalecimento do bloqueio por Suffolk, ver: DEVRIES, *Joan of Arc: A Military Leader*, p. 56-7; e para reforços sob Scales e Talbot, *Journal du siège d'Orléans* em: QUICHERAT, *Procès*, v. IV, p. 103.

"acreditando que, se ficasse perdido [...]": MONSTRELET, *Chronique*, v. IV, p. 301.

Resposta de Carlos ao cerco, e a petição dos estados-gerais: BEAUCOURT, *Charles VII*, v. II, p. 170-5.

A visita do duque de Borgonha a Paris: *Journal*, p. 225 (trad. *Parisian Journal*, p. 222). Para as preocupações de Borgonha nos Países Baixos, ver: VAUGHAN, *Philip the Good*, p. 48-9.

Para o duque de Alençon e Iolanda em Chinon, ver: BEAUCOURT, *Charles VII*, v. II, p. 170, e para Richemont em Parthenay, ver: GRUEL, *Chronique d'Arthur de Richemont*, p. 66-7.

"demasiado longas e chatas": MONSTRELET, *Chronique*, v. IV, p. 301.

Para detalhes da Batalha dos Herrings, ver: COOPER, S. *The Real Falstaff: Sir John Fastolf and the Hundred Years' War*. Barnsley: [s.n.], 2010. p. 53-6 (incluindo sua identificação do local da batalha como Rouvray-Sainte-Croix em vez de Rouvray-Saint-Denis); MONSTRELET, *Chronique*, *IV*, p. 310-14; *Journal*, p. 230-3 (trad. *Parisian Journal*, p. 227-9).

"se um cabelo deles escapar [...]": *Journal*, p. 231-2 (trad. *Parisian Journal*, p. 228).

"Quão terrível é [...]": *Journal*, p. 233 (trad. *Parisian Journal*, p. 229).

Para o ferimento do Bastardo de Orléans, e os outros sobreviventes, ver: *Journal du siège d'Orléans* em: QUICHERAT, *Procès*, v. IV, p. 124.

Para a fortuna do rei indo de mal a pior, ver: MONSTRELET, *Chronique*, v. IV, p. 310, 313.

Para a possibilidade de que o rei pudesse fugir para a Escócia ou Castela, ou retirar-se para Dauphiné, e o debate sobre táticas, ver: BEAUCOURT, *Charles VII*, v. II, p. 175-6. Às vezes foi sugerido que o relatório posterior desses rumores é um exagero depois do fato por enfatizar o significado da intervenção de Deus em Orléans, mas é claro que tanto a perda da cidade teria sido um grande golpe para a posição armagnac quanto que os contemporâneos acreditavam que o rei estava sob grave ameaça. Ver, por exemplo, a carta enviada de Bruges, em 10 de maio de 1429, pelo mercador italiano Pancrazio Giustiniani para seu pai em Veneza, na qual ele diz que, se os ingleses tomassem Orléans, eles se tornariam facilmente senhores da França e que Charles seria reduzido a implorar por seu pão: MOROSINI, A. *Chronique: Extraits relatifs à histoire de France*. LEFÈVRE-PONTALIS, G.; DOREZ, L. (Ed. e trad.). Paris: [s.n.], 1898-1902. v. III, p. 16-17. 4 v.

"que as perseguições de guerra, morte e fome [...]": de uma crônica de um flamengo anônimo, em: SMET, J.-J. de. (Ed.). *Recueil des chroniques de Flandre*. Bruxelas: [s.n.], 1856. v. III, p. 405.

A data da chegada de Joana em Chinon não é exata. De acordo com o testemunho em 1456 de Jean de Metz e Bertrand de Poulengy, que a acompanharam, a viagem levou onze dias, e a declaração mais específica – aquela de Jean de Metz – sugere que eles partiram "em torno do primeiro domingo na Quaresma", que em 1429 foi em 13 de fevereiro. Uma viagem de onze dias começando naquele domingo os teria levado a Chinon em 23 de fevereiro, que é a data fornecida pela relativamente bem informada e quase contemporânea narrativa do secretário de La Rochelle. Esta é, portanto, a data que eu adotei (ver a discussão de Tisset em: *Condamnation*, v. II, p. 55-6ss; VALE, *Charles VII*, p. 46; TAYLOR, L. J. *The Virgin Warrior: The Life and Death of Joan of Arc*. New

Haven; Londres: [s.n.], 2009. p. 38-9, 222ss). Bertrand de Poulengy, no entanto, parece oferecer uma cronologia ligeiramente diferente, a qual indica que eles saíram um pouco mais tarde, e outros escritores têm sugerido que ela chegou a Chinon até 4 de março (ver, por exemplo: TAYLOR, *Joan of Arc*, p. 10), ou 6 de março (a data fornecida pelo cronista de Mont-Saint-Michel, para a qual ver *Chronique du Mont-Saint-Michel (1343-1468)*, LUCE, S. (Ed.). Paris: [s.n.],1879. v. I, p. 30). Para o relato do secretário de La Rochelle, ver: QUICHERAT, J. Relation inédite sur Jeanne d'Arc. *Revue historique*, p. 336, maio/ ago. 1877; para as declarações de Jean de Metz e Bertrand de Poulengy, ver: DUPARC, *Nullité*, v. I, p. 290, 306 (traduzido para o francês em: DUPARC, *Nullité*, v. III, p. 278, 293, e para o inglês em: TAYLOR, *Joan of Arc*, p. 272, 276-7).

O cabelo negro de Joana (*"cheveux noirs"*) é relatado na detalhada descrição dada pelo secretário de La Rochelle, ver: QUICHERAT, Relation inédite sur Jeanne d'Arc, p. 336. Para suas roupas e cabelos cortados, ver também o relato de Mathieu Thomassin em: QUICHERAT, *Procès*, v. IV, p. 304; para suas campanhas, ver o testemunho de Jean de Metz em: DUPARC, *Nullité*, v. I, p. 290 (trad. francesa em: DUPARC, *Nullité*, v. III, p. 278; trad. inglesa em: TAYLOR, *Joan of Arc*, p. 272).

IV – A DONZELA

Para Joana escrevendo para o rei em Santa Catarina de Fierbois, ver seu próprio testemunho em 1431: TISSET, *Condamnation*, v. I, p. 51 (trad. francesa em: TISSET, *Condamnation*, v. II, p. 55; trad. inglesa em: HOBBINS, *Trial*, p. 55; TAYLOR, *Joan of Arc*, p. 144).

Para a primeira visita de Joana a Robert de Baudricourt e ao duque de Lorena, e sua posterior viagem a Chinon, ver testemunho dado em 1456: DUPARC, *Nullité*, v. I, p. 289-91 (Jean de Metz), p. 296 (Durand Laxart), p. 305-7 (Bertrand de Poulengy), p. 378 (Marguerite La Touroulde) (trad. francesa em: DUPARC, *Nullité*, v. III, p. 277-8, 283-4, 292-3, e v. IV, p. 61; para Metz, Laxart e Poulengy em inglês, ver: TAYLOR, *Joan of Arc*, p. 271-4, 276-7). Ver também o testemunho da própria Joana em 1431: TISSET, *Condamnation*, v. I, p. 48-51 (trad. francesa em: TISSET, *Condamnation*, v. II, p. 47-56; trad. inglesa em: HOBBINS, *Trial*, p. 54-5, e TAYLOR, *Joan of Arc*, p. 142-40). O momento e os detalhes precisos desses eventos são confusos por causa das discrepâncias entre as várias narrativas: ver a discussão de Tisset em *Condamnation*, v. II, p. 49-52ss.

Para Baudricourt não levando Joana a sério, ver também o relato posterior de Jean Chartier, em: QUICHERAT, *Procès*, v. IV, p. 52, e o *Journal du siège d'Orléans* em: QUICHERAT, *Procès*, v. IV, p. 118.

Para Ermine de Reims, "o discernimento dos espíritos" e o encaminhamento do seu caso para Jean Gerson, ver: BLUMENFELD-KOSINSKI, *Poets, Saints and Visionaries*, p. 89-91; ELLIOTT, D. Seeing Double: John Gerson, the Discernment of Spirits, and Joan of Arc. *American Historical Review*, v. 107, n. 1, p. 27-8, 39-43, 2002.

Para o traje preto e cinza de Joana, veja o secretário de La Rochelle em: QUICHERAT, Relation inédite sur Jeanne d'Arc, p. 336; para seu vestido vermelho e ajuda com roupas e equipamento pelo povo de Vaucouleurs, ver: DUPARC, *Nullité*, v. I, p. 289-90 (Metz), p. 296 (Laxart), p. 298 (Catarina, esposa de Henrique le Royer), p. 299 (Henrique le Royer), p. 306 (Poulengy) (trad. francesa em: DUPARC, *Nullité*, v. III, p. 277-8, 283-7, 293, Metz, Laxart, Catarina le Royer e Poulengy em inglês em: TAYLOR, *Joan of Arc*, p. 271-2, 274, 275-6).

Para Colet de Vienne, ver: DUPARC, *Nullité*, v. I, p. 290 (Metz) (trad. francesa em:

DUPARC, *Nullité*, v. III, p. 278; trad. inglesa em: TAYLOR, *Joan of Arc*, p. 272); TISSET, *Condamnation*, v. II, p. 53s.

Os perigos da rota: Jean de Metz e Bertrand de Poulengy disseram que às vezes viajavam à noite por medo de encontrar soldados ingleses ou burgúndios. Ver: DUPARC, *Nullité*, v. I, p. 190, 306 (trad. francesa em: DUPARC, *Nullité*, v. III, p. 278, 293; trad. inglesa em: TAYLOR, *Joan of Arc*, p. 272, 276).

Para o provável papel de René de Anjou e Iolanda em facilitar a chegada de Joana na corte, ver: VALE, *Charles VII*, p. 49-51; TAYLOR, *Virgin Warrior*, p. 34-5.

Para a chegada de Joana, seu encontro com o rei (há relatos contraditórios de quando aconteceu, mas a própria Joana disse que foi no dia de sua chegada a Chinon), e a natureza de sua missão, ver o próprio testemunho de Joana em 1431, em: TISSET, *Condamnation*, v. I, p. 51-3 (trad. francesa em: TISSET, *Condamnation*, v. I, p. p. 55-6; trad. inglesa em: HOBBINS, *Trial*, p. 55-6, e TAYLOR, *Joan of Arc*, p. 144), e evidência fornecida em 1456, em: DUPARC, *Nullité*, v. I, p. 317 (Bastardo de Orléans), p. 326 (Raoul de Gaucourt), p. 329 (Guillaume de Ricarville), p. 330 (Regnauld Thierry), p. 362 (Louis de Coutes) (trad. francesa em: DUPARC, *Nullité*, v. IV, p. 2-3, 11, 14, 15, 46-7, e o Bastardo e Coutes em inglês em: TAYLOR, *Joan of Arc*, p. 277-8, 294); ver também o testemunho registrado em trad. francês, de Jean d'Aulon, em: DUPARC, *Nullité*, v. I, p. 475 (trad. inglesa em: TAYLOR, *Joan of Arc*, p. 339). Em 1456, Jean Pasquerel e Simon Charles deram relatos mais extenso sobre a reunião de Joana com o rei – Pasquerel dizendo que o rei declarou que ela havia lhe contado segredos que ninguém mais sabia, e Simon Charles, que ela tinha reconhecido o rei apesar de suas tentativas de se esconder entre os outros membros do tribunal. No entanto, nem Pasquerel nem Simon Charles estavam presentes em Chinon para testemunhar esse encontro. É claro que eles queriam repetir o que a própria Joana dizia, ao sugerir que sua chegada teve uma qualidade milagrosa – em 1431, ela disse que "quando entrou na câmara de seu rei, ela o reconheceu entre os outros pelo consultor de sua voz que que lhe revelou isso" – e que eles podem ter confundido seu primeiro encontro com o rei com uma apresentação posterior, mais pública, na corte, para a qual ver abaixo nas p. 115, 276-277. Ver: DUPARC, *Nullité*, v. IV, p. 71-2, 81-2; trad. inglesa em: TAYLOR, *Joan of Arc*, p. 311-12, 317-18); para o testemunho de Joana, ver: TISSET, *Condamnation*, v. I, p. 51-2 (trad. francesa em: TISSET, *Condamnation*, v. II, p. 56; trad. inglesa em: HOBBINS, *Trial*, p. 55, e TAYLOR, *Joan of Arc*, p. 144).

Para Joana se dirigindo ao rei como "delfim" porque ele ainda não estava coroado, ver o testemunho em 1456 de François Garivel: DUPARC, *Nullité*, v. I, p. 328 (trad. francesa em: DUPARC, *Nullité*, v. IV, p. 13; trad. inglesa em: TAYLOR, *Joana d'Arc*, p. 286). Em outro testemunho é dito que ela às vezes o chamava de "delfim" e às vezes de "rei"; em suas cartas, ela sempre se referiu a ele como rei: ver abaixo, p. 113, 137.

Sua missão: note que ninguém que conheceu Joana em Domrémy ou Vaucouleurs disse que ela falou sobre levantar o cerco em Orléans. Em vez disso, eles se lembravam que ela tinha dito que salvaria a França dos ingleses e levaria o rei para ser coroado em Reims. Essas testemunhas de 1456 que estiveram dentro da cidade sitiada na primavera de 1429 lembraram-se de ter ouvido que ela estava vindo para salvá-las, mas isso tem um sentido psicológico, graças à própria necessidade esmagadora deles, que essa poderia ter sido sua conclusão na época e sua memória após o fato. O que parece mais provável é que a tarefa específica de socorrer Orléans foi adicionada à tarefa geral de repelir os ingleses e garantir a coroação do rei uma vez que Joana teve acesso a informações mais detalhadas em Chinon sobre o avanço da guerra. Não foi assim que ela própria apresentou a evolução de sua missão durante seu julgamento em

1431, mas sua evidência sobre o assunto não foi nem internamente consistente nem totalmente plausível. Ver, para testemunhas de Domrémy e Vaucouleurs: DUPARC, *Nullité*, v. I, p. 278 (Jean Waterin), p. 290-1 (Metz), p. 293 (Michel le Buin), p. 296 (Laxart), p. 298 (Catherine le Royer), p. 305 (Poulengy) (trad. francesa em: DUPARC, *Nullité*, v. III, p. 265, 277-8, 280, 283, 285, 292-3; Metz, Laxart, Catherine le Royer e Poulengy em inglês em: TAYLOR, *Joan of Arc*, p. 271-6); para o testemunho de Joana em 1431, abaixo, cap. 9 e 10; e ver abaixo, p. 276-277, para provas que sugerem que o socorro a Orléans foi adotado como um teste de sua missão durante seu interrogatório em Poitiers.

Para de Baudricourt sugerindo que a família de Joana deveria lhe dar algumas bofetadas, veja o depoimento em 1456 de Durand Laxart: DUPARC, *Nullité*, v. I, p. 296 (trad. francesa em: DUPARC, *Nullité*, v. III, p. 283; trad. inglesa em: TAYLOR, *Joan d'Arc*, p. 274). Deborah Fraioli e Larissa Juliet Taylor sugerem que Joana também foi recebida com zombaria por aqueles em torno do rei em Chinon, mas as fontes que elas citam referem-se a sua recepção inicial em Vaucouleurs; na ocasião em que chegou ao tribunal – talvez graças à intervenção de Iolanda – a mensagem que ela trouxe já estava sendo considerada seriamente, ver: FRAIOLI, D. *Joan d'Arc: The Early Debate*. Woodbridge: [s.n.], 2000. p. 7, e a crônica de Jean Chartier em: QUICHERAT, *Procès*, v. IV, p. 52; TAYLOR, *Virgin Warrior*, p. 42, e DUPARC, *Nullité*, I, p. 377-8 (La Touroulde) (trad. francesa em: DUPARC, *Nullité*, v. IV, p. 61).

"excessivo, demasiadamente apaixonado [...]": do *On the Proving of Spirits* (*De probatione spirituum*), de Jean Gerson, em: FRAIOLI, *Early Debate*, p. 18s.

Para as roupas de Joana, ver: WIRTH, R. (Ed.). Primary Sources and Context Concerning Joan of Arc's Male Clothing. *Historical Academy (Association) for Joan of Arc Studies*. Paris: [s.n.], 2006. p. 1, nota 1.

Para a proibição do Antigo Testamento de usar roupas do sexo oposto, ver: *Deuteronômio* 22: 5 – "Uma mulher não deve usar o que pertence a um homem, nem um homem vestir uma roupa mulher: pois todo aquele que faz estas coisas é uma abominação ao Senhor Teu Deus."

Para discussões entre Gerson e Cauchon em Constance, ver abaixo. p. 44.

Para eruditos armagnacs da Universidade de Paris se reunindo novamente em Poitiers, no reino de Bourges, ver: LITTLE, R. G. *The Parlement of Poitiers: War, Government and Politics in France, 1418–1436*. Londres: [s.n.], 1984, p. 104-5.

Para o exílio e estabelecimento de Gerson em Lyon, ver: MCGUIRE, B. P. *Jean Gerson and the Last Medieval Reformation*. Pensilvânia: Pennsylvania State University, 2005. cap. 10; e para seus princípios para o discernimento dos espíritos como colocado em: *On Distinguishing True from False Revelations* (1401), *On the Proving of Spirits* (1415) e *On the Examination of Doctrine* (1423), ver: ELLIOTT, Seeing Double, p. 28-9, 42-3.

Para o exame físico de Joana pelas senhoras da corte, ver o testemunho de Jean Pasquerel em: DUPAC, *Nullité*, v. I, p. 389 (trad. francesa em: DUPARC, *Nullité*, v. IV, p. 71; trad. inglesa em: TAYLOR, *Joan of Arc*, p. 311). Isso é um boato, já que Pasquerel não estava em Chinon quando Joana chegou, mas é inteiramente plausível como um primeiro passo antes de qualquer novo exame espiritual, e a identidade das mulheres que ele nomeia apoia sua história, já que seus maridos estavam em Chinon com o rei. Pasquerel também diz que Joana foi examinada duas vezes. Para o que parece ter sido a segunda ocasião em Poitiers, ver abaixo, p. 161, 276.

Para a correspondência com Jacques Gélu, que agora só existe em sumários do século XVII, ver: FORCELLIN, M. *Histoire générale des Alpes Maritimes ou Cottiènes*. Paris:

[s.n.], 1890, v. II, p. 313-16; e discussão em: FRAIOLI, *Early Debate*, p. 16-23.

Para os alojamentos de Joana em Chinon, ver testemunho de Louis de Coutes em: DUPARC, *Nullité*, v. I, p. 362 (trad. francesa em: DUPARC, *Nullité*, v. IV, p. 47; (trad. inglesa em: TAYLOR, *Joan of Arc*, p. 90).

Para as investigações em Poitiers, ver: FRAIOLI, *Early Debate*, cap. 3; LITTLE, *Parlement de Poitiers*, p. 94-108 (entretanto, note que ele vê o processo mais como político do que teológico); WOOD, C. T. Joan of Arc's Mission and the Lost Record of her Interrogation at Poitiers. In: WHEELER, B.; WOOD, C. T. (Eds.). *Fresh Verdicts on Joan of Arc*. Nova York: [s.n.], 1996. p. 19-28 (entretanto, note que ele chega à conclusão oposta à que proponho aqui sobre a natureza da missão de Joana: sugere que o socorro a Orléans, mas não a coroação em Reims, fazia parte da missão de Joana desde o início). "Pois não havendo dúvida ou descartando-a, sem que haja nela aparência do mal", argumentavam os teólogos de Poitiers, "significaria rejeitar o Espírito Santo e tornar-se indigno da ajuda de Deus".

Nenhuma transcrição do inquérito em Poitiers sobreviveu. Em vez disso temos um curto sumário, que foi amplamente publicado, das conclusões dos clérigos. Para seu texto (mencionado aqui e abaixo: "de duas maneiras [...]", "Ela conversou [...]", "Pois não havendo dúvida ou descartando-a" "O rei [...] não deveria impedir [...]", e chamando Joana de "a Donzela") ver: QUICHERAT, *Procès*, p. 391-2, e várias traduções inglesas em: FRAIOLI, *Early Debate*, p. 206-7; HOBBINS, *Trial*, p. 217-18; TAYLOR, *Joan of Arc*, p. 72-4.

Para a pouca probabilidade de que o levantamento do cerco de Orléans, que estava a mais de 400 quilômetros de distância de Domrémy, fizesse parte da missão de Joana desde o início, ver acima, p. 274-275. Para o argumento de que isso surgiu como seu "sinal" durante a investigação em Poitiers, ver: FRAIOLI, *Early Debate*, p. 33, citando o relato do papa Pio II, escrito provavelmente em 1459 – evidência que é apoiada pelo testemunho dado em 1456 pelo capitão de Chinon, Raoul de Gaucourt, e o escudeiro de Joana, Jean d'Aulon: DUPARC, *Nullité*, p. 326, 475-6 (Gaucourt, trad. francesa em: DUPARC, *Nullité*, v. IV, p. 11-12, d'Aulon, trad. inglesa em: TAYLOR, *Joan of Arc*, p. 339-40). Note, entretanto, que outros testemunhos dão outras versões. O próprio relato de Joana sobre seu sinal em 1431 está cheio de discrepâncias e evolui sob pressão em algo muito mais elaborado: ver abaixo, cap. 9 e 10.

Para preocupações do arcebispo Gélu sobre o ridículo, ver: FORCELLIN, *Histoire générale*, p. 314.

Para a segunda verificação sobre a virgindade de Joana sob a supervisão de Iolanda, ver o testemunho de Jean d'Aulon em: DUPARC, *Nullité*, v. I, p. 476 (trad. inglesa em: TAYLOR, *Joan of Arc*, p. 339-40).

Para o texto da carta de Joana aos ingleses, ver: TISSET, *Condamnation*, v. I, p. 221-2, ou QUICHERAT, *Procès*, v. I, p. 240-1, e várias traduções inglesas em: HOBBINS, *Trial*, p. 134-5; TAYLOR, *Joan of Arc*, p. 74-6; FRAIOLI, *Early Debate*, p. 208. Ver também discussão em: FRAIOLI, *Early Debate*, cap. 5.

Para a história contada pelo secretário de La Rochelle sobre a apresentação pública de Joana para o rei, ver: QUICHERAT, Relation inédite sur Jeanne d'Arc, p. 336-7. Ele, como Jean Pasquerel e Simon Charles em 1456, acreditava que esse era o primeiro encontro de Joana com o rei, antes de seu inquérito em Poitiers, porém parece mais provável, seguindo a declaração de outras testemunhas (ver acima p. 273-274), que esse primeiro encontro foi particular, e que o encontro público só aconteceu quando foi tomada a decisão para testar a missão de Joana em Orléans, ver: TAYLOR, *Virgin Warrior*, p. 46-7.

Cópias das Conclusões de Poitiers atingiram lugares tão distantes como a Escócia e a

Alemanha, e podem ter sido despachadas como uma "circular oficial", ver: LITTLE, *Parlement of Poitiers*, p. 108-11.

Para o cronograma e profecias, e o poema em latim *Virgo puellares* (que também alcançou a Alemanha e a Escócia), ver: FRAIOLI, *Early Debate*, p. 61-6; TAYLOR, *Virgin Warrior*, p. 47-8; TAYLOR, *Joan of Arc*, p. 778 (comentário e tradução); QUICHERAT, *Procès*, v. IV, p. 305.

A história da espada de Joana também aparece em diferentes versões. A própria Joana disse em 1431 que pensava que ela havia sido enterrada não muito profundamente no terreno próximo do altar (na frente ou atrás, ela não estava muito certa), e que quando os clérigos a esfregaram a ferrugem, saiu imediatamente – apesar de, é claro, Joana não estar lá para testemunhar sua descoberta. Ela disse que sabia por meio de suas vozes que a espada estava lá; suas vozes não são mencionadas em fontes anteriores ao julgamento, então o secretário de La Rochelle e o *Journal du siège d'Orléans*, por exemplo, relatam simplesmente que ela sabia que a espada seria encontrada ali. Citei o secretário de La Rochelle porque sua narrativa sugere um significado não miraculoso pelo qual aquilo pode ser possível: se a espada fosse mantida em um cofre que tivesse sido aberto ao alcance da memória viva, Joana poderia ter ouvido falar dele quando parou na igreja em seu caminho para Chinon. Mas, na verdade isso também é possível, caso a espada fosse enterrada. A lenda admitia que o grande guerreiro Carlos Martel tinha dado a sua espada à igreja de Santa Catarina de Fierbois após sua vitória no século VIII contra os mouros invasores, e outros soldados tinham deixado as armas lá como oferendas, por isso pode muito bem ter sido uma igreja cheia de espadas com histórias vinculadas a elas. Conforme o mito de Joana se desenvolveu, ao final, seria dito que a espada que ela carregava era aquela do próprio Carlos Martel. Ver o clérigo de La Rochelle em: QUICHERAT, Relation inédite sur Jeanne d'Arc, p. 331, 337-8; o testemunho de Joana em: TISSET, *Condamnation*, v. I, p. 76-7 (trad. francesa em: TISSET, *Condamnation*, v. II, p. 75-6; trad. inglesa em: HOBBINS, *Trial*, p. 67-8, e TAYLOR, *Joan of Arc*, p. 155-6); para o *Journal du siège d'Orléans*, ver: QUICHERAT, *Procès*, v. IV, p. 129; e para discussão ver: TAYLOR, *Virgin Warrior*, p. 51-2, e Wheeler, Joan of Arc's Sword in the Stone, em: WHEELER; WOOD (Eds.). *Fresh Verdicts*. p. xi–xv.

Para Santa Catarina – que também era normalmente descrita com a roda que fracassou em matá-la – e seu culto na França e, especificamente, em Fierbois, ver: BEAUNE, *Birth of an Ideology*, p. 12-32.

Para a armadura de Joana, que custou a enorme soma de cem *livres tournois*, e a pintura de seus estandartes, ver: o extrato dos relatos do tesoureiro do rei para suas guerras em: QUICHERAT, *Procès*, v. V, p. 258. O pintor é chamado "Hauves Polvoir" que, provavelmente, é o nome escocês para "Hamish Power"; ver discussão em: BEAUCOURT, *Charles VII*, v. VI, p. 415.

As descrições contemporâneas dos estandartes de Joana variam em detalhes, mas todas concordam com o fundo branco e as flores-de-lis. Para a versão de Joana ver seu testemunho em 1431, em: TISSET, *Condamnation*, v. I, p. 78 (trad. francesa em: TISSET, *Condamnation*, v. II, p. 77; trad. inglesa em: HOBBINS, *Trial*, p. 69, e TAYLOR, *Joan of Arc*, p. 157); para aquela de Jean Pasquerel, ver: DUPARC, *Nullité*, v. I, p. 390 (trad. francesa em: DUPARC, *Nullité*, v. IV, p. 72-3; trad. inglesa em: TAYLOR, *Joan of Arc*, p. 312).

Para Joana se mudando para Tours, e seu escudeiro, pajens e capelão, ver: DUPARC, *Nullité*, v. I, 362-3 (Coutes), p. 388-9 (Pasquerel), p. 476-7 (d'Aulon) (Coutes e Pasquerel, trad.francesa em: DUPARC, *Nullité*, v. IV, p. 46-7, 70-1; todas as três traduzidas em inglês em: TAYLOR, *Joan of Arc*, p. 294-5, 310-11, 340).

Para a possibilidade de treinamento militar de Joana durante essas semanas, ver, por exemplo: TAYLOR, *Virgin Warrior*, p. 49–50.

Para o duque de Alençon, ver seu testemunho em: DUPARC, *Nullité*, v. I, p. 381-2 (trad. francesa em: DUPARC, *Nullité*, v. IV, p. 64-5; trad. inglesa em: TAYLOR, *Joan of Arc*, p. 304-5).

Para o envolvimento de la Hire e de de Rais, bem como Iolanda e de Loré em recolher suprimentos para as tropas, ver o testemunho do Bastardo de Orléans: DUPARC, *Nullité*, v. I, p. 318 (trad. francesa em: DUPARC, *Nullité*, v. IV, p. 3; trad. inglesa em: TAYLOR, *Joan of Arc*, p. 278).

Investigação de Gerson: esse é o texto latino conhecido como *De quadam puella*, para o qual ver: QUICHERAT, *Procès*, v. III, p. 411-21, e traduções inglesas em: FRAIOLI, *Early Debate*, p. 199-205, e TAYLOR, *Joan of Arc*, p. 112-18. A autoria, o momento e a intenção desse trabalho têm sido objeto de debate. Para o argumento de que é o trabalho de Gerson, ver: FRAIOLI, *Early Debate*, p. 25, 41-3, e note que ele foi incluído na primeira edição impressa dos escritos de Gerson em 1484. O argumento de que essa atribuição era errada repousa em grande parte na sugestão de que não "soa" como Gerson, e que seu argumento cauteloso difere do apoio a Joana expresso em *De mirabili victoria*, outro tratado que se acredita ter sido escrito por Gerson (para o qual, ver abaixo, p. 127-8, 280-1). Ao considerar as variações no estilo do argumento, pode ser importante lembrar tanto que Gerson caracteristicamente escrevia em grande velocidade como que estes foram os últimos meses de sua vida (ver: MCGUIRE, *Jean Gerson*, p. 251, 253, 318-19). As diferenças entre *De quadam puella* e *De mirabili victoria* podem também ser explicadas em termos de suas datações. A data de *quadam puella* é incerta, mas fala de Joana montando em armadura e carregando um estandarte, o que sugere que foi escrito após o interrogatório em Poitiers, durante o período em que ela estava se preparando para a ação militar. Fraioli argumenta que deve ser localizado antes do inquérito de Poitiers (*Early Debate*, p. 24-5), predominantemente baseado em que parece ser uma contribuição para um debate teológico ainda não resolvido; mas, dado que Orléans deveria ser o teste de Joana, o debate teológico esteve muito vivo nas semanas entre Poitiers e Orléans, quando as Conclusões de Poitiers estavam sendo distribuídas e Joana se equipando para a guerra, mas o resultado de sua missão ainda não era conhecido. A ausência no texto de qualquer referência, implícita ou explícita, para a vitória em Orléans significa que parece plausível sugerir que Gerson, tendo ouvido em Lyon sobre a chegada de Joana em Chinon, o inquérito em Poitiers e os preparativos para sua intervenção em Orléans, escreveu de fato o imparcial *De quadam puella* durante essas semanas no final de março e abril – e que poderia ter alcançado posteriormente um julgamento mais positivo sobre a missão dela em *De mirabili victoria*, uma vez que seu teste em Orléans tinha justificado suas alegações em maio. (Note-se, contudo, que permanece a dificuldade de uma condenação em *De quadam puella*, observando que cidades e castelos se submetem ao rei por causa de Joana; novamente, isso torna uma data antes de Poitiers muito menos provável, e Craig Taylor argumenta (*Joan of Arc*, p. 112) que isso deve indicar que o texto foi escrito mais tarde, no verão de 1429. No entanto, a posição duvidosa adotada em *De quadam puella* não seria compatível com uma data de verão, em termos da evolução das respostas teológicas para Joana durante esses meses; tal data também é especialmente difícil de ser conciliada com a autoria de Gerson, se ela for aceita, uma vez que é provável que ele tenha escrito a obra *De mirabili victoria*, muito mais positiva, em maio, e morreu em 12 de julho).

"falso francês": a frase usada no *Journal du siège d'Orléans* para descrever o parisiense que lutava ao lado do inglês na Batalha de Herrings: QUICHERAT, *Procès*, v. IV, p. 119.

Para a delegação ao duque de Borgonha (e note que Poton de Xaintrailles havia anteriormente lutado pelo duque de Borgonha em Hainaut, contra o duque de Gloucester), ver: MOROSINI, *Chronique*, v. III, p. 16-23; LITTLE, *Parlement of Poitiers*, p. 93-4; *Journal du siège d'Orléans* em: QUICHERAT, *Procès*, v. IV, p. 130-1; MONSTRELET, *Chronique*, v. IV, p. 317-19.

Para as movimentações do duque de Borgonha em abril, ver *Journal*, p. 233–4 (trad. *Parisian Journal*, p. 230-1).

Para o retorno de Xaintrailles com um arauto burgúndio, ver *Journal du siège d'Orléans* em: QUICHERAT, *Procès*, v. IV, p. 146-7.

Para histórias sobre a Donzela que circulavam em Orléans, ver o testemunho do Bastardo de Orléans em: DUPARC, *Nullité*, v. I, p. 316-17 (trad. francesa em: DUPARC, *Nullité*, v. IV, p. 2-3; trad. inglesa em: TAYLOR, *Joan of Arc*, p. 277-8), e, por exemplo, aquele de Guillaume de Ricarville: DUPARC, *Nullité*, v. I, p. 329 (trad. francesa em: DUPARC, *Nullité*, v. IV, p. 14).

"ela proibia assassinato [...]" do *De quadam puella* (ver acima, p. 278, para discussão sobre autoria): QUICHERAT, *Procès*, v. III, p. 412, e traduções inglesas em: FRAIOLI, *Early Debate*, p. 199, e TAYLOR, *Joan of Arc*, p. 113.

Para Joana dormindo com sua armadura, ver o testemunho de seu pajem, Louis de Coutes, que diz que ela ficou contundida como resultado disso: DUPARC, *Nullité*, v. I, p. 363 (trad. francesa em: DUPARC, *Nullité*, v. IV, p. 48; trad. inglesa em: TAYLOR, *Joan of Arc*, p. 295).

Para 26 de abril como a data provável para a partida de Blois, ver: DEVRIES, *Joan of Arc: A Military Leader*, p. 66.

V – Como um anjo de Deus

Para a perda de soldados cujo contrato havia chegado ao fim, ver: BARKER, *Conquest*, p. 115.

Para a partida dos burgúndios, ver acima, p. 118.

Para a interceptação do vinho, porco e carne de cervo planejada para os ingleses, ver o *Journal du siège* em: QUICHERAT, *Procès*, v. IV, p.143.

Para os sacerdotes comandando as forças armagnacs, e sua formação, ver: DUPARC, *Nullité*, v. I, p. 318-19 (Bastardo), p. 391-2 (Pasquerel) (trad. francesa em: DUPARC, *Nullité*, v. IV, p. 3-5, 73-4; trad. inglesa em: TAYLOR, *Joan of Arc*, p. 278-80, 312-13); *Journal du siège* em: QUICHERAT, *Procès*, v. IV, p. 150-3. Os detalhes da chegada em Orléans são, mais uma vez, inconsistentes, por exemplo, sobre quanto tempo durou a viagem pelo rio, e quanto tempo por terra: para discussão, ver: DEVRIES, *Joan of Arc: A Military Leader*, p. 66-9.

Para a resposta dos soldados ingleses para Joana, ver, por exemplo, DUPARC, *Nullité*, v. I, p. 363-4 (Coutes), p. 394 (Pasquerel) (trad. francesa em: DUPARC, *Nullité*, IV, p. 48, 76; trad. inglesa em: TAYLOR, *Joan of Arc*, p. 295, 314).

Para Henrique V fora de Harfleur, ver acima, p. 38.

Para a entrada de Joana em Orléans, ver o *Journal du siège* em: QUICHERAT, *Procès*, v. IV, p. 152-3; DUPARC, *Nullité*, v. I, p. 319 (Bastardo), p. 331 (Jean Luillier) (trad. francesa em: DUPARC, *Nullité*, v. IV, p. 5, 16; trad. inglesa em: TAYLOR, *Joan of Arc*, p. 280, 287); DEVRIES, *Joan of Arc: A Military Leader*, p. 69-70.

Raiva de Joana: DUPARC, *Nullité*, v. I, p. 318-20 (Bastardo), p. 363 (Coutes) (trad. francesa em: DUPARC, *Nullité*, IV, p. 4-5, 48; trad. inglesa em: TAYLOR, *Joan of Arc*, p. 279-80, 295).

Para o comportamento dos soldados de Joana, ver, por exemplo, o testemunho do Bastardo de Orléans em: DUPARC, *Nullité*, v. I, p. 319 (trad. francesa em: DUPARC, *Nullité*, v. IV, p. 4; trad. inglesa em: TAYLOR, *Joan of Arc*, p. 279).

"O rei [...] não devia impedir [...]": das Conclusões de Poitiers, para as quais ver acima, p. 000

Para os acontecimentos de 30 de abril, inclusive a confrontação de Joana com os ingleses, ver *Journal du siège* em: QUICHERAT, *Procès*, v. IV, p. 154-5; DUPARC, *Nullité*, v. I, p. 320 (Bastardo), p. 363-4 (Coutes) (trad. francesa em: DUPARC, *Nullité*, v. IV, p. 5, 48; trad. inglesa em: TAYLOR, *Joan of Arc*, p. 280, 295).

Para a partida do Bastardo para Blois, e Joana se familiarizando com a cidade, ver *Journal du siège* em: QUICHERAT, *Procès*, v. IV, p. 155-6; Jean Chartier em: QUICHERAT, *Procès*, v. IV, p. 55-6; DUPARC, *Nullité*, v. I, p. 319-20 (Bastardo), p. 477-8 (d'Aulon) (Bastardo, trad. francesa em: DUPARC, *Nullité*, v. IV, p. 5; ambas as traduções inglesas em: TAYLOR, *Joan of Arc*, p. 280, 341).

Para o cortejo em honra de Joana, ver: DEVRIES, *Joan of Arc: A Military Leader*, p. 73.

Para o retorno do Bastardo e o ataque em Saint-Loup, ver *Journal du siège* em: QUICHERAT, *Procès*, v. IV, p. 157-8; Chartier em: QUICHERAT, *Procès*, v. IV, p. 56-7.

Para o humor de Joana e sua alimentação, ver: DUPARC, *Nullité*, v. I, p. 364 (Coutes), p. 392 (Pasquerel) (trad. francesa em: DUPARC, *Nullité*, v. IV, p. 48-9, 74-5; trad. inglesa em: TAYLOR, *Joan of Arc*, p. 296, 314).

Para o texto da terceira carta de Joana, e a resposta dos soldados ingleses, ver o testemunho de seu confessor Jean Pasquerel: DUPARC, *Nullité*, v. IV, p. 393–4 (trad. francesa em: DUPARC, *Nullité*, v. IV, p. 75-6; trad. inglesa em: TAYLOR, *Joan of Arc*, p. 84, 314).

Para os acontecimentos de 5-8 de maio, ver *Journal du siège* em: QUICHERAT, *Procès*, v. IV, p. 159-64; Chartier em: QUICHERAT, *Procès*, v. IV, p. 60-3; Perceval de Cagny em: QUICHERAT, *Procès*, v. IV, p. 7-10; DUPARC, *Nullité*, v. I, p. 320-1 (Bastardo), p. 331–2 (Luillier), p. 364-6 (Coutes), p. 394-5 (Pasquerel), p. 480-4 (d'Aulon) (todos, exceto d'Aulon, traduzidos em francês em: DUPARC, *Nullité*, v. IV, p. 6-7, 17, 49-50, 76-8; todos traduzidos em inglês em: TAYLOR, *Joan of Arc*, p. 280-1, 287-8, 296-7, 315-16, 343-5). Procurei transmitir descrições mais abrangentes dos acontecimentos, mas observe que, mais uma vez, o momento e os detalhes – incluindo os próprios movimentos de Joana e a questão de saber se houve desentendimento sobre a estratégia entre ela e os outros comandantes – são confusos e inconsistentes entre os diferentes relatos: para discussão, ver: DEVRIES, *Joan of Arc: A Military Leader*, p. 75-87.

Para o relatório de Monstrelet sobre a decisão inglesa de bater em retirada, ver: MONSTRELET, *Chronique*, v. IV, p. 322.

Para as comemorações em Orléans em 7 e 8 de maio, incluindo cidadãos abraçando os soldados como se eles fossem crianças, ver *Journal du siège* em: QUICHERAT, *Procès*, v. IV, p. 166-7.

Para a carta de Pancrązio Giustiniasni, o mercador italiano em Bruges, ver: MOROSINI, *Chronique*, v. III, p. 43-54 (trad. inglesa em: TAYLOR, *Joan of Arc*, p. 87-8).

Para o acréscimo de Jean Dupuy ao seu *Collectarium historiarum*, ver: TAYLOR, *Joan of Arc*, p. 89-91, e discussão em: FRAIOLI, *Early Debate*, cap. 9.

Para o texto latino do *De mirabili victoria* (ou *De puella Aurelianensi*) de Gerson, ver: QUICHERAT, *Procès*, v. III, p. 298-306, e DUPARC, *Nullité*, v. II, p. 33-9 (part. traduzida em inglês em: FRAIOLI, *Early Debate*, apêndice IV, e TAYLOR, *Joan of Arc*, p. 78-83). Novamente, houve debate sobre a autoria do tratado, e Fraioli argumenta que ele não é de Gerson (*Early Debate*, cap. 8). No entanto, ele é certamente atribuído a Gerson durante o julgamento de anulação de 1456, e datado de 14 de maio de 1429 – em outras palavras, logo depois do levantamento do cerco de Orléans (DUPARC, *Nullité*, v. II, p. 33); Gerson também foi nomeado como autor por Pancrazio Giustiniani em uma carta de 20 de novembro de 1429, escrita para acompanhar uma cópia do tratado que ele estava enviando para a Itália (ver: MOROSINI, *Chronique*, v. III, p. 234-5), enquanto o moderno biógrafo de Gerson diz que a atribuição é correta, citando a obra de Daniel Hobbins sobre os manuscritos (MCGUIRE, *Jean Gerson*, n. 89, p. 401). Craig Taylor acha que é estranho o fato de que não há nenhuma referência explícita à vitória em Orléans (*Joan of Arc*, p. 78), mas o texto de fato se refere implicitamente a um evento milagroso. Ver também a discussão de Dyan Elliot em: Seeing Double, p. 44-7.

Para a carta do rei para a cidade de Narbonne, ver: QUICHERAT, *Procès*, v. V, p. 101-4 (part. traduzida em inglês em: TAYLOR, *Joan of Arc*, p. 86-7).

Para Joana e o Bastardo indo encontrar o rei, e debates sobre o que fazer a seguir, ver: *Journal du siège* em: QUICHERAT, *Procès*, v. IV, p. 167-8; Eberhard de Windecken em: QUICHERAT, *Procès*, v. IV, p. 496-7; o testemunho do Bastardo em: DUPARC, *Nullité*, v. I, p. 321 (trad. francesa em: DUPARC, *Nullité*, v. IV, p. 7; trad. inglesa em: TAYLOR, *Joan of Arc*, p. 281).

Sobre a falta de dinheiro do rei, ver, por exemplo, a carta de Guy de Laval em: QUICHERAT, *Procès*, v. V, p. 109.

Guy de Laval relata seu encontro com Joana para sua mãe em uma carta escrita em 8 de junho de 1429: QUICHERAT, *Procés*, v. V, p. 106-11 (parte traduzida em inglês em: TAYLOR, *Joan of Arc*, p. 92-3).

Para acontecimentos em Jargeau, ver *Journal du siège* em: QUICHERAT, *Procès*, v. IV, p. 167-73; Cagny em: QUICHERAT, *Procès*, v. IV, p. 12-13; Chartier em: QUICHERAT, *Procès*, v. IV, p. 64-5; DEVRIES, *Joan of Arc: A Military Leader*, p. 98-102.

Para Meung, Beaugency e Patay, ver *Journal du siège* em: QUICHERAT, *Procès*, v. IV, p. 174-8; Cagny em: QUICHERAT, *Procès*, v. IV, p. 14-16; Chartier em: QUICHERAT, *Procès*, v. IV, p. 65-9; e, para a perspectiva inglesa, ver o relato do testemunho ocular de Jean Waurin em *Collection of the Chronicles*, tradução de Hardy, p. 179-88. Ver também a discussão em: DEVRIES, *Joan of Arc: A Military Leader*, p. 102-3, 105-15.

Para Richemont, ver: GRUEL, *Chronique d'Arthur de Richemont*, p. 70-4, e para o testemunho do duque de Alençon em: DUPARC, *Nullité*, v. I, p. 385-6 (trad. francesa em: DUPARC, *Nullité*, v. IV, p. 68-9; trad. inglesa em: TAYLOR, *Joan of Arc*, p. 308-9).

"pela reputação de Joana a Donzela [...]" e "E por essas operações [...]": WAURIN, *Collection of the Chronicles*, tradução de Hardy, p. 183, 188.

Para a retirada inglesa das cidades para o norte do Loire, ver, por exemplo, *Journal du siège* em: QUICHERAT, *Procès*, v. IV, p. 178.

VI – Um coração maior do que o de qualquer homem

Para o presente do duque de Orléans a Joana, ver: QUICHERAT, *Procès*, v. V, p. 112-14. Quicherat observa que as cores dos duques de Orléans tinham sido, originalmente, carmesim e verde brilhantes, as quais escureceram primeiramente após o assassinato do duque Luís, e depois para verde tão escuro que era quase preto, após a captura de seu filho em Azincourt.

Para os comentários de Gerson sobre as roupas de Joana, ver: *De quadam puella* em: QUICHERAT, *Procès*, v. III, p. 412: "Ubi autem de equo descendit, solitum habitum [mulierbrem] reassumens, fit simplicissima, negotiorum saecularium quasi innocens agnus imperita". Observe que *mulierbrem* não aparece no texto de Quicherat, mas ver: FRAIOLI, *Early Dabete*, p. 28-9. Para versões inglesas, ver: FRAIOLI, *Early Debate*, p. 199, e TAYLOR, *Joan of Arc*, p. 113, que traduz *habitum* como "maneiras" e "natureza" em vez de "roupas". Fraioli justifica isso com o argumento de que "este último discorda de todos os fatos que sabemos sobre Joana, de que manteve os trajes masculinos continuamente desde que deixou Vaucouleurs" (*Early Debate*, p. 29s) – mas na verdade não temos nenhuma evidência definitiva de que Joana mantivesse o traje masculino continuamente desde Vaucouleurs e, mesmo que o fizesse, Gerson, que nunca a tinha visto, poderia ter acreditado no contrário. A palavra *habitus* é frequentemente usada em textos referentes à roupa masculina de Joana e, portanto, parece plausível que a palavra aqui, como em outros lugares, carregue o duplo sentido de roupa e comportamento: veja, por exemplo, a discussão em: SULLIVAN, K. *The Interrogation of Joan of Arc*. Minneapolis: [s.n.], 1999. p. 50.

Para o vinho e o anel descritos por Guy de Laval, ver: QUICHERAT, *Procès*, v. V, p. 107, 109 (trad. inglesa em: TAYLOR, *Joan of Arc*, p. 93). Sua avó, Anne de Laval, para quem Joana enviou um anel de ouro, foi casada com Bertrand du Guesclin, o grande herói da primeira fase das guerras contra os ingleses: QUICHERAT, *Procès*, v. V, p. 105-6s.

Para Joana e Alençon com o rei, e discussão sobre Richemont e a campanha vindoura, ver *Journal du siège* em: QUICHERAT, *Procès*, v. IV, p. 168-9, 178-9; Chartier em: QUICHERAT, *Procès*, v. IV, p. 69-71; Cagny em: QUICHERAT, *Procès*, v. IV, p. 17-18; testemunho do Bastardo de Orléans em: DUPARC, *Nullité*, v. I, p. 323-4 (trad. francesa em: DUPARC, *Nullité*, v. IV, p. 9; trad. inglesa em: TAYLOR, *Joan of Arc*, p. 283); BEAUCOURT, *Charles VII*, v. II, p. 221-3.

Para Fastolf em Janville, ver *Journal du siège* em: QUICHERAT, *Procès*, v. IV, p. 177-8.

Para as convocações militares emitidas pelo rei, ver: LITTLE, *Parlement of Poitiers*, p. 114-15; ver também a carta de Joana à população de Tournai, chamando-os para comparecerem à coroação em Reims, em: QUICHERAT, *Procès*, v. V, p. 123-5 (trad. inglesa em: TAYLOR, *Joan of Arc*, p. 93-4).

Para a carta do rei enviada na frente para Troyes, por exemplo, ver o resumo do século XVII de Jean Rogier em: QUICHERAT, *Procès*, v. IV, p. 287.

Para Auxerre, ver *Journal du siège* em: QUICHERAT, *Procès*, v. IV, p. 180-1.

Para o curso dos eventos em Troyes, ver *Journal du siège* em: QUICHERAT, *Procès*, v. IV, p. 181-4; Chartier em: QUICHERAT, *Procès*, v. IV, p. 72-6; o secretário de La Rochelle em: QUICHERAT, *Relation inédite*, p. 341-2; especialmente o relato de Jean Rogier, compilado no começo do século XVII a partir dos registros da cidade de Reims, em: QUICHERAT, *Procès*, v. IV, p. 284-302, incluindo a carta de Joana (p. 287-8), a resposta do povo de Troyes (p. 288-91), a carta posterior deles para Reims (p. 295-6), e a carta do irmão do capitão de Reims (p. 296-7).

Para o irmão Richard, em Paris, ver *Journal*, p. 233-7 (trad. *Parisian Journal*, p. 230-5); para sua presença e conversão à causa de Joana em Troyes, ver: QUICHERAT, *Relation inédite*, p. 342; relato de Jean Rogier em: QUICHERAT, *Procès*, v. IV, p. 290; cf. testemunho de Joana em 1431 em: TISSET, *Condamnation*, v. I, p. 98 (trad. Francesa em: TISSET, *Condamnation*, II, p. 94-5; trad. inglesa em: HOBBINS, *Trial*, p. 80-1, e TAYLOR, *Joan of Arc*, p. 169).

Joana a Arrogante: a palavra francesa é *coquard* (QUICHERAT, *Procès*, v. IV, p. 290), a qual – com sua aparente derivação de *coq*, ou galo jovem – também parece representar um sentido depreciativo na autoapresentação masculina de Joana. O escudeiro que se reportou ao irmão do capitão de Reims comparou Joana a "Madame d'Or" (QUICHERAT, *Procès*, v. IV, p. 297), uma mulher tola na corte do duque de Borgonha, ver: LE FÉVRE, *Chronique*, v. II, p. 168.

Para a carta da população de Châlons para aqueles de Reims, e o rei em Sept-Saulx, ver o relato de Jean Rogier em: QUICHERAT, *Procès*, v. IV, p. 298-9.

Para a chegada do rei a Reims e a coroação, ver *Journal du siège* em: QUICHERAT, *Procès*, v. IV, p. 184-6; o clérigo de La Rochelle em: QUICHERAT, Relation inédite, p. 343-4; Cagny em: QUICHERAT, *Procès*, v. IV, p. 19-20; Chartier em: QUICHERAT, *Procès*, v. IV, p. 77-8.

Para o labirinto da catedral (que foi destruído no século XVIII), ver: BRANNER, R. The Labyrinth of Reims Cathedral. *Journal of the Society of Architectural Historians*, v. 21, n. 1. p. 18, 1962.

Para as trombetas tocando tão alto que os arcos podiam se quebrar, ver a informação de três cavalheiros de Anjou para a rainha e sua mãe Iolanda, em uma carta escrita no dia da própria coroação: QUICHERAT, *Procès*, v. V, p. 127-31.

Para a discussão da cerimônia de coroação, ver: JACKSON, R. *Vive le Roi! A History of the French Coronation*. Chapel Hill: [s.n.], 1984. p. 34-6.

"Nobre rei, a vontade de Deus está feita": *Journal du siège* em: QUICHERAT, *Procès*, v. IV, p. 186.

Para a presença da família de Joana em Reims, ver: DUPARC, *Nullité*, v. I, p. 255 (Jean Morel, seu padrinho, que a viu em Châlons e parece possível que ele tenha ido a Reims), p. 296 (Durand Laxart, seu primo por casamento, às vezes se refere no testemunho de 1456 como se fosse seu tio) (ambas as traduções francesas em: DUPARC, *Nullité*, v. III, p. 243, 284; Laxart em inglês em: TAYLOR, *Joan of Arc*, p. 274); PERNOUD, R. *Joan of Arc: By Herself and Her Witnesses*. Londres: [s.n.], 1964. p. 125-6; TAYLOR, *Virgin Warrior*, p. 93.

Para o contato de La Trémoille com a corte burgúndia no final de junho e começo de julho, ver: BEAUCOURT, *Charles VII*, v. II, p. 401-2.

Para a carta de Joana ao duque de Borgonha, ver: QUICHERAT, *Procès*, v. V, p. 126-7 (trad. inglesa em: TAYLOR, *Joan of Arc*, p. 95-6). Sua primeira carta ao duque está perdida, mas nós sabemos de sua existência pela referência a ela nessa carta.

Para a chegada do duque de Borgonha em Paris, ver *Journal*, p. 240 (trad. *Parisian Journal*, p. 237). Bedford pediu a ele que viesse por causa dos reveses das semanas anteriores: ver: MONSTRELET, *Chronique*, v. IV, p. 333.

Para a atitude de Bedford para com Joana, ver abaixo, p. 222.

Para a carta de Bedford solicitando reforços e a coroação do rei Henrique, ver: NICOLAS, H. (Ed.). *Proceedings and Ordinances of the Privy Council of England*. Londres: [s.n.], 1834. v. III, p. 322-3.

Para Bedford e o duque de Borgonha em Paris e a cerimônia de 14 de julho, ver: *Journal*, p. 240-1 (trad. *Parisian Journal*, p. 237-8); o Journal de Fauquembergue, o secretário do *parlement* de Paris, em: QUICHERAT, *Procès*, v. IV, p. 455; MONSTRELET, *Chronique*, v. IV, p. 333-4.

Para os pagamentos ingleses ao duque de Borgonha, ver: STEVENSON, J. (Ed.). *Letters and Papers Illustrative of the Wars of the English in France*. Londres: [s.n.], 1864. v. II, p. 101-11, parte I; VAUGHAN, *Philip the Good*, p. 17.

Para os enviados burgúndios em Reims, ver: BEAUCOURT, *Charles VII*, v. II, p. 403-4.

Para o contínuo avanço armagnac através de Paris, ver *Journal du siège* em: QUICHERAT, *Procès*, v. IV, p. 187; Chartier em: QUICHERAT, *Procès*, v. IV, p. 78.

A morte de Gerson, ver: MCGUIRE, *Jean Gerson*, p. 319.

Para a *Epistola de puella* de Alain Chartier, ver: QUICHERAT, *Procès*, v. V, p. 131-6 (citações das p. 134, 135), e trad. inglesa em: TAYLOR, *Joan of Arc*, p. 108-12.

Para o *Ditié de Jehanne d'Arc*, de Christine de Pizan, ver: QUICHERAT, *Procès*, v. V,

p. 3-21 (citação da p. 11), e trad. inglesa em: TAYLOR, *Joan of Arc*, p. 98-108.
Para a carta de Joana à população de Reims, ver: QUICHERAT, *Procès*, v. V, p. 139-40, e trad. inglesa em: TAYLOR, *Joan of Arc*, p. 118-19.

VII – UMA CRIATURA NA FORMA DE UMA MULHER

Para o relatório de Bedford ao Conselho Real sobre o duque de Borgonha que tem um claro ar de protestar demais, ver: BEAUCOURT, *Charles VII*, v. II, p. 403s.
Para a delegação armagnac para Arras, que chegou nos primeiros dias de agosto, ver: BEAUCOURT, *Charles VII*, v. II, p. 405-7; MONSTRELET, *Chronique*, v. IV, p. 348-9; VAUGHAN, *Philip the Good*, p. 21-2.
Para a presença de Anne de Borgonha, duquesa de Bedford, na corte de seu irmão, ver: *Journal*, p. 241 (trad. *Parisian Journal*, p. 238); MOROSINI, *Chronique*, v. III, p. 186-7; BEAUCOURT, *Charles VII*, v. II, p. 407-8.
Para o reforço das defesas de Paris, ver: *Journal*, p. 239 (trad. *Parisian Journal*, p. 236); DEVRIES, *Joan of Arc: A Military Leader*, p. 130.
Para o retorno de Bedford com novas tropas, ver: *Journal*, p. 242 (trad. *Parisian Journal*, p. 238); Journal de Clément de Fauquembergue em: QUICHERAT, *Procès*, v. IV, p. 453; NICOLAS. (Ed.), *Proceedings and Ordinances of the Privy Council*, v. III, p. 322-3; RAMSAY, J. H. *Lancaster and York: A Century of English History*. Oxford: [s.n.], 1892. v. I, p. 401-2.
Para a carta de Bedford enviada de Montereau, ver: MONSTRELET, *Chronique*, v. IV, p. 340-4, e trad. inglesa em: TAYLOR, *Joan of Arc*, p. 119-22.
Para a cavalgada do irmão Richard com os armagnacs, ver: *Journal*, p. 242-3 (trad. *Parisian Journal*, p. 238-9).
Para o encontro em Montepilloy, ver: MONSTRELET, *Chronique*, v. IV, p. 344-7; Cagny em: QUICHERAT, *Procès*, v. IV, p. 21-3; Chartier em: QUICHERAT, *Procès*, v. IV, p. 82-4; *Journal du siège* em: QUICHERAT, *Procès*, v. IV, p. 192-6.
Para a movimentação de Bedford a fim de defender a Normandia, ver: BEAUCOURT, *Charles VII*, v. II, p. 34; BARKER, *Conquest*, p. 133-4.
Para a submissão de Compiègne e Beauvais para os armagnacs, ver: *Journal du siège* em: QUICHERAT, *Procès*, v. IV, p. 190, 196-7.
Para as negociações em Arras e Compiègne, ver: BEAUCOURT, *Charles VII*, v. II, p. 405-10; MONSTRELET, *Chronique*, v. IV, p. 348-9; VAUGHAN, *Philip the Good*, p. 21-2.
Para a carta do conde de Armagnac e resposta de Joana, ver: TISSET, *Condamnation*, v. I, p. 225-6, e trad. inglesa em: TAYLOR, *Joan of Arc*, p. 122-3.
Para a movimentação de Joana de Compiègne a fim de ocupar Saint-Denis, ver Cagny em: QUICHERAT, *Procès*, v. IV, p. 24-5; THOMPSON, "Monseigneur Saint Denis", p. 27-8.
Para o movimento do rei para Saint-Denis e de Joana para La Chapelle com todos os seus capitães, ver Cagny em: QUICHERAT, *Procès*, v. IV, p. 25-6; Chartier em: QUICHERAT, *Procès*, v. IV, p. 85-6; *Journal du siège* em: QUICHERAT, *Procès*, v. IV, p. 197-8.
Para as defesas de Paris, ver: DEVRIES, *Joan of Arc: A Military Leader*, p. 141-2.
Para as convocações feitas por Bedford, ver: STEVENSON. (Ed.), *Letters and Papers*. V. II, parte I, p. 118-19.
Para o ataque armagnac em Paris, incluindo "[...] esses homens eram tão desafortunados",

e a troca de gritos de Joana com os soldados defendendo as muralhas, ver: *Journal*, p. 244-5 (trad. *Parisian Journal*, p. 240-1); também o Journal of Clément de Fauquembergue em: QUICHERAT, *Procès*, v. IV, p. 456-8; Cagny in: QUICHERAT, *Procès*, v. IV, p. 26-7; Chartier em: QUICHERAT, *Procès*, v. IV, p. 86-8; *Journal du siège* em: QUICHERAT, *Procès*, v. IV, p. 197-9; DEVRIES, *Joan of Arc: A Military Leader*, p. 1436.

Para a Carta de Carlos para Reims, 13 de setembro de 1429, ver: BEAUCOURT, *Charles VII*, v. III, p. 518-19; e para as dificuldades financeiras de seu governo, ver *Journal du siège* em: QUICHERAT, *Procès*, v. IV, p. 200; BEAUCOURT, *Charles VII*, v. II, p. 239s.

Para Joana no dia seguinte, ver Cagny em: QUICHERAT, *Procès*, v. IV, p. 27-9; Chartier em: QUICHERAT, *Procès*, v. IV, p. 88; DEVRIES, *Joan of Arc: A Military Leader*, p. 146-7.

Coletando os mortos: *Journal*, p. 246 (trad. *Parisian Journal*, p. 241).

Citações do *De mirabili victoria* de Gerson: DUPARC, *Nullité*, v. II, p. 39, e trad. inglesa em: ELLIOTT, Seeing Double, p. 47; TAYLOR, *Joan of Arc*, p. 83; FRAIOLI, *Early Debate*, p. 212.

O tratado *De bono et malu spiritu* foi definitivamente escrito antes de 22 de setembro, quando a Universidade de Paris pagou por uma cópia. Seu autor é desconhecido, mas era um membro da universidade respondendo ao *De mirabili victoria* de Gerson. Para seu texto em latim e uma trad. francesa, ver: VALOIS, N. (Ed.). Um nouveau témoignage sur Jeanne d'Arc: Réponse d'un clerc parisien à l'apologie de la Pucelle par Gerson (1429). *Annuaire-Bulletin de la Société de l'Histoire de France*, v. 43, p. 161-79, 1906; trad. inglesa em: TAYLOR, *Joan of Arc*, p. 125-30, e ver discussão em: ELLIOTT, Seeing Double, p. 47-50.

Jean Chartier relatou que o exército com que Joana deixou Saint-Denis era o verdadeiro exército no qual ela havia sido ferida: QUICHERAT, *Procès*, v. IV, p. 89.

Para a viagem de volta de Joana ao vale do Loire, ver *Journal du siège* em: QUICHERAT, *Procès*, v. IV, p. 201.

"E assim [...] a vontade da Donzela [...]": Cagny em: QUICHERAT, *Procès*, v. IV, p. 29.

Para o retorno de Bedford a Paris e as multas impostas em: Saint-Denis ver: *Journal*, p. 246-7 (trad. *Parisian Journal*, p. 242).

Para a extensão da trégua armagnac-burgúndia para incluir Paris, a chegada do duque de Borgonha na capital e as negociações burgúndias com ambos os lados, ver: BEAUCOURT, *Charles VII*, v. II, p. 411-13; STEVENSON. (Ed.), *Letters and Papers*, v. II, parte I, p. 126-7; *Journal*, p. 247-8 (trad. *Parisian Journal*, p. 242-3). O jornalista parisiense acreditava que o duque de Borgonha havia se tornado regente da França e que a autoridade do duque de Bedford agora se limitaria à Normandia; isso não era verdade, mas enfatiza quão importante era o gesto de tornar o duque de Borgonha governador de Paris para os habitantes da cidade.

Para a sugestão pessoal de Bedford de que abril deveria ver uma nova campanha em vez de paz, ver: MONSTRELET, *Chronique*, v. IV, p. 362.

Para a coroação inglesa de Henrique VI, ver: GRIFFITHS, *Reign of King Henry VI*, p. 190.

Para Alençon querendo Joana com ele e sendo recusado: Cagny em: QUICHERAT, *Procès*, v. IV, p. 29-30.

Para Perrinet Gressart, ver: BOSSUAT, A. *Perrinet Gressart et François de Surienne*. Paris: [s.n.], 1936. p. 113-19; BARKER, *Conquest*, p. 137-8.

Para o cerco de Saint-Pierre-le-Moutier, ver testemunho de Jean d'Aulon em: DUPARC,

Nullité, v. I, p. 484-5 (trad. inglesa em: TAYLOR, *Joan of Arc*, p. 345-6); DEVRIES, *Joan of Arc: A Military Leader*, p. 151-6; e reprogramação, MOROSINI, *Chronique*, v. III, p. 229ss.

Para a carta de Joana para Riom, ver: QUICHERAT, *Procès*, v. V, p. 147-8 (onde Quicherat observa que viu uma impressão digital e um cabelo negro na cera do selo), e trad. inglesa em: TAYLOR, *Joan of Arc*, p. 130-1.

Para a carta de Pancrazio Giustiniani de 20 de novembro, ver: MOROSINI, *Chronique*, v. III, p. 228-37.

VIII – Estarei com vocês em breve

Para o cerco de La Charité, incluindo comentário sobre o frio, ver relato do arauto de Berry em: QUICHERAT, *Procès*, v. IV, p. 49; também Cagny em: QUICHERAT, *Procès*, v. IV, p. 31; Chartier em: QUICHERAT, *Procès*, v. IV, p. 91; DEVRIES, *Joan of Arc: A Military Leader*, p. 157-8.

Para o rei em Mehun-sur-Yèvre, ver: BEAUCOURT, *Charles VII*, v. II, p. 265.

A isenção de imposto em Domrémy: QUICHERAT, *Procès*, v. V, p. 137-9.

Para o enobrecimento de Joana e sua família, concedido em Mehun-sur-Yèvre em dezembro de 1429, ver: QUICHERAT, *Procès*, v. V, p. 150-4.

Os movimentos de Joana são relativamente muito difíceis de serem rastreados em janeiro e fevereiro de 1430, mas ver itinerário em: PERNOUD; CLIN, *Joan of Arc: Her Story*, p. 271.

Para as deliberações do Conselho da cidade de Tours sobre a solicitação de Joana para apoio financeiro para o casamento da filha do pintor, ver: QUICHERAT, *Procès*, v. V, p. 154-6.

Para os casamentos de Filipe de Borgonha e crianças ilegítimas, ver: VAUGHAN, *Philip the Good*, p. 8, 54-7; para a Ordem do Velo de Ouro, p. 57, 160-2. A mãe de Isabel de Portugal era Philippa de Lancaster, filha mais velha de João de Gaunt. Para a espantosa narrativa de Jean le Févre sobre as celebrações do casamento, ver: *Chronique*, v. I, p. 158-72; para a Ordem do Velo de Ouro, p. 172-4.

Para a recusa do duque de Borgonha a Garter e sua declaração de independência, ver: ARMSTRONG, C. A. J. La Double Monarchie, France-Angleterre et la maison du Bourgogne (1420–1435): Le Déclin d'une aliance. *Annales de Bourgogne*, v. 37, p. 105-6, 1965; CHASTELLAIN, *Oeuvres*, v. II, p. 10-11.

Para Anne de Borgonha no casamento, ver: LE FÉVRE, *Chronique*, v. II, p. 166-7.

Para São Miguel no breviário de Salisbury, ver: Bibliothèque Nationale de France, MS 17294 f. 595v. Disponível em: <http://gallica.bnf.fr/ark:/12148/btv1b8470142p/f1200. image>. Acesso em: 28 jul. 2017; CONTAMINE, P. La "France anglaise" au XVe siècle: Mythe ou réalité? In: *La "France anglaise" au Moyen Age, actes du IIIe Congrès National des Sociétés Savantes (Poitiers, 1986)*. Paris: [s.n.], 1988. v. I, p. 27.

Para La Hire atacando Château Gaillard em: 24 de fevereiro, ver: BARKER, *Conquest*, p. 142-3.

Para o ataque armagnac em Saint-Denis, ver: *Journal*, p. 251 (trad. *Parisian Journal*, p. 246).

Para o duque de Borgonha tornando-se conde de Champanhe e fechando contrato para servir ao rei Henrique por dois meses, ver: VAUGHAN, *Philip the Good*, p. 17-18; ARMSTRONG, Double Monarchie, p. 90; BEAUCOURT, *Charles VII*, v. II, p. 418.

Para a fundação da condição de membro da Ordem do Velo de Ouro, ver: LE FÉVRE, *Chronique*, v. II, p. 173-4.

Para Hugues de Lannoy e sua campanha para a ação antiarmagnac, ver: VAUGHAN, *Philip the Good*, p. 22-4; BEAUCOURT, *Charles VII*, v. II, p. 415-17.

Para o torneio burgúndio-armagnac em: Arras, ver: MONSTRELET, *Chronique*, v. IV, p. 376-7; CHASTELLAIN, *Oeuvres*, v. II, p. 18-26.

Para as complexidades dos interesses burgúndios e complicações nos Países Baixos, ver: VAUGHAN, *Philip the Good*, p. 48-52, 57-60.

Para as preparações inglesas para a campanha de coroação de Henrique VI, ver: BARKER, *Conquest*, p. 144-5.

Para as cartas de Joana para Reims, ver: QUICHERAT, *Procès*, v. V, p. 159-62, e traduções inglesas em: TAYLOR, *Joan of Arc*, p. 131-2, 133-4.

Para as cartas de Joana aos hussitas, ver: QUICHERAT, *Procès*, v. V, p. 156-9, e trad. em: TAYLOR, *Joan of Arc*, p. 132-3.

Para Catherine de la Rochelle, ver: TISSET, *Condamnation*, v. I, p. 103-6 (trad. francesa em: TISSET, *Condamnation*, v. II, p. 99-100; trad. inglesa em: HOBBINS, *Trial*, p. 83-4, e TAYLOR, *Joan of Arc*, p. 172-3).

Os movimentos de Joana em abril mais uma vez não são fáceis de ser rastreados, mas ver Cagny em: QUICHERAT, *Procès*, v. IV, p. 32; Chartier em: QUICHERAT, *Procès*, v. IV, p. 91-2; DEVRIES, *Joan of Arc: A Military Leader*, p. 162-3.

Para incursões armagnacs sobre Paris e "o duque de Borgonha era esperado todos os dias", ver: *Journal*, p. 253 (trad. *Parisian Journal*, p. 247).

Para Compiègne, suas defesas e seu significado, ver: BARKER, *Conquest*, p. 146; Devries, *Joan of Arc: A Military Leader*, p. 164.

Para a chegada e séquito de Henrique VI, ver: GRIFFITHS, *Reign of King Henry VI*, p. 190-1; BARKER, *Conquest*, p. 144-5.

Para Pierre Cauchon, ver: NEVEUX, F. *L'Évêque Pierre Cauchon*. Paris: [s.n.], 1987. p. 70-82, 85-6; MONSTRELET, *Chronique*, v. IV, p. 389.

As negociações para a paz deveriam começar em 1º de abril, mas o duque de Borgonha se recusou a vir, e os ingleses solicitaram um adiamento até 1º de junho: BEAUCOURT, *Charles VII*, v. II, p. 418-20.

Para a revista de tropas do duque Borgonha em Péronne e sua viagem para o sul, ver: MONSTRELET, *Chronique*, v. IV, p. 378-84.

Para a carta de Carlos às cidades da França armagnac em 6 de maio, ver: BEAUCOURT, *Charles VII*, v. II, p. 423.

É muito difícil estabelecer uma cronologia clara dos acontecimentos militares durante essas semanas, mas para Franquet d'Arras, ver: MONSTRELET, *Chronique*, v. IV, p. 384-5; TISSET, *Condamnation*, v. I, p. 150-1 (trad. francesa em: TISSET, *Condamnation*, II, p. 130; trad. inglesa em: HOBBINS, *Trial*, p. 103, e TAYLOR, *Joan of Arc*, p. 190-1).

Para Poton de Xaintrailles, ver: MONSTRELET, *Chronique*, v. IV, p. 382.

Para Joana em Soissons, ver o relato do arauto de Berry em: QUICHERAT, *Procès*, v. IV, p. 49-50.

Para Joana em Crépy e Compiègne, o combate e sua captura, ver Cagny em: QUICHERAT, *Procès*, v. IV, p. 32-4; MONSTRELET, *Chronique*, v. IV, p. 386-8. Houve muita discussão durante os anos a respeito de o fechamento do portão de Compiègne ser o resultado de traição, mas não há evidência clara de que foi isso, e razão plausível para pensar que foi assim, dado que Compiègne não caiu logo em seguida. Para discussão detalhada, ver: DEVRIES, *Joan of Arc: A Military Leader*, p. 166-74.

Para o encontro do duque Filipe com Joana, ver o fracasso de Monstrelet em se lembrar do que foi dito, ver: MONSTRELET, *Chronique*, v. IV, p. 388.

A carta do duque anunciando a captura de Joana: QUICHERAT, *Procès*, v. V, p. 166-7; ver também: VAUGHAN, *Philip the Good*, p. 186.

Para Joana na custódia de Jean de Luxemburgo em Beaulieu-les-Fontaines, ver: MONSTRELET, *Chronique*, v. IV, p. 389.

Para um resumo da carta do arcebispo para Reims, ver: QUICHERAT, *Procès*, v. V, p. 168-9.

Para as cartas da Universidade de Paris e do vigário geral da inquisição na França inglesa para o duque de Borgonha, e outra carta da Universidade de Paris para Jean de Luxemburgo, ver: TISSET, *Condamnation*, v. I, p. 4-9.

Para a opinião por trás do julgamento, ver: HOBBINS, *Trial*, p. 20-1.

Para as dificuldades e os compromissos do duque de Borgonha no verão de 1430, ver: VAUGHAN, *Philip the Good*, p. 24-5, 63-4; BARKER, *Conquest*, p. 152-3.

Para o papel de Cauchon e a decisão de libertar Joana, ver: NEVEUX, *L'Évêque Pierre Cauchon*, p. 86, 135-6.

Para a chegada de Henrique a Rouen, ver: COCHON, *Chronique normande*, p. 312-13.

Para a situação na Normandia, a reconfiguração do Conselho Real durante a visita do jovem rei, e a atitude dos conselheiros reais para com o julgamento de Joana, ver: CURRY, A. The "Coronation Expedition" and Henry VI's Court in France, 1430 a 1432. In: STRATFORD, J. (Ed.). *The Lancastrian Court*. Donington: [s.n.], 2003. p. 40-2; HARRISS, *Cardinal Beaufort*, p. 202; BARKER, *Conquest*, p. 150-1.

Para o pagamento de Cauchon para as negociações, ver: QUICHERAT, *Procès*, v. V, p. 194-5.

Para o levantamento de dinheiro dos ingleses para comprar Joana dos burgúndios, ver: QUICHERAT, *Procès*, v. V, p. 178-92.

Para Pierrone em Paris, ver: *Journal*, p. 259-60 (trad. *Parisian Journal*, p. 253-4).

Para as tentativas de escapar de Joana, ver: TISSET, *Condamnation*, v. I, p. 145, 153, 155-6 (trad. francesa em: TISSET, *Condamnation*, v. II, p. 127, 131, 133; trad. inglesa em: HOBBINS, p. 100-1, 103-5, e TAYLOR, *Joan of Arc*, p. 187, 191-3); e ver abaixo, p. 189-191, 195, 291.

Para as cartas da Universidade de Paris para Cauchon e o rei Henrique, ver: TISSET, *Condamnation*, v. I, p. 11-14 (Carta em latim para Cauchon trad. francesa em: TISSET, *Condamnation*, v. II, p. 13-14; ambas as cartas traduzidas em inglês em: HOBBINS, *Trial*, p. 38-9).

Para o édito do rei Henrique, ver; TISSET, *Condamnation*, v. I, p. 14-15 (trad. inglesa em: HOBBINS, *Trial*, p. 40-1, e TAYLOR, *Joan of Arc*, p. 135-6).

Para Joana em Rouen durante a Véspera de Natal, ver: PERNOUD; CLIN, *Joan of Arc: Her Story*, p. 101.

IX – UMA SIMPLES DONZELA

Os interrogatórios que aconteceram durante o julgamento de Joana tinham um alcance tão amplo e eram tão repetitivos, e as respostas dela por vezes eram tão lacônicas e contraditórias, que é impossível aqui incluir tudo o que está contido na transcrição completa. Em vez disso procurei dar um sabor aos diálogos, um sentido às questões teológicas centrais, e os principais contornos das respostas desenvolvidas por Joana.

Para a abertura da sessão de 21 de fevereiro, e a lista dos que estavam presentes, ver: TISSET, *Condamnation*, v. I, p. 32-3 (trad. francesa em: TISSET, *Condamnation*, v. II, p. 32-3, e notas sobre o conjunto de funcionários; trad. inglesa em: HOBBINS, *Trial*, p. 46-7).

Para a consciência da universidade sobre sua própria importância, o estreitamento de suas perspectivas intelectuais quando se tornou uma instituição partidária como resultado da guerra civil e os princípios do discurso acadêmico, ver: SULLIVAN, *Interrogation*, p. 2-6.

Para a sessão de 9 de janeiro, ver: TISSET, *Condamnation*, p. 2-3 (trad. francesa em: TISSET, *Condamnation*, v. II, p. 4-5; trad. inglesa em: HOBBINS, *Trial*, p. 34-5).

Para o processo de inquisição iniciado por infâmia pública, ver: HOBBINS, *Trial*, p. 16-22.

"o relatório agora tornou bem conhecido [...]": TISSET, *Condamnation*, v. I, p. 1 (trad. francesa em: TISSET, *Condamnation*,v. II, p. 1; trad. inglesa em: HOBBINS, *Trial*, p. 33).

Para o cuidado de seguir o procedimento adequado, a possibilidade de salvar a alma de Joana, e a vaga na sede de Rouen, ver: NEVEUX, *L'Evêque Pierre Cauchon*, p. 137-9.

Para a audiência de 9 de janeiro a 20 de fevereiro, e seu corpo de funcionários, ver: TISSET, *Condamnation*, v. I, p. 3-32 (trad. francesa em: TISSET, *Condamnation*, v. II, p. 4-32; trad. inglesa em: HOBBINS, *Trial*, p. 34-46).

Joana convocada "para responder sinceramente [...]", ver: TISSET, *Condamnation*, v. I, p. 334 (trad. francesa em: TISSET, *Condamnation*, v. II, p. 33-4; trad. inglesa em: HOBBINS, *Trial*, p. 47-8).

A resposta de Joana à convocação, e a decisão dos juízes de não permitirem que ela assistisse à missa: TISSET, *Condamnation*, v. I, p. 35-6 (trad. francesa em: TISSET, *Condamnation*, v. II, p. 35-6; trad. inglesa em: HOBBINS, *Trial*, p. 48).

Exame de sua virgindade, sob a supervisão da duquesa de Bedford, ver testemunho em 1456 em: DUPARC, *Nullité*, v. I, p. 360 (Jean Monnet), p. 379 (Jean Marcel), p. 432 (Jean Massieu) (todas as traduções francesas em: DUPARC, *Nullité*, v. IV, p. 45, 62, 112; Massieu em inglês em: TAYLOR, *Joan of Arc*, p. 333).

Debate entre Cauchon e Joana sobre a questão do juramento: TISSET, *Condamnation*, v. I, p. 37-9 (trad. francesa em: TISSET, *Condamnation*, v. II, p. 37; trad. inglesa em: HOBBINS, *Trial*, p. 49-50, e TAYLOR, *Joan of Arc*, p. 137-8).

Para detalhes do interrogatório do primeiro dia (quarta-feira 21 de fevereiro), ver: TISSET, *Condamnation*, v. I, p. 40-2 (trad. francesa em: TISSET, *Condamnation*, v. II, p. 38-42; trad. inglesa em: HOBBINS, *Trial*, p. 50-1, e TAYLOR, *Joan of Arc*, p. 138-9). Joana explicou que ela era conhecida em casa como Jeannette, e desde então, quando veio ao tribunal, como Jeanne. Mais tarde no julgamento de sábado 24 de março, ela disse que seu sobrenome era d'Arc ou Rommée, e que as meninas de sua região assumiam o sobrenome da mãe (o que, nesse caso, significaria que ela era Jeanne Rommée): ver: TISSET, *Condamnation*, v. I, p. 181 (trad. francesa em: TISSET, *Condamnation*, v. II, p. 148; trad. inglesa em: HOBBINS, *Trial*, p. 116, e TAYLOR, *Joan of Arc*, p. 204).

Para o segundo dia de interrogatório (quinta-feira 22 de fevereiro), ver: TISSET, *Condamnation*, v. I, p. 42-54 (citações das p. 45-6, 50, 53) (trad. francesa em: TISSET, *Condamnation*, v. II, p. 43-57; trad. inglesa em: HOBBINS, *Trial*, p. 51-6, e TAYLOR, *Joan of Arc*, p. 140-5).

Para a terceira sessão (sábado 24 de fevereiro), ver: TISSET, *Condamnation*, v. I, p. 54-68 (citações das p. 56, 59, 61-2, 67) (trad. francesa em: TISSET, *Condamnation*, v. II, p. 57-68; trad. inglesa em: HOBBINS, *Trial*, p. 56-63, e TAYLOR, *Joan of Arc*, p. 145-51). Onde existirem pequenas variações entre as atas francesas e a transcrição latina nessas páginas, preferi o texto francês, uma vez que seu significado parece mais claro, ver, por exemplo: TISSET, *Condamnation*, v. I, p. 62, onde em latim consta que Joana diz que a luz vem "no nome da voz", enquanto em francês ela diz que a luz "vem antes da voz".

Clérigos lutando para encontrar um lugar para sentar: quando a primeira investigação acerca do processo aconteceu em 1450, um monge chamado Guillaume Duval testemunhou que ele tinha assistido a uma sessão com outro monge chamado Isambard de la Pierre. Nenhum deles, disse ele, conseguiu encontrar um lugar para sentar, então eles se sentaram no tapete perto da própria Joana, no meio da assembleia. A sessão a que esses dois homens assistiram (supondo que o "Jean Duval" listado na transcrição do julgamento de 1431 seja um erro clerical para "Guillaume") ocorreu na mesma câmara em 27 de março, quando cerca de menos de vinte clérigos estavam presentes do que em 24 de fevereiro, por isso parece seguro supor que, nessa ocasião anterior, os retardatários poderiam ter tido que ficar de pé. Para o testemunho de Guillaume Duval, ver: DONCOEUR, P.; LANHERS, Y. (Eds., trad.). *L'Enquête ordonnée par Charles VII en 1450 et le codicile de Guillaume Bouillé*. Paris: [s.n.], 1956. p. 46-7; para o comparecimento de Duval em 1431, ver: TISSET, *Condamnation*, v. I, p. 185), e para a identificação de Jean com Guillaume, ver: TISSET, *Condamnation*, v. II, p. 398.

Para o julgamento como um caso de discernimento de espíritos, ver: SULLIVAN, *Interrogation*, p. 32-41.

Para a advertência de Gerson contra a possibilidade de que as mulheres e os ignorantes poderiam reivindicar o dom do discernimento para si mesmos, ver: ELLIOTT, Seeing Double, p. 29-30, 33-5, 37-8, e, para a necessidade de prudência e humildade na busca de conselho em tais casos, p. 39-40.

Para os que rezavam na paróquia que Joana descreveu em sua resposta sobre estar em estado de graça, ver: TISSET, *Condamnation*, v. II, p. 63, n. 1.

Para as questões teológicas relativas à árvore das fadas, ver: SULLIVAN, *Interrogation*, p. 7-20.

Para a quarta sessão (terça-feira 27 de fevereiro), ver: TISSET, *Condamnation*, v. I, p. 68-79 (citações das p. 69, 72-5) (trad. francesa em: TISSET, *Condamnation*, v. II, p. 69-79; trad. inglesa em: HOBBINS, *Trial*, p. 63-70, e TAYLOR, *Joan of Arc*, p. 151-8).

Para os santos, anjos e a necessidade de um sinal, ver: SULLIVAN, *Interrogation*, p. 23-32, 35-41, 61-4; ver também: SULLIVAN, K. "I do not name to you the voice of St Michael": The Identification of Joan of Arc's Voices. In: WHEELER; WOOD. (Eds.). *Fresh Verdicts*. p. 85-112.

Paras a natureza e táticas de interrogatório, ver: SULLIVAN, *Interrogation*, p. 82-99; HOBBINS, *Trial*, p. 13-17.

Para as implicações teológicas de uma mulher vestindo roupas de homem, ver: SULLIVAN, *Interrogation*, p. 42-54; SCHIBANOFF, S. True Lies: Transvestism and Idolatry in the Trial of Joan of Arc. In: WHEELER; WOOD. (Eds.). *Fresh Verdicts*. p. 31-60.

Para a quinta sessão (quinta-feira, 1º de março), ver: TISSET, *Condamnation*, v. I, p. 80-90 (citações das p. 84, 88) (trad. francesa em: TISSET, *Condamnation*, v. II, p. 79-89; trad. inglesa em: HOBBINS, *Trial*, p. 70-7, e TAYLOR, *Joan of Arc*, p. 159-66).

Para o último dia do interrogatório público (sexta sessão, sábado, 3 de março), ver: TISSET, *Condamnation*, v. I, p. 90-109 (citações das p. 104, 106) (trad. francesa em: TISSET, *Condamnation*, v. II, p. 89-102; trad. inglesa em: HOBBINS, *Trial*, p. 77-85, e TAYLOR, *Joan of Arc*, p. 166-74).

Para a nomeação de Jean de la Fontaine para conduzir a próxima fase do questionamento, ver: TISSET, *Condamnation*, v. I, p. 109-10 (trad. francesa em: TISSET, *Condamnation*, v. II, p. 102-3; trad. inglesa em: HOBBINS, *Trial*, p. 85-6).

Para a primeira sessão na cela da prisão de Joana (sábado, 10 de março), ver: TISSET,

Condamnation, v. I, p. 110-18 (citação da p. 117; preferi a leitura francesa); trad. francesa em: TISSET, *Condamnation*, v. II, p. 103-9; trad. inglesa em: HOBBINS, *Trial*, p. 86-9).

Para a segunda sessão na prisão (segunda-feira, 12 de março), ver: TISSET, *Condamnation*, v. II, p. 121-9 (trad. francesa em: TISSET, *Condamnation*, v. II, p. 111-16; trad. inglesa em: HOBBINS, *Trial*, p. 93-4, e TAYLOR, *Joan of Arc*, p. 178-82).

Para a terceira sessão na prisão (terça-feira, 13 de março), ver: TISSET, *Condamnation*, v. I, p. 133-42 (citação da p. 136) (trad. francesa em: TISSET, *Condamnation*, v. II, p. 119-24; trad. inglesa em: HOBBINS, *Trial*, p. 95-9, e TAYLOR, *Joan of Arc*, p. 182-6).

Para a quarta, quinta e sexta sessões na prisão (quarta-feira, 14, quinta-feira, 15, sábado, 17 de março), ver: TISSET, *Condamnation*, v. I, p. 143-79 (citação da p. 166) (trad. francesa em: TISSET, *Condamnation*, v. II, p. 126-46; trad. inglesa em: HOBBINS, *Trial*, p. 99-114, e TAYLOR, *Joan of Arc*, p. 186-203).

Para a decisão tomada no Domingo da Paixão, discussão do procedimento e os setenta artigos de d'Estivet (que ele começou a ler na terça-feira, 27 de março, e continuou na quarta-feira, 28), ver: TISSET, *Condamnation*, v. I, p. 179-286 (citação das p. 191-2) (trad. francesa em: TISSET, *Condamnation*, v. II, p. 146-242; trad. inglesa em: HOBBINS, *Trial*, p. 114-55).

Para a mudança dos setenta artigos para doze, mais as opiniões dos teólogos e dos advogados, ver: TISSET, *Condamnation*, v. I, p. 289-327 (citação da p. 298); trad. francesa em: TISSET, *Condamnation*, v. II, p. 244-84; trad. inglesa em: HOBBINS, *Trial*, p. 156-66, e TAYLOR, *Joan of Arc*, p. 207-12.

Para o rigor com o qual o julgamento foi conduzido, ver: HOBBINS, *Trial*, p. 16-19, 21-4, 26.

Para a preocupação dos juízes com o destino da alma de Joana, ver: SULLIVAN, *Interrogation*, p. 106-13, 120-8.

X – MEDO DO FOGO

Para a doença de Joana, ver: TISSET, *Condamnation*, v. I, p. 328–9 (trad. francesa em: TISSET, *Condamnation*, II, p. 285–6; trad. inglesa em: HOBBINS, *Trial*, p. 166–7).

Para a visita na cela de Joana em 31 de março, ver: TISSET, *Condamnation*, I, p. 286-9 (trad. francesa em: TISSET, *Condamnation*, v. II, p. 242-4; trad. inglesa em: HOBBINS, *Trial*, p. 155-6, e TAYLOR, *Joan of Arc*, p. 205-6).

Para as tentativas de fuga de Joana, ver: os interrogatórios de 14 e 15 de março: TISSET, *Condamnation*, v. I, p. 143-5, 153, 155-6, 164 (citação da p. 156), trad. francesa em: TISSET, *Condamnation*, v. II, p. 126-7, 131, 133, 137; trad. inglesa em: HOBBINS, *Trial*, p. 100, 103-5, 108, e TAYLOR, *Joan of Arc*, p. 187, 191-3, 196. Joana e seus interrogadores sempre falavam de seu "salto" da torre, mas a burgúndia "Crônica dos Cordeliers", escrita em cerca de 1432, por sua vez descreve uma tentativa de fugir na qual não importa o que ela estivesse usando para descer, a torre quebrou, causando assim sua queda: ver: TAYLOR, *Joana d'Arc*, p. 237.

Para Santa Catarina resistindo ao interrogatório dos sábios pagãos, ver: TAYLOR, *Virgin Warrior*, p. 26.

Para o debate entre Joana e seus juízes sobre a possibilidade de que ela pudesse assistir à missa se vestisse roupas femininas, ver: TISSET, *Condamnation*, v. I, p. 156-8, 167-8, 182-3 (trad. francesa em: TISSET, *Condamnation*, Iv. I, p. 133-4, 139-40, 149-50; trad. inglesa em: HOBBINS, *Trial*, p. 105-6, 110, 117, e TAYLOR, *Joan of Arc*, p. 193-4, 198-9, 204-5).

Para a visita à cela de Joana na quarta-feira, 18 de abril, ver: TISSET, *Condamnation*, v. I, p. 327-33 (citação das p. 329, 330, 332) (trad. francesa em: TISSET, *Condamnation*, v. II, p. 284-8; trad. inglesa em: HOBBINS, *Trial*, p. 166-9).

Para o nascimento de Cauchon provavelmente em 1371, ver: NEVEUX, *L'Evêque Pierre Cauchon*, p. 7.

Para a sessão na quarta-feira, 2 de maio, ver: TISSET, *Condamnation*, v. I, p. 333-48 (citação das p. 337, 342-3, 346-7) (trad. francesa em: TISSET, *Condamnation*, v. II, p. 288-301; trad. inglesa em: HOBBINS, *Trial*, p. 169-78).

Para a ameaça de tortura na quarta-feira, 9 de maio, ver: TISSET, *Condamnation*, v. I, p. 348-50 (citação da p. 349) (trad. francesa em: TISSET, *Condamnation*, v. II, p. 301-2; trad. inglesa em: HOBBINS, *Trial*, p. 178-9). A sessão seguinte, em 12 de maio, consistiu das deliberações dos juízes sobre se deviam ou não continuar com o uso de tortura, ver: TISSET, *Condamnation*, v. I, p. 350-2 (trad. francesa em: TISSET, *Condamnation*, v. II, p. 302-4; trad. inglesa em: HOBBINS, *Trial*, p. 179-80). Na sessão depois dessa, em 19 de maio, Cauchon e 51 conselheiros se encontraram para ponderar sobre as opiniões relativas ao caso, enviadas pelos professores de teologia e direito canônico na Universidade de Paris: TISSET, *Condamnation*, v. I, p. 352-74 (trad. francesa em: TISSET, *Condamnation*, v. I, p. 304-25; trad. inglesa em: TAYLOR, *Joan of Arc*, p. 21316, e sumário em: HOBBINS, *Trial*, p. 180-4).

Para a audiência final (quarta-feira, 23 de maio), ver: TISSET, *Condamnation*, v. I, p. 374-85 (citação das p. 376, 380, 383-4) (trad. francesa em: TISSET, *Condamnation*, v. II, p. 325-35; trad. inglesa em: HOBBINS, *Trial*, p. 184-90).

Para a idade de Pierre Maurice, ver: TISSET, *Condamnation*, v. I, p. 418 (trad. francesa em: TISSET, *Condamnation*, v. II, p. 364; trad. inglesa em: HOBBINS, *Trial*, p. 205); para sua carreira, ver: TISSET, *Condamnation*, v. II, p. 417.

Para procedimentos em Saint-Ouen e acontecimentos subsequentes, na quinta-feira, 24 de maio, ver: TISSET, *Condamnation*, v. I, p. 385-94 (citação da p. 386), (trad. francesa em: TISSET, *Condamnation*, v. II, p. 335-43; trad. inglesa em: HOBBINS, *Trial*, p. 190-2, e TAYLOR, *Joan of Arc*, p. 216-19).

Para Joana pedindo anteriormente para ser levada até o papa (em 17 de março e 2 de maio) ver: TISSET, *Condamnation*, v. I, p. 176, 343 (citação da p. 343) (trad. francesa em: TISSET, *Condamnation*, v. II, p. 144, 298; trad. inglesa em: HOBBINS, *Trial*, p. 113, 176, e para 17 de março: TAYLOR, *Joan of Arc*, p. 202).

Para o carrasco esperando em sua carroça, ver o testemunho de Guillaume Manchon em 1456: DUPARC, *Nullité*, v. I, p. 425, 427 (trad. francesa em: DUPARC, *Nullité*, v. IV, p. 106, 108; trad. inglesa em: TAYLOR, *Joan of Arc*, p. 328, 330).

Para a descoberta da recaída de Joana e a visita a sua cela na segunda-feira, 28 de maio, ver: TISSET, *Condamnation*, v. I, p. 395-9 (citação da p. 398) (trad. francesa em: TISSET, *Condamnation*, v. II, p. 344-6; trad. inglesa em: HOBBINS, *Trial*, p. 196-8, e Taylor, *Joan of Arc*, p. 220-2); e ver a discussão sobre o estado angustiado de Joana em: SULLIVAN, *Interrogation*, p. 131–9.

Para a discussão da retomada de Joana das roupas masculinas, ver: HOBBINS, *Trial*, p. 24-6, e abaixo, p. 238-9, para a sugestão em 1456 de que ela pode ter se encontrado sob ameaça ou coerção, embora as histórias variem em seus detalhes. Certamente, o fato de que as roupas masculinas ainda estivessem disponíveis para ela em sua cela sugere que alguém tinha um interesse na possibilidade de sua recaída.

Para a audiência na terça-feira, 29 de maio, ver: TISSET, *Condamnation*, v. I, p. 399-408 (trad. francesa em: TISSET, *Condamnation*, v. II, p. 346-53; trad. inglesa em: HOBBINS, *Trial*, p. 198-9.

Para a visita à cela de Joana na manhã de quarta-feira, 30 de maio, ver: os relatos das testemunhas compilados em 7 de junho em TISSET, *Condamnation*, v. I, p. 416-22 (citação da p. 418) (trad. francesa em: TISSET, *Condamnation*, v. II, p. 362-8; trad. inglesa em: HOBBINS, *Trial*, p. 204-9). Muitos historiadores têm relutado em aceitar as provas contidas nessas declarações, alegando que foram registradas oito dias após o evento e não foram assinadas pelos notários. Larissa Juliet Taylor, por exemplo, as menciona apenas em uma nota de fim, para dizer que "as adições à transcrição do julgamento foram feitas em 7 de junho, mas *não* são assinadas pelos notários do julgamento, incluindo uma confissão falsificada" (sua ênfase, *Virgin Warrior*, p. 236s). No entanto, esta é uma nota final, anexada a uma parte do texto de Taylor totalmente derivada de declarações de testemunhos dados vinte e cinco anos após o acontecimento, no contexto de um inquérito não menos politizado do que o de 1431. A ausência das assinaturas dos notários pode ser diretamente explicada pelo fato de eles não estarem lá para presenciar a reunião de 7 de junho; e eles não estavam lá para assisti-la porque, nos termos em que o julgamento foi conduzido, essa havia sido uma visita pastoral preocupada em salvar a alma de Joana, não uma visita judicial, uma vez que o destino de seu corpo já estava decidido. Certamente, os juízes e os ingleses tinham interesse em que Joana fosse vista renunciando às suas reivindicações, e o fato de que essas declarações tivessem sido retiradas e adicionadas à transcrição do julgamento é sem dúvida significativo, mas se seu relato das palavras de Joana fosse totalmente forjado – uma sugestão para a qual não há provas – é difícil não acreditar que a confissão colocada em sua boca tivesse sido, por um lado, mais repugnante e dramática, e, por outro, menos psicologicamente detalhada e convincente. De modo geral, a descrição de Joana em sua última manhã derivada desses testemunhos, parece-me ser consistente com a aflição evidente em sua última entrevista formal em 28 de maio. Essa descrição apresenta um relato psicologicamente plausível das vozes e visões de Joana: por exemplo, várias testemunhas no julgamento de anulação falaram de seu amor pelo toque dos sinos (abaixo, p. 246, 250). Ela também apresenta uma explicação plausível da história de seu "sinal" como um anjo que apresenta uma coroa de ouro ao rei – algo que não se tornou parte de seu mito da mesma maneira que a comunicação que ela alegou ter com os santos Catarina, Margarida e Miguel, precisamente porque isso parece sugerir demasiada credulidade. O reconhecimento do erro por Joana também ajuda a explicar por que lhe foi permitida naquela manhã fazer uma confissão e receber a comunhão, um privilégio incomum para um herege reincidente. Não vejo motivo para não considerar as provas registadas em 7 de maio tão séria e cuidadosamente como o resto das provas dos dois julgamentos. Ver discussão em: HOBBINS, *Trial*, p. 12-13; SULLIVAN, *Interrogation*, p. 71-81, 139-48.

Para a transcrição oficial da sentença final de Joana em 30 de maio, ver: TISSET, *Condamnation*, v. I, p. 408-14 (citação da p. 410) (trad. francesa em: TISSET, *Condamnation*, v. II, p. 353-60; trad. inglesa em: HOBBINS, *Trial*, p. 199-202, e TAYLOR, *Joan of Arc*, p. 222-4).

Para o gorro que Joana usava ao ir para o poste, ver o diário de Clement de Fauquembergue em: QUICHERAT, *Procès*, v. IV, p. 459, e trad. inglesa em: TAYLOR, *Joan of Arc*, p. 228.

Para os soldados ingleses, e Joana dizendo o nome de Jesus no meio das chamas, ver, por exemplo, o testemunho dado em 1450: DONCOEUR; LANHERS. (Eds.). *L'Enquête ordonnée par Charles VII*, p. 38-9 (Isambard de la Pierre), p. 44-5 (Martin Lavenu), p. 51 (Guillaume Manchon), p. 56 (Jean Massieu).

Para a mudança de Bedford para Paris e o comboio de suprimentos, ver: *Journal*, p. 261-2 (trad. *Parisian Journal*, p. 255-6); STEVENSON, J. (Ed.). *Letters and Papers Illustrative of the Wars of the English in France*. Londres: [s.n.], 1864. v. II, parte II, p. 424-6.

Para Bedford na campanha, ver: RAMSAY, *Lancaster and York*, p. 431.

Para as cartas de Henrique VI ao imperador e aos lordes e cidades da França, ver: TISSET, *Condamnation*, v. I, p. 423-30 (trad. francesa em: TISSET, *Condamnation*, v. II, p. 368-76; trad. inglesa em: HOBBINS, *Trial*, p. 209-11, e segunda carta em: TAYLOR, *Joan of Arc*, p. 225-8). Griffiths sugere (*Reign of King Henry VI*, p. 220) que o duque de Bedford escreveu o texto mas isso parece improvável dado a quão pouco ele tinha a ver com o processo do julgamento, e que ele não estava em Rouen em junho, local onde as cartas foram datadas.

Para o sermão de Jean Graverent em Paris e o relato da execução de Joana, ver: *Journal*, p. 266-72 (trad. *Parisian Journal*, p. 260-5).

Para a descrição minuciosa da transcrição em latim do julgamento, ver: HOBBINS, *Trial*, p. 5-6, 8-13. Cauchon endereçou a transcrição "para todos os que irão ler a presente carta ou instrumento público": TISSET, *Condamnation*, v. I, p. 1 (trad. francesa em: TISSET, *Condamnation*, v. II, p. 1; trad. inglesa em: HOBBINS, *Trial*, p. 33).

Para a carta de Bruges para Veneza relatando as palavras de Santa Catarina, ver: MOROSINI, *Chronique*, v. III, p. 348-57.

Para a carta do arcebispo de Reims, ver: QUICHERAT, *Procès*, v. V, p. 168-9, e acima, p. 174.

Para comentário e informação sobre William the Shepherd coletados do jornal parisiense e as crônicas de Jean Le Fèvre, Monstrelet, o arauto de Berry e Jean Chartier, ver: QUICHERAT, *Procès*, v. V, p. 169-73.

Para a queda de Louviers e Château Gaillard para os ingleses, ver: BARKER, *Conquest*, p. 151, 169-70.

Para a entrada do rei Henrique em Paris, ver: *Journal*, p. 274-6 (trad. *Parisian Journal*, p. 268-71); BRIE, F. W. D. (Ed.). *The Brut, or the Chronicles of England*. Londres: [s.n.], 1906. v. I, p. 459-60; MONSTRELET, *Chronique*, v. V, p. 2-4; THOMPSON, G. L. *Paris and Its People under English Rule: The Anglo-Burgundian Regime, 1420–1436*. Oxford: [s.n.], 1991. p. 199-205, 24-6; CURRY, *Coronation Expedition*, p. 49.

Para a morte de William, o Pastor, como relata por Jean Le Fèvre, ver: QUICHERAT, *Procès*, v. V, p. 171.

Para a coroação e a festa, ver: *Journal*, p. 277-8 (trad. *Parisian Journal*, p. 271-2); BRIE. (Ed.), *The Brut*, v. I, p. 460-1; MONSTRELET, *Chronique*, v. V, p. 5-6.

Para a tensão durante a coroação e argumentos subsequentes, ver: MONSTRELET, *Chronique*, v. V, p. 5; *Journal*, p. 277-9 (trad. *Parisian Journal*, p. 271-3).

Para a diminuição da familiaridade inglesa com a língua francesa, e a divergência entre a pronúncia inglesa do francês e aquela dos parisienses, ver: THOMPSON, *Paris*, p. 214-16.

Para Henrique VI deixando Paris e o tempo chuvoso, ver: *Journal*, p. 279-80 (trad. *Parisian Journal*, p. 273-4); CURRY, *Coronation Expedition*, p. 50-1.

Para a carta raivosa de Filipe de Borgonha sobre o tópico de Compiègne, escrita em novembro de 1430, ver: VAUGHAN, *Philip the Good*, p. 245. O duque culpava o financiamento inadequado, apesar das grandes somas já recebidas e da sua generosa pensão mensal do rei inglês, ver: p. 17-18.

Filipe foi bem-recebido em Bruxelas como o novo duque de Brabant em 8 de outubro de 1430: VAUGHAN, *Philip the Good*, p. 52.

Para a ausência do duque de Borgonha na coroação, ver: ARMSTRONG, Double Monarchie, p. 105-6.

Para as tréguas burgúndio-armagnacs seladas em setembro e dezembro de 1431, ver: VAUGHAN, *Philip the Good*, p. 26; PLANCHER, *Histoire générale et particulière de Bourgogne*, v. IV, documentos 79, 90, 93; BEAUCOURT, *Charles VII*, v. II, p. 442.

Para as conspirações de 1432 e o fracasso de Bedford em Lagny, ver: BARKER, *Conquest*, p. 180-6.

Para a morte de Anne de Borgonha, ver: *Journal*, p. 289-90 (trad. *Parisian Journal*, p. 282); ver também: MONSTRELET, *Chronique*, v. V, p. 44-5. O canto polifônico – que foi "o mais emocionante", de acordo com o autor do diário – foi uma habilidade especial aperfeiçoada por músicos ingleses no início do século XV: HARRISS, *Shaping the Nation*, p. 328-9.

Para Albergati como um "anjo de paz", ver: BEAUCOURT, *Charles VII*, v. II, p. 440.

Para as preocupações inglesas sobre tratados feitos durante a minoridade de Henrique, ver: GRIFFITHS, *Reign of King Henry VI*, p. 192.

Para detalhes da conferência de Auxerre e a diplomacia precedente, ver: BEAUCOURT, *Charles VII*, v. II, p. 443-52.

"e eles não haviam feito nada", *Journal*, p. 290 (trad. *Parisian Journal*, p. 282-3).

Para o casamento de Bedford com Jacquetta de Luxemburgo, ver: MONSTRELET, *Chronique*, v. V, p. 55-6; ARMSTRONG, Double Monarchie, p. 108-9; BARKER, *Conquest*, p. 189-90.

Para acontecimentos em Saint-Omer, ver: MONSTRELET, *Chronique*, v. V, p. 57-8; ARMSTRONG, Double Monarchie, p. 109; BARKER, *Conquest*, p. 190.

Para Iolanda, o tratado com a Bretanha e reaproximação com Richemont, ver: BEAUCOURT, *Charles VII*, v. II, p. 279-84; COSNEAU, *Connétable*, p. 189-91; VALE, *Charles VII*, p. 71.

Para o golpe contra La Trémoille, ver: BEAUCOURT, *Charles VII*, v. II, p. 297-8; COSNEAU, *Connétable*, p. 200-1; CHARTIER, *Chronique*, v. I, p. 170-1.

Para o combate em 1433-4, ver: BARKER, *Conquest*, p. 191-2, 196-209. "A guerra ficava cada vez pior [...]", e "eles poderiam muito bem ter sido mortos": *Journal*, p. 299-300 (trad. *Parisian Journal*, p. 289-90).

Para o memorando de Bedford em 1434, ver: NICOLAS, H. (Ed.). *Proceedings and Ordinances of the Privy Council of England*. Londres: [s.n.], 1835. v. IV, p. 223-4; excerto em: TAYLOR, *Joan of Arc*, p. 239.

Para o terrível inverno de 1434-5, ver: *Journal*, p. 302-3 (trad. *Parisian Journal*, p. 292-3); BRIE. (Ed.), *The Brut*, v. I, p. 571.

Para esculturas em neve em Arras, ver: VAUGHAN, *Philip the Good*, p. 67; para "la grande Pucelle" e Joana passando através de Arras em 1430, ver: HERWAARDEN, J. van. The appearance of Joan of Arc. In: HERWAARDEN, J. van. (Ed.). *Joan of Arc: Reality and Myth*. Hilversum: [s.n.], 1994. p. 22-3ss.

Para a conferência em Nevers: BEAUCOURT, *Charles VII*, v. II, p. 514-17; VAUGHAN, *Philip the Good*, p. 67; MONSTRELET, *Chronique*, v. V, p. 107-9.

Para a hostilidade do Sacro Imperador Romano, e sua declaração de guerra sobre o duque de Borgonha em dezembro de 1434, ver: VAUGHAN, *Philip the Good*, p. 67-72.

Para o Congresso de Arras, ver: DICKINSON, J. G. *The Congress of Arras, 1435*. Oxford: [s.n.], 1955. cap. 6, 7; BEAUCOURT, *Charles VII*, v. II, p. 523-59; HARRISS, *Cardinal Beaufort*, p. 247-52; VAUGHAN, Philip the Good, p. 98-101.

Para os enforcamentos no vestíbulo da abadia, ver: TAVERNE, A. de la. *Journal de la paix d'Arras*. Paris: [s.n.] 1651. p. 6.

Para o comparecimento ao congresso, ver: MONSTRELET, *Chronique*, v. V, p. 132-8 (com as corajosas tentativas de Monstrelet para soletrar sobrenomes e topônimos ingleses difíceis), p. 150-1; CHARTIER, *Chronique*, v. I, p. 185-92.

Para a cordialidade da interação entre os burgúndios e os armagnacs, e a infelicidade dos ingleses, ver: MONSTRELET, *Chronique*, v. V, p. 143-4.

Para a liberdade e resgate de Suffolk, ver: WATTS, J. Pole, William de la, First Duke of Suffolk (1396–1450). In: *ODNB*.

Para os esforços de Beaufort, e sua suada conversa, ver: TAVERNE, *Journal de la paix*, p. 71; HARRISS, *Cardinal Beaufort*, p. 251.

Para a chuva torrencial quando os ingleses partiram, ver: TAVERNE, *Journal de la paix*, p. 79.

Para o ornamento das mangas dos homens do cardeal, ver: Le Livre des trahisons de France. In: LETTENHOVE, K. de. (Ed.). *Chroniques relatives à l'histoire de la Belgique*. Bruxelas: [s.n.], 1872. p. 210.

Para as justificativas burgúndias para a anulação do Tratado de Troyes, ver: DICKINSON, *Congress of Arras*, p. 174-7.

Missa de réquiem para João Sem Medo: BEAUCOURT, *Charles VII*, v. II, p. 544.

Para a morte de Bedford em 14 de setembro e notícias chegando a Arras, ver: STRATFORD, J. John, Duke of Bedford (1389–1435). In: *ODNB*; BEAUCOURT, *Charles VII*, v. II, p. 546.

Para a cerimônia em Saint-Vaast em 21 de setembro, ver: DICKINSON, *Congress of Arras*, p. 179-85; MONSTRELET, *Chronique*, v. V, p. 183.

Para a espera da corte de Bourges pelas notícias de Arras, ver: BEAUCOURT, *Charles VII*, v. II, p. 308; para o nascimento do bebê Felipe em Tours em 4 de fevereiro de 1436, e a identidade de seu padrinho, ver: BEAUCOURT, *Charles VII*, v. III, p. 33.

Para as campanhas armagnacs na Normandia e ao redor de Paris no final de 1435 e início de 1436, ver: BARKER, *Conquest*, p. 231-8.

Para a tentativa de defender Paris pelos três bispos, ver: *Journal*, p. 312-13 (trad. *Parisian Journal*, p. 300-1); THOMPSON, *Paris*, p. 228-34.

Para a entrada das tropas armagnacs em Paris, ver: *Journal*, p. 314-18 (trad. *Parisian Journal*, p. 302-6); THOMPSON, *Paris*, p. 235-6.

Para a desilusão parisiense por volta do outono, ver: *Journal*, p. 327 (trad. *Parisian Journal*, p. 312).

Para a entrada do rei em Paris, ver: MONSTRELET, *Chronique*, v. V, p. 301-7; GODEFROY, T. (Ed.). *Le Cérémonial François*. Paris: [s.n.], 1649. p. 654-8; *Journal*, p. 334-6 (trad. *Parisian Journal*, p. 319-20); VALE, *Charles VII*, p. 198-201.

Para a exumação do conde de Armagnac, ver: MONSTRELET, *Chronique*, v. V, p. 307.

Para a corte do rei Carlos remanescente nos castelos do Loire, ver, por exemplo: BEAUCOURT, *Charles VII*, v. III, p. 56-7.

Para o desvanecimento das esperanças inglesas, e novos líderes ingleses, ver: BARKER, *Conquest*, p. 235, 246-9.

Problemas na corte francesa, incluindo a resistência de 1437 e as conexões entre os *écorcheurs* e o duque de Bourbon: BEAUCOURT, *Charles VII*, v. III, p. 41-8.

Para as reformas militares de novembro de 1439, ver: BEAUCOURT, *Charles VII*, v. III, p. 384-416.

Para a revolta de 1440, conhecida como Praguerie, ver: BEAUCOURT, *Charles VII*, III, p. 115-42 ("humildade e obediência", citação das patentes de cartas reais, p. 133-4); VALE, *Charles VII*, p. 76-82.

Para a morte de Iolanda e a elevação de Agnès Sorel, ver: VALE, *Charles VII*, p. 91-3.

Para Henrique VI, ver: J. Watts, *Henry VI and the Politics of Kingship*. Cambridge: [s.n.], 1996. cap. 4, 5.

Para as negociações conduzidas pelo conde de Suffolk em 1444-5, ver: WATTS, Pole, William de la, *ODNB*; HARRISS, *Shaping the Nation*, p. 576-7; BARKER, *Conquest*, p. 316-19, 323-37.

Para o colapso da posição inglesa e o avanço francês, ver: HARRISS, *Shaping the Nation*, p. 577-83; BARKER, *Conquest*, cap. 22-5.

Para Cherbourg, ver: BARKER, *Conquest*, p. 398-9.

Para o texto da carta do Conselho em Rouen em 1441, ver: STEVENSON. (Ed.), *Letters and Papers*, v. II, parte II, p. 603-7.

Para a rendição da cidade de Rouen em 16 de outubro, e a rendição de Beaufort no castelo em 29 de outubro, ver: BARKER, *Conquest*, p. 390-1.

Para a entrada do rei em Rouen, ver: GODEFROY, T. (Ed.), *Le Cérémonial François*. p. 659-63.

Para as cinzas de Joana sendo jogadas no rio, ver a Chronicle of the Cordeliers em: TAYLOR, *Joan of Arc*, p. 238.

XII – Ela era toda inocência

"Isso parecia uma coisa impossível para os gregos", ver: BERTRANDON DE LA BROQUIÈRE. *Le Voyage d'outremer*. In: SCHEFER, C. (Ed.). Paris: [s.n.], 1892. p. 165.

Para as comemorações em 8 de maio em Orléans, e o *Mistério do cerco de Orléans*, ver, por exemplo: QUICHERAT, *Procès*, v. V, p. 79-82, 285-99.

Para Giles de Rais e sua extravagante despesa na peça de teatro, ver: BOSSARD, E. *Gilles de Rais, maréchal de France, dit Barbe-Bleue (1404–1440)*. Paris: [s.n.], 1886. p. 94-116; BENEDETTI, J. *Gilles de Rais*. Londres: [s.n.], 1971. p. 128, 132-3; ODIO, E. Gilles de Rais: Hero, Spendthrift, and Psychopathic Child Murderer of the Later Hundred Years War, e VILLALON, L. J. A.; KAGAY, D. J. (Eds.). *The Hundred Years War*. Leiden; Boston: [s.n.], 2013. Parte III, p. 167-8, e, para a carreira posterior de Rais, p. 170-85.

Para todos os documentos relativos à carreira de "Claude des Armoises", ver: QUICHERAT, *Procès*, v. V, p. 321-36 (citações das contas da cidade de Orléans, p 331); *Journal*, p. 354-5 (trad. *Parisian Journal*, p. 337-8). Ver também: VIRIVILLE, V. de. (Ed. e trad.). *Procès de condamnation de Jeanne d'Arc*. Paris: [s.n.], 1867. p. lxix-lxxi; e PERNOUD, *Joan of Arc: By Herself and Her Witnesses*, p. 242-7.

Para a carta do rei a Guilherme Bouillé, 15 de fevereiro de 1450, ver: DONCOEUR; LANHERS (Eds.), *L'Enquête ordonnée par Charles VII*, p. 33, 35, e tradução inglesa em TAYLOR, *Joan of Arc*, p. 259-60.

Para Bouillé, ver: DONCOEUR; LANHERS. (Eds.), *L'Enquête ordonnée par Charles VII*, p. 58.

De la Pierre, dito "o inglês", ameaçado de ser atirado no Sena, enquanto Duval nomeava o conde de Warwick: DONCOEUR; LANHERS. (Eds.), *L'Enquête ordonnée par Charles VII*, p. 36-7, 46-7.

Para testemunho relativo à pressão inglesa no processo de julgamento, ver: DONCOEUR; LANHERS. (Eds.), *L'Enquête ordonnée par Charles VII*, p. 36-7 (de la Pierre), p. 40-1 (Jean Toutmouillé), p. 42-5 (Lavenu), p. 46-7 (Duval), p. 48 (Manchon), p. 54 (Massieu).

Para o testemunho de Manchon a respeito do espião Loiseleur, ver: DONCOEUR; LANHERS. (Eds.), *L'Enquête ordonnée par Charles VII*, p. 48. Note que Loiseleur estava presente entre os clérigos em muitas das audiências em que Joana apareceu (ver: HOBBINS, *Trial*, p. 57, 63, 70, 77, 178), de modo que, a menos que estivesse profundamente disfarçado quando visitou sua cela (como foi mais tarde, de forma bastante implausível, sugerido, para isso ver p. 253, 302), ela deve ter sabido que ele estava envolvido no processo de julgamento.

"Adeus! Está feito": DONCOEUR; LANHERS. (Eds.), *L'Enquête ordonnée par Charles VII*, p. 423. De la Pierre (p. 36-7) também mencionou esse comentário, mas cita as palavras de Cauchon como "Adeus! Adeus! Tenham bom ânimo. Está feito".

Para o testemunho relativo à retomada de Joana das roupas masculinas, ver: DONCOEUR; LANHERS. (Eds.), *L'Enquête ordonnée par Charles VII*, p. 36-7 (de la Pierre), p. 40-1 (Toutmouillé), p. 44-5 (Lavenu), p. 54 (Massieu).

Para o testemunho relativo à morte de Joana, ver: DONCOEUR; LANHERS. (Eds.), *L'Enquête ordonnée par Charles VII*, p. 38-9 (de la Pierre), p. 51 (Manchon), p. 55-6 (Massieu).

Para o testemunho relativo ao carrasco, ver: DONCOEUR; LANHERS. (Eds.), *L'Enquête ordonnée par Charles VII*, p. 38-9 (de la Pierre), p. 44-5 (Lavenu).

Para o testemunho de Jean Beaupère, ver: DONCOEUR; LANHERS. (Eds.), *L'Enquête ordonnée par Charles VII*, p. 56-7.

Para o tratado de Bouillé, ver: DONCOEUR; LANHERS. (Eds.), *L'Enquête ordonnée par Charles VII*, p. 65-119, e para sua perspicácia para perdoar Joana, p. 66-9.

Para Raoul Roussel, ver: DONCOEUR; LANHERS. (Eds.), *L'Enquête ordonnée par Charles VII*, p. 11; VALE, *Charles VII*, p. 61; GODEFROY (Ed.), *Le Cérémonial françois*, p. 661-3.

Para D'Estouteville, sua incumbência dada pelo papa, e a reabertura do inquérito, ver: VALE, *Charles VII*, p. 62-3; PERNOUD; CLIN, *Joan of Arc: Her Story*, p. 151.

"preocupa grandemente a sua honra e seu estado": VALE, *Charles VII*, p. 63; TAYLOR, *Joan of Arc*, p. 260-1.

Para Jean Bréhal, ver: VALE, *Charles VII*, p. 63-4.

Para os artigos da acusação escritos em 1452 (inicialmente doze, depois 27), ver: DUPARC, *Nullité*, v. I, p. 177-9, 191-6 (trad. francesa em: DUPARC, *Nullité*, v. III, p. 167-9, 181-5; os 27 artigos traduzidos em inglês em: PERNOUD; CLIN, *Joan of Arc: Her Story*, p. 152-5).

Para as declarações das testemunhas de 1452, ver: DUPARC, *Nullité*, v. I, p. 181-90, 196-244 (trad. francesa em: DUPARC, *Nullité*, v. III, p. 170-9, 185-232).

Para a história do soldado inglês de De la Pierre, ver: DUPARC, *Nullité*, v. I, p. 224-5 (trad. francesa em: DUPARC, *Nullité*, v. III, p. 212).

Para o testemunho defendendo a confiabilidade da transcrição do julgamento, ver: DUPARC, *Nullité*, v. I, p. 197, 199 (Nicolas Taquel), p. 207 (Massieu), p. 215, 217 (Manchon), p. 223 (de la Pierre), p. 228 (Richard de Grouchet), p. 232-3 (Pierre Miget), p. 234 (Lavenu), p. 243 (Jean Fave) (trad. francesa em: DUPARC, *Nullité*, v. III, p. 187-8, 196, 203, 205, 211, 216, 219-20, 222, 231).

Para o testemunho de que Joana respondeu bem, ver: DUPARC, *Nullité*, v. I, p. 198 (Taquel), p. 208 (Massieu), p. 213 (Guillaume du Désert), p. 216 (Manchon), p. 229 (Grouchet), p. 239 (Thomas Marie), p. 241 (Riquier) (trad. francesa em: DUPARC, *Nullité*, v. III, p. 187, 197, 201, 204, 217, 227, 229).

Para o testemunho de que Cauchon era do partido inglês (de qualquer forma, note que declarações explícitas nesse sentido vieram em resposta a um dos doze artigos que fazia a pergunta claramente naquela forma; os 27 artigos eram expressos diferentemente, perguntando sobre ameaças e pressões inglesas, e por essa razão receberam respostas mais sutis), ver: DUPARC, *Nullité*, v. I, p. 181 (Manchon), p. 184 (Miget), p. 185 (De la Pierre), p. 189 (Lavenu), p. 203 (Nicolas de Houppeville), p. 214 (Manchon, novamente), p. 221 (De la Pierre, novamente) (trad. francesa em: DUPARC, *Nullité*, v. III, p. 171, 173, 175-6, 178, 192, 203, 209).

Para Cauchon enfrentando o clérigo inglês em Saint-Ouen, ver: DUPARC, *Nullité*, v. I, p. 200 (Pierre Bouchier), p. 227 (André Marguerie), p. 231 (Miget) (trad. francesa em: DUPARC, *Nullité*, v. III, p. 189, 215, 219).

Para Nicolas Caval se lembrando de muito pouca coisa, ver: DUPARC, *Nullité*, v. I, p. 211-12 (trad. francesa em: DUPARC, *Nullité*, v. III, p. 199-200).

Para Bréhal reunindo opiniões de especialistas, ver: DUPARC, *Nullité*, v. II, cap. 8 (uma coleção de textos que inclui o *De mirabili victoria* de Gerson e o Tratado de Bouillé de 1450).

Para Talbot, Castillon e a perda inglesa da Gasconha, ver: POLLARD, A. J. Talbot, John, First Earl of Shrewsbury and First Earl of Waterford (c.1387–1453). In: *ODNB*; HARRISS, *Shaping the Nation*, p. 584-5.

Para a morte de Roussel, ver: TISSET, *Condamnation*, v. II, p. 422; para o apontamento de D'Estouteville como arcebispo de Rouen, ver: PERNOUD, *Joan of Arc: By Herself and Her Witnesses*, p. 263.

Carlos como *le roi très-victorieux*: ver: DONCOEUR; LANHERS. (Eds.), *L'Enquête ordonnée par Charles VII*, p. 68-9; para Guillaume Bouillé se dirigindo ao rei em 1450 como "*rex victoriosissimus*", ver também a inscrição de seu retrato, sessão das gravuras.

Para o saque de Constantinopla, ver: ZACHARIADOU, E. The Ottoman World. In: ALLMAND. (Ed.), *New Cambridge Medieval History*. v. VII, p. 824-5.

Para a viagem de Bréhal para Roma e a carta papal de 1455, ver: DUPARC, *Nullité*, v. I, p. 18-20 (trad. francesa em: DUPARC, *Nullité*, v. III, p. 16-18; trad. inglesa em: TAYLOR, *Joan of Arc*, p. 262-4); PERNOUD, *Joan of Arc: By Herself and Her Witnesses*, p. 264. Para o conselho de Jean de Montigny de que a família de Joana deveria agir como queixosa, ver: DUPARC, *Nullité*, v. II, p. 312.

Para a cerimônia de 7 de novembro de 1455, ver: DUPARC, *Nullité*, v. I, p. 8-11 (trad. francesa em: DUPARC, *Nullité*, v. III, p. 7-10; a petição em inglês de Isabelle em TAYLOR, Joan of Arc, p. 264-5).

Para Isabelle vivendo em Orléans, ver: PERNOUD, *Joan of Arc: By Herself and Her Witnesses*, p. 264.

Para a reunião da multidão, e a discussão da família com os membros do Conselho, ver: DUPARC, *Nullité*, v. I, p. 11-16 (trad. francesa em: DUPARC, *Nullité*, v. III, p. 10-14).

Para a audiência na corte episcopal em 17 de novembro e a decisão de continuar pelos membros do Conselho, ver: DUPARC, *Nullité*, v. I, p. 16-41 (trad. francesa em: DUPARC, *Nullité*, v. III, p. 14-36).

Nomeação do promotor e notários: DUPARC, *Nullité*, v. I, p. 64-6 (trad. francesa em: DUPARC, *Nullité*, v. III, p. 58-9).

Escrutínio da ata francesa de Manchon do julgamento e da investigação de 1452: DUPARC, *Nullité*, v. I, p. 67-70 (trad. francesa em: DUPARC, *Nullité*, v. III, p. 61-3).

Para os 101 artigos, ver: DUPARC, *Nullité*, v. I, p. 111-50 (trad. francesa em: DUPARC, *Nullité*, v. III, p. 103-44).

A maioria dos artigos do inquérito nos quais as testemunhas deveriam ser examinadas não sobreviveu, exceto aqueles para a investigação na região da casa de Joana, para os quais ver: DUPARC, *Nullité*, v. I, p. 250-1 (trad. francesa em: DUPARC, *Nullité*,

v. III, p. 238-9; trad. inglesa em: TAYLOR, *Joan of Arc*, p. 255-6).

Para os aldeões mais velhos lembrando-se de Joana como a obediente e esforçada "Jeannette", ver: DUPARC, *Nullité*, v. I, p. 2524 (Jean Morel, seu padrinho, cujo comentário está na p. 253), p. 257-8 (Béatrice, viúva de Estellin), p. 259-60 (Jeannette, esposa de Thévenin), p. 261-2 (Jean Moen), p. 263-4 (Jeannette, viúva de Thiesselin), p. 266-7 (Thévenin le Royer), p. 267-8 (Jaquier de Saint-Amant), p. 269 (Bertrand Lacloppe), p. 270-2 (Perrin Drappier), p. 278-9 (Gérardin d'Épinal) (trad. francesa em: DUPARC, *Nullité*, v. III, p. 240-2, 245-6, 247-8, 249-50, 251-2, 254-5, 255-6, 257, 258-9, 266-7; Morel e Béatrice em inglês em: TAYLOR, *Joan of Arc*, p. 267-9).

Memórias de Hauviette sobre Joana e seus amigos: DUPARC, *Nullité*, v. I, p. 276 (trad. francesa em: DUPARC, *Nullité*, v. III, p. 264).

Para os meninos zombando de Joana e o fato de ela se ajoelhar nos campos quando ouvia os sinos tocarem, ver: DUPARC, *Nullité*, v. I, p. 277 (Jean Waterin), p. 280-1 (Simonin Musnier), p. 287 (Colin, filho de Jean Colin) (trad. francesa em: DUPARC, *Nullité*, v. III, p. 265, 268, 275). Seu padrinho, Jean Morel, também disse que zombavam dela: DUPARC, *Nullité*, v. I, p. 253 (trad. francesa em: DUPARC, *Nullité*, v. III, p. 241; trad. inglesa em: TAYLOR, *Joan of Arc*, p. 268).

Para o testemunho de Perrin Drappier, ver: DUPARC, *Nullité*, v. I, p. 271 (trad. francesa em: DUPARC, Nullité, v. III, p. 259).

Aqueles que se lembram de Laxart dizendo que tinha mentido para o pai de Joana: DUPARC, *Nullité*, v. I, p. 283 (Isabelle, mulher de Gérardin), p. 285 (Mengette, mulher de Jean Joyart), p. 288 (Colin) (trad. francesa em: DUPARC, *Nullité*, v. III, p. 271, 273, 276).

Para o testemunho de Durand Lexart, ver: DUPARC, *Nullité*, v. I, p. 295-7 (trad. francesa em: DUPARC, *Nullité*, v. III, p. 282-4; trad. inglesa em: TAYLOR, *Joan of Arc*, p. 273-4).

Para Catarina e Henrique le Royer, ver: DUPARC, *Nullité*, v. I, p. 298, 299-300 (trad. francesa em: DUPARC, *Nullité*, v. III, p. 285, 286-7; Catarina em inglês em: TAYLOR, *Joan of Arc*, p. 275).

Para o testemunho de Jean de Metz e Bertrand de Poulengy, ver: DUPARC, *Nullité*, v. I, p. 289-92, 304-7 (trad. francesa em: DUPARC, *Nullité*, v. III, p. 276-9, 291-4; trad. inglesa em: TAYLOR, *Joan of Arc*, p. 271-3, 275-7).

Para a falta de impulsos carnais, ver: DUPARC, *Nullité*, v. I, p. 325 (Bastardo), 378 (La Touroulde), p. 387 (Alençon), p. 486 (d'Aulon) (todos à parte de d'Aulon, trad. francesa em: DUPARC, *Nullité*, v. IV, p. 10, 61, 70; o Bastardo, Alençon e d'Aulon em inglês em: TAYLOR, *Joan of Arc*, p. 284, 309, 347). O escudeiro real Gobert Thibaut disse ter ouvido soldados que haviam lutado ao lado de Joana dizerem que, se tivessem desejos carnais, os sentimentos se afastavam quando pensavam nela: DUPARC, *Nullité*, v. I, p. 370 (trad. francesa em: DUPARC, *Nullité*, v. IV, p. 54).

"o segredo da doença das mulheres": ver o testemunho de d'Aulon em: DUPARC, *Nullité*, v. I, p. 486 (trad. inglesa em: TAYLOR, *Joan of Arc*, p. 347).

Simon Charles e a chamada da natureza: DUPARC, *Nullité*, v. I, p. 402 (trad. francesa em: DUPARC, *Nullité*, v. IV, p. 84).

Joana como uma inocente: ver testemunho de Marguerite La Touroulde em: DUPARC, *Nullité*, v. I, 378 (trad. francesa em: DUPARC, *Nullité*, v. IV, p. 61-2).

Sua confiança no campo de batalha, ver o testemunho de Alençon em: DUPARC, *Nullité*, v. I, p. 387-8 (trad. francesa em: DUPARC, *Nullité*, v. IV, p. 70; trad. inglesa em: TAYLOR, *Joan of Arc*, p. 310).

Para sua intolerância de jurar em geral, ver: DUPARC, *Nullité*, v. I, p. 327 (Gaucourt),

p. 330 (Ricarville), p. 339 (André Bordes), p. 340 (Renaude, viúva de Huré), p. 370 (Thibaut), p. 373 (Simon Beaucroix), p. 409 (Pierre Milet) (trad. francesa em: DUPARC, *Nullité*, v. IV, p. 12, 15, 23, 25, 54, 57, 90; Beaucroix em inglês em: TAYLOR, *Joan of Arc*, p. 301). Louis de Coutes disse que ela havia reprovado o duque de Alençon por jurar, e o teólogo Seguin Seguin lembrou dela castigando La Hire: DUPARC, *Nullité*, v. I, p. 367, 473 (trad. francesa em: DUPARC, *Nullité*, v. IV, p. 51, 152; trad. inglesa em: TAYLOR, *Joan of Arc*, p. 298, 338).

Para Joana perseguindo as mulheres para fora do campo, ver: DUPARC, *Nullité*, v. I, p. 367 (Coutes), p. 373-4 (Beaucroix), p. 387 (Alençon), p. 409 (Milet) (trad. francesa em: DUPARC, *Nullité*, v. IV, p. 51, 57, 69-70, 90; Coutes, Beaucroix e Alençon em inglês em: TAYLOR, *Joan of Arc*, p. 298, 302, 309).

Para o escasso apetite de Joana: DUPARC, *Nullité*, v. I, p. 327 (Gaucourt), p. 329 (Ricarville), p. 364 (Coutes), p. 408 (Colette, mulher de Pierre Milet) (trad. francesa em: DUPARC, *Nullité*, v; IV, p. 12, 15, 49, 89; Coutes em inglês em: TAYLOR, *Joan of Arc*, p. 296).

Para Joana se recusando a comer alimentos roubados, ver: DUPARC, *Nullité*, v. I, p. 373 (Beaucroix), p. 396 (Pasquerel) (trad. francesa em: DUPARC, *Nullité*, v. IV, p. 57, 78; trad. inglesa em: TAYLOR, *Joan of Arc*, p. 302, 316).

Para Joana proibindo pilhagens e protegendo as igrejas, ver: DUPARC, *Nullité*, v. I, p. 330 (Regnauld Thierry), p. 373 (Beaucroix), p. 409 (Milet) (trad. francesa em: DUPARC, *Nullité*, v. IV, p. 15, 57, 90; Beaucroix em inglês em: TAYLOR, *Joan of Arc*, p. 302).

Para Joana pedindo às suas tropas que confessassem seus pecados: DUPARC, *Nullité*, v. I, p. 338 (Pierre Compaing), p. 363 (Coutes), p. 373 (Beaucroix), p. 391 (Pasquerel) (trad. francesa em: DUPARC, *Nullité*, v. IV, p. 23, 47, 57, 73; Coutes e Pasquerel em inglês em: TAYLOR, *Joan of Arc*, p. 295, 313).

A compaixão de Joana com aqueles que morrem sem absolvição: DUPARC, *Nullité*, v. I, p. 366 (Coutes), p. 392 (Pasquerel) (trad. francesa em: DUPARC, *Nullité*, v. IV, p. 50, 75; trad. inglesa em: TAYLOR, *Joan of Arc*, p. 297, 314).

"ela fez o trabalho de Deus": DUPARC, *Nullité*, v. I, p. 402 (trad. francesa em: DUPARC, *Nullité*, v. IV, p. 84).

Para o Bastardo e o milagre do vento, ver: DUPARC, *Nullité*, v. I, p. 318-19 (trad. francesa em: DUPARC, *Nullité*, v. IV, p. 4-5; trad. inglesa em: TAYLOR, *Joan of Arc*, p. 279-80).

Para Pasquerel e o milagre da água, ver: DUPARC, *Nullité*, v. I, p. 391-2 (trad. francesa em: DUPARC, *Nullité*, v. IV, p. 74; trad. inglesa em: TAYLOR, *Joan of Arc*, p. 313).

Para a lembrança de Alençon de Joana salvando sua vida, ver: DUPARC, *Nullité*, v. I, p. 384-5 (trad. francesa em: DUPARC, *Nullité*, IV, p. 67-8; trad. inglesa em: TAYLOR, *Joan of Arc*, p. 307). Para a doença do duque e amargura por volta dos anos 1450, ver: VALE, *Charles VII*, p. 159-60.

Para a lembrança de Jean Barbin sobre os comentários de Jean Érault, ver: DUPARC, *Nullité*, v. I, p. 375 (trad. francesa em: DUPARC, *Nullité*, v. IV, p. 59; trad. inglesa em: TAYLOR, *Joan of Arc*, p. 303). No texto que sobreviveu, o qual registra as visões de Marie Robine, há um que fala de uma roda em chamas com armas (para o qual, ver acima, p. 88), mas nenhuma menção à vinda da Donzela. Em outras palavras, a única menção dessa versão da profecia está aqui, nas memórias de Barbin do que Érault havia dito 25 anos antes.

Para a lembrança do Bastardo de Joana pedindo que os sinos fossem tocados, e a descrição dela de sua voz, ver: DUPARC, *Nullité*, v. I, p. 323-4 (trad. francesa em: DUPARC, *Nullité*, v. IV, p. 8-9; trad. inglesa em: TAYLOR, *Joan of Arc*, p. 283-4).

Para a conversação de Jean d'Aulon com Joana sobre suas revelações, ver: DUPARC,

Nullité, v. I, p. 486-7 (trad. inglesa em: TAYLOR, *Joan of Arc*, p. 347-8).

Para a conversação de Joana com Seguin Seguin, ver: DUPARC, *Nullité*, v. I, p. 471-2 (trad. francesa em: DUPARC, *Nullité*, v. IV, p. 150-1; trad. inglesa em: TAYLOR, *Joan of Arc*, p. 337-8).

Para a declaração ainda mais breve de Nicolas Caval, ver: DUPARC, *Nullité*, v. I, p. 451 (trad. francesa em: DUPARC, *Nullité*, v. IV, p. 130-1).

Para a declaração de Jean de Mailly, ver: DUPARC, *Nullité*, v. I, p. 353–5 (trad. francesa em: DUPARC, *Nullité*, v. IV, p. 37-9). De Mailly havia sido um conselheiro do rei Henrique, representou o duque de Borgonha em Arras em 1435 e recebeu o rei Carlos em Noyon em 1443: TISSET, *Condamnation*, v. II, p. 414-15.

Para o testemunho de Thomas de Courcelles, ver: DUPARC, *Nullité*, v. I, p. 355-9 (trad. francesa em: DUPARC, *Nullité*, v. IV, p. 40-4; trad. inglesa em: TAYLOR, *Joan of Arc*, p. 292-4.

Para o testemunho de Guillaume Manchon, ver: DUPARC, *Nullité*, v. I, p. 415-28 (trad. francesa em: DUPARC, *Nullité*, v. IV, p. 96-109; trad. inglesa em: TAYLOR, *Joan of Arc*, p. 321-31).

Para Loiseleur se disfarçando como Santa Catarina, ver o testemunho de Pierre Cusquel em: DUPARC, *Nullité*, v. I, p. 451-4 (trad. francesa em: DUPARC, *Nullité*, IV, p. 131-3). Cusquel era um morador da cidade de Rouen, agora perto dos 50 anos, que afirmou que, quando jovem, foi levado duas vezes para se encontrar com Joana em sua cela, por um homem, ao que parece, com quem trabalhava, o mestre de obras do castelo de Rouen – visitas que, se aconteceram como ele alegou, não devem ter sido aprovadas e reforçaram a sensação de vulnerabilidade de Joana àqueles que tinham acesso a ela no castelo. A declaração de Cusquel é, na maior parte das vezes, um boato, inclusive a história rebuscada sobre Loiseleur, e dá uma sensação de que ele (ao contrário de muitas outras testemunhas) ficou entusiasmado ao se ver envolvido em tais eventos significativos, tanto com o cativeiro de Joana e, agora, com sua reabilitação. Ele próprio havia conversado com Joana, declarou, e a aconselhou a falar com cuidado, uma vez que sua vida estava em jogo. É Cusquel quem relata que, no dia da morte de Joana – uma execução que ele não podia suportar testemunhar, disse, porque seu coração estava dominado pela piedade por uma mulher injustamente condenada – ele próprio encontrou o secretário do rei da Inglaterra no seu caminho de volta da execução e o ouviu dizer: "Estamos todos destruídos, porque uma santa foi queimada!" Esse é um dos comentários mais frequentemente citados em relação à reação imediata à morte de Joana, mas, no contexto do resto do testemunho de Cusquel, ele precisa ser tratado com cautela; certamente, ele tinha se tornado maior na narrativa desde Cusquel testemunhou na audiência anterior de 1452: DUPARC, *Nullité*, v. I, p. 187-8 (trad. francesa em: DUPARC, *Nullité*, v. III, p. 176-9).

Para a sentença de anulação de 7 de julho de 1456, ver: DUPARC, *Nullité*, v. II, p. 602-12 (citações das p. 608-9) (trad. francesa em: DUPARC, *Nullité*, v. IV, p. 221-30; excerto em inglês em: TAYLOR, *Joan of Arc*, p. 348-9).

Para Carlos no vale do Loire, e sua saúde, ver: VALE, *Charles VII*, p. 134,172-3.

Para a rebelião do delfim e prisão do duque de Alençon, ver: VALE, *Charles VII*, p. 154-62, 166–70.

Epílogo

Para o processo da canonização de Joana, ver: KELLY, H. A. Joan of Arc's Last Trial: The Attack of the Devil's Advocates. In: WHEELER; WOOD. (Eds.). *Fresh Verdicts*.

p. 205-36; WILSON-SMITH, T. *Joan of Arc: Maid, Myth and History*. Stroud: [s.n.], 2006. p. 183-4, 196-9; relatório da beatificação de Joana por F. M. Wyndham no *Tablet*, 10 April 1909. Disponível em: <http://archive.thetablet.co.uk/article/10th-april-1909/7/the-beatification-of-joan-of-arc-its-historywith->. Acesso em: 29 jul. 2017; WARNER, *Joan of Arc*, p. 259-60.

"Ela é uma santa": WILSON-SMITH, *Joan of Arc*, p. 184.

"Joana d'Arc [...] brilhou como uma nova estrela [...]": WILSON-SMITH, *Joan of Arc*, p. 198.

Para os comentários do papa Bento XVI em 2011, capturados em filme, ver: <http://www.catholicherald.co.uk/multimedia/2011/01/26/st-joan-of-arc-aninspiration-for-public-service/>. Acesso em: 29 jul. 2017.

Para a carta de Joana aos ingleses, ver acima, p. 113-114.

"Joana é acima de tudo a santa da reconciliação [...]": PERNOUD, *Joan of Arc: By Herself and Her Witnesses*, p. 277.

Para o testemunho de Aimon de Macy, ver: DUPARC, *Nullité*, v. I, p. 404-6 (trad. francesa em: DUPARC, *Nullité*, v. IV, p. 86-8; trad. inglesa em: TAYLOR, *Joan of Arc*, p. 319-21).

Bibliografia

Fontes primárias

A PARISIAN JOURNAL, *1405–1449*. SHIRLEY, J. (Ed. e trad.). Oxford: [s.n.], 1968.

BASIN, T. *Histoire de Charles VII*. SAMARAN, C. (Ed. e trad.). Paris: [s.n.], 1933-44. 2 v.

BELLAGUET, M. L. (Ed. e trad.). *Chronique du religieux de Saint-Denys*. Paris: [s.n.], 1839-52. 6 v. [1994].

BOUDET, J.-P. (Ed.). *Le "Recueil des plus célèbres astrologues" de Simon de Phares*. Paris: [s.n.], 1997. v. I.

BOWER, W. *Scotichronicon*. In: WATT D. E. R. *et al.* (Eds.). Aberdeen: [s.n.], 1987-98. 9 v.

BRIE, F. W. D. (Ed.). *The Brut, or the Chronicles of England*. Londres: [s.n.], 1906. v. I.

BROQUIÈRE, B. de la. *Le Voyage d'outremer*. In: SCHEFER, C. (Ed.). Paris: [s.n.], 1892.

BUCHON, J. A. C. (Ed.). *Choix de chroniques et mémoires relatifs à l'histoire de France*. Orléans: [s.n.], 1875.

CHARTIER, J. *Chronique de Charles VII*. In: VIRIVILLE, V. de. (Ed.). Paris: [s.n.], 1858. 3 v.

CHASTELLAIN, G. *Oeuvres*. In: LETTENHOVE, K. de. (Ed.). Bruxelas: [s.n.], 1863-6. 8 v.

COCHON, P. *Chronique normande*. In: ROBILLARD, de Beaurepaire C. de. (Ed.). Rouen: [s.n.], 1870.

CURRY, A. *The Battle of Agincourt: Sources and Interpretations*. Woodbridge: [s.n.], 2000.

DELPIT, J. (Ed.). *Collection générale des documents français*. Paris: [s.n.], 1847. v. I

DONCOEUR, P.; LANHERS, Y. (Ed. e trad.). *L'Enquête ordonnée par Charles VII en 1450 et le codicile de Guillaume Bouillé*. Paris: [s.n.], 1956.

DUPARC, P. (Ed. e trad.). *Procès en nullité de la condamnation de Jeanne d'Arc*. Paris: [s.n.], 1977-88. 5 v.

FENIN, P. de. *Mémoires*. DUPONT, E. (Ed.). Paris: [s.n.], 1837.

GODEFROY, T. (Ed.). *Le Cérémonial François*. Paris: [s.n.], 1649.

GRÉVY-PONS, N. (Ed.). *L'Honneur de la couronne de France: Quatre libelles contre les Anglais*. Paris: [s.n.], 1990.

GRUEL, G. *Chronique d'Arthur de Richemont*. In: VAVASSEUR, A. le. Paris: [s.n.], 1890.

HOBBINS, D. (Ed. e trad.). *The Trial of Joan of Arc*. Cambridge; Londres: [s.n.], 2005.

JOURNAL DE NICOLAS DE BAYE, GREFFIER DU PARLEMENT DE PARIS, *1400–1417*. TUETEY, A. (Ed.). Paris: [s.n.], 1885-8. 2 v.

JOURNAL D'UN BOURGEOIS DE PARIS, *1405–1449*. TUETEY, A. (Ed.). Paris: [s.n.], 1881.

LE FÉVRE, J. *Chronique*. In: MORAND, F. Paris: [s.n.], 1876-81. 2 v.

LETTENHOVE, K. de. (Ed.). *Chroniques relatives à L'histoire de la Belgique*. Bruxelas: [s.n.], 1872.

LUCE, S. (Ed.). *Chronique Du Mont-Saint-Michel (1343–1468)*. Paris: [s.n.], 1879. v. I.

MÉMOIRES POUR SERVIR À L'HISTOIRE DE FRANCE ET DE BOURGOGNE Paris: [s.n.], 1729.

MONSTRELET, E. de. *La chronique d'Enguerran de Monstrelet*. In: DOUËT-D'ARCQ, L. (Ed.). Paris: [s.n.], 1857-62. 6 v.

MOROSINI, A. *Chronique: Extraits relatifs à l'histoire de France*. In: LEFÈVRE-PONTALIS, G.; DOREZ, L. (Ed. e trad.). Paris: [s.n.], 1898-1902. 4 v.

NICOLAS, H. (Ed.). *Proceedings and Ordinances of the Privy Council of England*. Londres: [s.n.], 1834-5. v. III, IV.

QUICHERAT, J. (Ed.). *Procès de condamnation et de réhabilitation de Jeanne d'Arc*. Paris: [s.n.], 1841-9. 5 v.

QUICHERAT, J. Relation inédite sur Jeanne d'Arc. *Revue historique*, p. 327-44, maio/ago. 1877.

RYMER, T. (Ed.). *Foedera* (1704-35). Disponível em: <http://www.british-history.ac.uk>. Acesso em: 31 jul. 2017.

SMET, J.-J. de. (Ed.). *Recueil des chroniques de Flandre*. Bruxelas: [s.n.], 1856. v. III.

STEVENSON, J. (Ed.). *Letters and Papers Illustrative of the Wars of the English in France*. Londres: [s.n.], 1864. v. II, partes I, II.

STRONG, P.; STRONG, F. The Last Will and Codicils of Henry V. *English Historical Review*, v. 96, n. 378, p. 79-102, 1981.

TAVERNE, A. de la. *Journal de la paix d'Arras*, Paris, 1651.

TAYLOR, C. (Ed. e trad.). *Joan of Arc: La Pucelle*. Manchester: [s.n.], 2006.

TAYLOR, F.; ROSKELL, J. S. (Ed. e trad.). *Gesta Henrici Quinti*. Oxford: [s.n.], 1975.

TISSET, P.; LANHERS, Y. (Ed. e trad.). *Procès de condamnation de Jeanne d'Arc*. Paris: [s.n.], 1960-71. 3 v.

VALOIS, N. (Ed.). Un nouveau témoignage sur Jeanne d'Arc: Réponse d'un clerc Parisien à l'apologie de la Pucelle par Gerson (1429). *Annuaire-Bulletin de la Société de l'Histoire de France*, v. 43, p. 161-79, 1906.

WAURIN, J. de. *Anchiennes cronicques d'Angleterre*. In: DUPONT, E. (Ed.). Paris: [s.n.], 1858-63. 3 v.

WAURIN, J. de. *A Collection of the Chronicles and Ancient Histories of Great Britain, now called England, from AD 1422 to AD 1431*. Tradução de E. L. C. P. Hardy. Cambridge: Longman,1891.

Fontes secundárias

ALLMAND, C. T. Henry V (1386–1422). *Oxford Dictionary of National Biography*.

ALLMAND, C. T. *Henry V*. Londres: [s.n.], 1992.

ALLMAND, C. T. (Ed.). *Power, Culture and Religion in France, c.1350–c.1550*. Woodbridge: [s.n.], 1989.

ALLMAND, C. T. (Ed.). *The New Cambridge Medieval History, c.1415–c.1500*. Cambridge: [s.n.], 1998. v. VII.

ARMSTRONG, C. A. J. La Double Monarchie, France-Angleterre et la maison du Bourgogne (1420–1435): Le Déclin d'une alliance. *Annales de Bourgogne*, v. 37, p. 81-112, 1965.

ARN, M.-J. (Ed.). *Charles d'Orléans in England*. Cambridge: [s.n.], 2000.

ATKINS, M. Jacqueline, suo jure countess of Hainault, suo jure countess of Holland, and suo jure countess of Zeeland (1401–1436). *Oxford Dictionary of National Biography*.

AUTRAND, F. *Charles VI*. Paris: [s.n.], 1986.

BALCON, S. *La Cathédrale Saint-Pierre-et-Saint-Paul de Troyes*. Paris: [s.n.], 2001.

BALFOUR-MELVILLE, E. W. M. *James I, King of Scots, 1406–1437*. Londres: [s.n.], 1936.

BARKER, J. *Agincourt: The King, the Campaign, the Battle*. Londres: [s.n.], 2005.

BARKER, J. *Conquest: The English Kingdom of France in the Hundred Years War*. Londres: [s.n.], 2009.

BEAUCOURT, G. du Fresne de. Le Meurtre de Montereau. *Revue des questions historiques*, Paris, v. V, p. 189-237, 1868.

BEAUCOURT, G. du Fresne de. *Histoire de Charles VII*. Paris: [s.n.], 1881-91. 6 v.

BEAUNE, C. *Birth of an Ideology: Myths and Symbols of Nation in Late-Medieval France*. Berkeley: [s.n.], 1991.

BEAUNE, C. *Jeanne d'Arc*. Paris: [s.n.], 2004.

BENEDETTI, J. *Gilles de Rais*. Londres: [s.n.], 1971.

BLACK, A. Popes and Councils. In: ALLMAND, C. T. (Ed.). *New Cambridge Medieval History*. Cambridge: [s.n.], 1998. v. VII, p. 65-86.

BLUMENFELD-KOSINSKI, R. *Poets, Saints and Visionaries of the Great Schism* Pensilvânia: Pennsylvania State University, 2006.

BOISSONADE, P. Une étape capitale de la mission de Jeanne d'Arc. *Revue des questions historiques*, v. XVII, p. 12-67, 1930.

BOSSARD, E. *Gilles de Rais, maréchal de France, dit Barbe-Bleue (1404–1440)*. Paris: [s.n.], 1886.

BOSSUAT, A. *Perrinet Gressart et François de Surienne*. Paris: [s.n.], 1936.

BRANNER, R. The Labyrinth of Reims Cathedral. *Journal of the Society of Architectural Historians*, v. 21, n. 1, p. 18-25, 1962.

BROWN, M. H. Douglas, Archibald, Fourth Earl of Douglas, and Duke of Touraine in the French Nobility (*c*.1369–1424). *Oxford Dictionary of National Biography*.

BROWN, M. *The Black Douglases: War and Lordship in Late Medieval Scotland, 1300–1455*. Edimburgo: [s.n.], 1998.

BROWN, M. French Alliance or English Peace? Scotland and the Last Phase of the Hundred Years War, 1415–53. In: CLARK. (Ed.), *Conflicts, Consequences and the Crown in the Late Middle Ages*, p. 81-99.

CASTOR, H. *She-Wolves: The Women Who Ruled England Before Elizabeth*. Londres: [s.n.], 2010.

CHEVALIER, B. Les Écossais dans les armées de Charles VII jusqu'à la bataille de Verneuil. In: *Jeanne d'Arc: une époque, un rayonnement*, p. 85-94.

CLARK, L. (Ed.). *Conflicts, Consequences and the Crown in the Late Middle Ages* Woodbridge: [s.n.], 2007.

CLIN, M.-V. Joan of Arc and her doctors. In: WHEELER; WOOD. (Eds.), *Fresh Verdicts on Joan of Arc*, p. 295-302.

CONTAMINE, P. *Guerre, état et société à la fin du Moyen Age: études sur les armées des rois de France, 1337–1494*. Paris: [s.n.], 1972.

CONTAMINE, P. La Théologie de la guerre à la fin du Moyen Age: La Guerre de Cent Ans fut-elle une guerre juste? In: *Jeanne d'Arc: une époque, un rayonnement*, p. 9-21.

CONTAMINE, P. La "France anglaise" au XVe siècle: Mythe ou réalité? In: *La "France anglaise" au Moyen Age*, p. 17-29.

COOPER, S. *The Real Falstaff: Sir John Fastolf and the Hundred Years' War*. Barnsley: [s.n.], 2010.

COSNEAU, E. *Le Connétable de Richemont, Artur de Bretagne, 1393–1458*. Paris: [s.n.], 1886.

CURRY, A. L'effet de la libération sur l'armée anglaise: les problèmes de l'organisation militaire en Normandie de 1429 à 1435. In: *Jeanne d'Arc: une époque, un rayonnement*, p. 95-106.

CURRY, A. The "Coronation Expedition" and Henry VI's Court in France, 1430 to 1432". In: STRATFORD, J. (Ed.). *The Lancastrian Court*. Donington: [s.n.], 2003. p. 29-52.

CURRY, A. *Agincourt: A New History*. Stroud: [s.n.], 2005. [2010].

DEVRIES, K. Military Surgical Practice and the Advent of Gunpowder Weaponry. *Canadian Bulletin of Medical History*, v. 7, p. 131-46, 1990.

DEVRIES, K. A Woman as Leader of Men: Joan of Arc's Military Career. In: WHEELER; WOOD. (Eds.), *Fresh Verdicts on Joan of Arc*, p. 3-18.

DEVRIES, K. *Joan of Arc: A Military Leader*. Stroud: [s.n.], 1999. [2011].

DICKINSON, J. G. *The Congress of Arras, 1435*. Oxford: [s.n.], 1955.

DITCHAM, B. G. H. "Mutton-Guzzlers and Wine Bags": Foreign Soldiers and

Native Reactions in Fifteenth-Century France. In: ALLMAND. (Ed.), *Power, Culture and Religion*, p. 1-13.

DUPARC, P. La délivrance d'Orléans et la mission de Jeanne d'Arc. In: *Jeanne d'Arc: une époque, un rayonnement*, p. 153-8.

ELLIOTT, D. Seeing Double: John Gerson, the Discernment of Spirits, and Joan of Arc. *American Historical Review*, v. 107, n. 1, p. 26-54, 2002.

FARMER, D. H. (Ed.). *The Oxford Dictionary of Saints*. Oxford: [s.n.], 2003.

FORCELLIN, M. *Histoire générale des Alpes Maritimes ou Cottiènes*. Paris: [s.n.], 1890. v. II.

FRAIOLI, D. L'image de Jeanne d'Arc: Que doit-elle au milieu littéraire et religieux de son temps? In: *Jeanne d'Arc: une époque, un rayonnement*, p. 191-6.

FRAIOLI, D. *Joan of Arc: The Early Debate*. Woodbridge: [s.n.], 2000.

FRASER, W. *The Douglas Book*. Edimburgo: [s.n.], 1885.

GIBBONS, R. Isabeau of Bavaria, Queen of France: The Creation of an Historical Villainess. *Transactions of the Royal Historical Society*, v. VI, p. 51-73, 1997.

GIBBONS, R. C. The Active Queenship of Isabeau of Bavaria, 1392–1417. Tese (Doutorado) – Universidade de Reading, Reading, 1997.

GRIFFITHS, R. A. *The Reign of King Henry VI*. Berkeley; Los Angeles: [s.n.], 1981.

GUILLEMAIN, B. Une carrière: Pierre Cauchon. In: *Jeanne d'Arc: une époque, un rayonnement*, p. 217-25.

HARRISS, G. L. *Cardinal Beaufort: A Study of Lancastrian Ascendancy and Decline*. Oxford: [s.n.], 1988.

HARRISS, G. L. Thomas, Duke of Clarence (1387–1421). *Oxford Dictionary of National Biography*.

HARRISS, G. L. Humphrey, duke of Gloucester (1390–1447). *Oxford Dictionary of National Biography*.

HARRISS, G. L. *Shaping the Nation: England, 1360–1461*. Oxford: [s.n.], 2005.

JACKSON, R. *Vive le Roi! A History of the French Coronation*. Chapel Hill: [s.n.], 1984.

JACQUIN, R. Un précurseur de Jeanne d'Arc. *Revue des Deux Mondes*, p. 222-6, 1967.

JEANNE D'ARC: une époque, un rayonnement. *Colloque d'Histoire Médiévale, Orléans Octobre 1979*. Paris: [s.n.], 1982.

JONES, M. Catherine (1401–1437). *Oxford Dictionary of National Biography*.

JONES, M. K. The Battle of Verneuil (17 August 1424): Towards a History of Courage. *War in History*, v. 9, p. 375-411, 2002.

JONES, M. K. "Gardez mon corps, sauvez ma terre" – Immunity from War and the Lands of a Captive Knight: The Siege of Orléans (1428–29) Revisited. In: ARN. (Ed.), *Charles d'Orléans in England*, p. 9-26.

KEEGAN, J. *The Face of Battle: A Study of Agincourt, Waterloo and the Somme*. Londres: [s.n.], 1976.

KELLY, H. A. Joan of Arc's Last Trial: The Attack of the Devil's Advocates. In: WHEELER; WOOD. (Eds.), *Fresh Verdicts on Joan of Arc*, p. 205-36.

La "France anglaise" au Moyen Age. In: CONGRÈS NATIONAL DES SOCIÉTÉS SAVANTES, 3., Poitiers, 1986. *Anais*... Paris, 1988.

LABORDE, L. de. *Les Ducs de Bourgogne*. Paris: [s.n.], 1849–52. 3 v.

LANG, S. J. Bradmore, John (d. 1412). *Oxford Dictionary of National Biography*.

LEGUAI, A. La "France bourguignonne" dans le conflit entre la "France française" et la "France anglaise" (1420–1435). In: *La "France anglaise" au Moyen Age*, p. 41-52.

LETHEL, F.-M. La soumission à l'Église militante: un aspect théologique de la condamnation de Jeanne d'Arc. In: *Jeanne d'Arc: une époque, un rayonnement*, p. 182-9.

LEWIS, P. S. La "France anglaise" vue de la France française. In: *La "France anglaise" au Moyen Age*, p. 31-9.

LITTLE, R. G. *The Parlement of Poitiers: War, Government and Politics in France, 1418–1436*. Londres: [s.n.], 1984.

LUCE, S. *Jeanne d'Arc à Domrémy: recherches critiques sur les origines de la mission de la Pucelle*. Paris: [s.n.], 1886.

MATTHEW, H. C. G.; HARRISON, B. (Eds.). *Oxford Dictionary of National Biography*. Oxford: [s.n.], 2004. GOLDMAN, L. (Ed.). 2010. Disponível em: <http://www.history.ac.uk/makinghistory/resources/articles/ODNB.html>. Acesso em: 28 jul. 2017.

MCGUIRE, B. P. *Jean Gerson and the Last Medieval Reformation*. Pensilvânia: Pennsylvania State University, 2005.

MORTIMER, I. *1415: Henry V's Year of Glory*. Londres: [s.n.], 2009.

MURRAY, S. *Building Troyes Cathedral: The Late Gothic Campaigns*. Bloomington; Indianápolis: [s.n.], 1987.

NEVEUX, F. *L'Évêque Pierre Cauchon*. Paris: [s.n.], 1987.

ODIO, E. Gilles de Rais: Hero, Spendthrift, and Psychopathic Child Murderer of the Later Hundred Years War. In: VILLALON; KAGAY. (Eds.), *The Hundred Years War*, parte III, p. 145-84.

PERNOUD, R. *Joan of Arc: By Herself and Her Witnesses*. Londres: [s.n.], 1964.

PERNOUD, R.; CLIN, M.-V. *Joan of Arc: Her Story*. Tradução e revisão de J. DuQuesnay Adams. New York: [s.n.], 1998.

PETIT, E. Les Tonnerrois sous Charles VI et la Bourgogne sous Jean Sans Peur (épisodes inédits de la Guerre de Cent Ans). *Bulletin de la Société des Sciences Historiques et Naturelles de l'Yonne*, v. xlv, p. 247-315, 1891.

PEYRONNET, G. Un problème de légitimité: Charles VII et le toucher des écrouelles. In: *Jeanne d'Arc: une époque, un rayonnement*, p. 197-202.

PINZINO, J. M. Just War, Joan of Arc, and the Politics of Salvation. In: VILLALON, L. J. A.; KAGAY, D. J. (Eds.). *The Hundred Years War: A Wider Focus*. Leiden; Boston: [s.n.], 2005. p. 365-96.

PLANCHER, U. *Histoire générale et particulière de Bourgogne*. Dijon: [s.n.], 1739-81. 4 v.

POLLARD, A. J. Talbot, John, First Earl of Shrewsbury and First Earl of Waterford (*c*.1387–1453). *Oxford Dictionary of National Biography*.

RAMSAY, J. H. *Lancaster and York: A Century of English History*. Oxford: [s.n.], 1892. v. I.

ROWE, B. J. H. Discipline in the Norman Garrisons under Bedford, 1422–35. *English Historical Review*, v. 46, p. 194-208, 1931.

ST JOHN HOPE, W. H. The Funeral, Monument, and Chantry Chapel of King Henry the Fifth. *Archaeologia*, v. 65, p. 129-86, 1914.

SCHIBANOFF, S. True Lies: Transvestism and Idolatry in the Trial of Joan of Arc. In: WHEELER; WOOD. (Eds.), *Fresh Verdicts*, p. 31-60.

SCHNERB, B. *Armagnacs et Bourguignons: La Maudite Guerre, 1407–1435*. Paris: [s.n.], 1988 [2009].

SENNEVILLE, G. de *Yolande d'Aragon: La Reine qui a gagné la Guerre de Cent Ans*. Paris: [s.n.], 2008.

STRATFORD, J. (Ed.). John, Duke of Bedford (1389–1435). *Oxford Dictionary of National Biography*.

STRATFORD, J. (Ed.). *The Lancastrian Court*. Donington: [s.n.], 2003.

SULLIVAN, K. "I do not name to you the voice of St Michael": The Identification of Joan of Arc's Voices. In: WHEELER; WOOD. (Eds.), *Fresh Verdicts*, p. 85-112.

SULLIVAN, K. *The Interrogation of Joan of Arc*. Minneapolis: [s.n.], 1999.

TABURET-DELAHAYE, E. (Ed.). *Paris 1400: Les Arts sous Charles VI.* Paris: [s.n.], 2004.

TAYLOR, L. J. *The Virgin Warrior: The Life and Death of Joan of Arc.* New Haven; London: [s.n.], 2009.

THOMPSON, G. "Monseigneur Saint Denis", His Abbey, and His Town, under English Occupation, 1420–1436. In: ALLMAND. (Ed.), *Power, Culture and Religion in France, c.1350–c.1550*, p. 15-35.

THOMPSON, G. L. *Paris and Its People under English Rule: The Anglo-Burgundian Regime, 1420–1436.* Oxford: [s.n.], 1991.

TOBIN, M. Le Livre des révélations de Marie Robine (+1399): Étude et edition. *Mélanges de l'École Française de Rome, Moyen-Age, Temps Modernes*, v. 98, n. 1, p. 229-64, 1986.

VALE, M. G. A *Charles VII.* London; [s.n.], 1974.

VALE, M. Jeanne d'Arc et ses adversaires: Jeanne, victime d'une guerre civile? In: *Jeanne d'Arc: une époque, un rayonnement*, p. 203-16.

VALOIS, N. Conseils et prédictions adressés à Charles VII, en 1445. *Annuaire-Bulletin de la Société de l'Histoire de France*, v. XLVI, p. 201-38, 1909.

HERWAARDEN, van J. The appearance of Joan of Arc. In: HERWAARDEN, van J. (Ed.). *Joan of Arc: Reality and Myth.* Hilversum: [s.n], 1994. p. 19-74.

HERWAARDEN, van J. (Ed.). *Joan of Arc: Reality and Myth.* Hilversum: [s.n], 1994.

VAUCHEZ, A. Jeanne d'Arc et le prophétisme féminin des XIVe et XVe siècles. In: *Jeanne d'Arc: une époque, un rayonnement*, p. 159-68.

VAUGHAN, R. *Philip the Bold: The Formation of the Burgundian State.* Londres: [s.n.], 1962. [2002].

VAUGHAN, R. *Philip the Bold: The Formation of the Burgundian State.* Londres: [s.n.], 1962. [2002].

VAUGHAN, R. *John the Fearless: The Growth of Burgundian Power.* Londres: [s.n.], 1966. [2002].

VAUGHAN, R. *Philip the Good: The Apogee of Burgundy.* Londres: [s.n.], 1970 [2002].

VILLALON, L. J. A.; KAGAY, D. J. (Eds.). *The Hundred Years War: A Wider Focus* Leiden; Boston: [s.n.], 2005.

VILLALON, L. J. A.; KAGAY, D. J. (Eds.). *The Hundred Years War: Further Considerations.* Leiden; Boston: [s.n.], 2013. parte III.

VINCENT, N. *Holy Blood: King Henry III and the Westminster Blood Relic.* Cambridge: [s.n.], 2001.

VIRIVILLE, V. de. (Ed. e ed.). *Procès de Condamnation de Jeanne d'Arc*. Paris: [s.n.], 1867.

WARNER, M. *Joan of Arc: The Image of Female Heroism*. Londres: [s.n.], 1981.

WATTS, J. *Henry VI and the Politics of Kingship*. Cambridge: [s.n.], 1996.

WATTS, J. Pole, William de la, First Duke of Suffolk (1396–1450). *Oxford Dictionary of National Biography*.

WHEELER, B. Joan of Arc's Sword in the Stone. In: WHEELER; WOOD. (Eds.), *Fresh Verdicts on Joan of Arc*, p. xi–xvi.

WHEELER, B.; WOOD. , C. T. (Eds.). *Fresh Verdicts on Joan of Arc*. New York: [s.n.], 1996.

WILSON-SMITH, T. *Joan of Arc: Maid, Myth and History*. Stroud: [s.n.], 2006.

WIRTH, R. (Ed.). Primary Sources and Context Concerning Joan of Arc's Male Clothing. *Historical Academy (Association) for Joan of Arc Studies*, 2006.

WOOD, C. T. Joan of Arc's mission and the lost record of her interrogation at Poitiers. In: WHEELER; WOOD. (Eds.), *Fresh Verdicts on Joan of Arc*, p. 19-28.

WYLIE, J. H.; WAUGH, W. T. *The Reign of Henry V*. Cambridge: [s.n.], 1929. v. III.

ZACHARIADOU, E. The Ottoman World. In: ALLMAND. (Ed.), *New Cambridge Medieval History*, v. VII, p. 812-30.

Agradecimentos

As dívidas de gratidão que contraí ao escrever este livro começam com meu agente e meu editor, sem os quais eu não teria tido a chance de contar a história de Joana. Eu não poderia desejar orientação mais prestativa nem apoio mais inabalável do que o que recebi de Patrick Walsh, com a competente assistência de Alex Christofi e Carrie Plitt, tampouco poderia desejar um editor mais sábio ou mais perspicaz que Walter Donohue. A ele, e a toda a equipe da Faber, que comprou a ideia deste livro – especialmente Kate Ward, Donna Payne, Kate Burton, Eleanor Rees, Peter McAdie, Sarah Ereira e András Bereznay –, sou imensamente grata.

Por sua generosidade em compartilhar referências, conselhos e encorajamento, devo imensuráveis agradecimentos a Dan Jones, meu amigo do século XV e também do XXI; a Rowena Archer, Hannah Skoda e aos estudantes que cursavam a disciplina optativa "Joana D'Arc" na Faculdade de História da Universidade de Oxford, que me deram as boas-vindas em um de seus esclarecedores seminários; e a Richard Beadle e Jenny Stratford, especialistas com quem tive o privilégio de contar em minha pesquisa. Também me beneficiei das discussões que tive sobre Joana com Lucy Swingler, Lucy Parker, Ross Wilson e Jacqui Hayden, brilhantes contadores de histórias. Foi uma pena que não pude usar o título inspirado que Arabella Weir sugeriu para o livro, mas ela esteve comigo em cada passo dessa jornada, assim como Jo Marsh, Katie Brown e Thalia Walters, e eu espero que eles, assim como todos os meus amigos e familiares, saibam a diferença que fazem para mim.

Meus pais, Gwyneth e Grahame Castor, têm sido uma fonte infalível de apoio, dos mais variados tipos: prático, emocional e intelectual. Julian Ferraro, meu primeiro e mais necessário leitor, não só segurou todas as pontas, mas também me ajudou muito. Este livro é dedicado a Luca, nosso lindo garotinho, para agradecê-lo por sua paciência e com a esperança de que um dia ele possa vir a gostar dele.

Helen Castor
Londres, 2014

Este livro foi composto com tipografia Electra Std e impresso
em papel Off-White 70 g/m² na gráfica Rede.